Yasmine Jinah
Jan 94

Jacques BERTRAND

avec la collaboration de
Madeleine GUINARD

DICTIONNAIRE
DES
HOMONYMES

NATHAN

Chez le même éditeur

Dictionnaire de l'Orthographe
(Tous les pièges et difficultés de la langue française)
A. Jouette

Dictionnaire des Synonymes
P. Macé, M. Guinard

Dictionnaire culturel de la Bible
D. Fouilloux, A. Langlois, A. Le Moigné,
F. Spiess, M. Thibault, R. Trébuchon

ISBN - 2-09-188122-I

1. **À** *prép.*
[a]

1. introduit un complément d'objet indirect.

2. marque le but, le lieu, la manière, le moyen, le temps, etc.

- *J'ai **à** vous parler maintenant; songez d'abord **à** m'écouter, et ensuite **à** me répondre.* (MUSSET, Le chandelier, I, 1.)

- *Contrairement **à** la plupart de ses confrères qui, comme les juges, aiment faire attendre et se mettent volontiers **à** plusieurs pour condamner le client, Mahorin appelait rarement un spécialiste **à** son secours et lâchait le morceau **à** la famille dès qu'il était sûr de son fait.* (H. BAZIN, Qui j'ose aimer, X.)

- *La maison des Bucolin, blanche, **à** deux étages, ressemble **à** beaucoup de maisons de campagne du siècle avant-dernier... Les fenêtres sont **à** petits carreaux...* (A. GIDE, La porte étroite, I.)

A, AS *formes du verbe « avoir ».*
[a]

- *Malgré son état de blonde, continua-t-elle, Béatrix n'**a** pas la finesse de sa couleur; elle **a** de la sévérité dans les lignes, elle est élégante et dure; elle **a** la figure d'un dessin sec et l'on dirait que dans son âme il y **a** des ardeurs méridionales.* (BALZAC, Béatrix, II, 6.)

- *Eh bien, alors, pourquoi n'**as**-tu pas fait comme les autres?* (L. GUILLOUX, Le pain des rêves, II.)

HA! *interj.* marque la surprise; sous la forme redoublée, ['a] marque le rire.

- *Ha! Que me dites-vous?* (MOLIÈRE, L'école des maris, II, 3.)

- *Ha! ha! très drôle!...* (E. ROSTAND, L'Aiglon, IV, 11.)

- *N.B. **Ah!** [α] exprime un sentiment : joie, étonnement, etc., ex. : **Ah,** tant mieux! Je redoutais pire!* (J. GIRAUDOUX, Sodome et Gomorrhe, II, 7.)

---

2. ACCORD *n. m.*   1. entente, pacte.
[akɔr]   2. union harmonique de sons.

● *Le paysage était d'une si surprenante et si singulière beauté que d'un **accord** tacite nous arrêtâmes nos deux voitures sur le bord du lac.*
(J. GRACQ, Un beau ténébreux.)

● *Au dernier **accord** de la valse, Mlle Vatnaz parut.*
(FLAUBERT, L'Éducation sentimentale, II, 1.)

ACCORE *n. m.*   1. étai pour un navire en construction.
[akɔr]   2. contour d'un récif.

● *Ces billes de bois, les **accores**, sont de différentes longueurs suivant leur position sous la coque du navire.* (L. OURY, Les prolos, VI.)

● *Il tenait, en effet, à veiller lui-même, en mer du Nord, tant qu'il n'aurait pas sorti son « Tenax » du dangereux chenal que jalonnaient les bateaux-feux ancrés à l'**accore** des bancs de sable.* (R. VERCEL, Au large de l'Eden, I.)

---

3. ACHE *n. f.*   plante ombellifère.
[aʃ]

● *À l'entour, fleurissaient des prairies molles d'**aches** et de violettes.*
(H. TAINE, Voyage en Italie, II.)

HACHE *n. f.*   outil tranchant.
['aʃ]

● *On entend, à certaines heures, tomber sur la cime des arbres, des coups de **hache**.* (J. VALLÈS, Les rues de Paris.)

---

4. ACQUÊT *n. m.*   bien acquis pendant le mariage par l'un des
[akɛ]   époux.

● *La propriété fait-elle partie des **acquêts**?... Je veux dire, a-t-elle été achetée par tes parents depuis leur mariage?* (F. MAURIAC, Le désert de l'amour, III.)

HAQUET *n. m.*   charrette sans ridelles.
['akɛ]

● *Il n'aperçut pas sa femme, mais seulement, sur le buffet bas, le cadeau qu'il lui avait offert pour ses trente-trois ans : un amour de tonnelet posé sur un amour de **haquet**.* (H. BAZIN, Chapeau bas.)

---

5. **ACQUIS** *n. m.* 1. savoir, expérience.
[aki] 2. avantage obtenu par la lutte syndicale.

- *Les mères et les éducatrices alignées contre le mur, nous faisions étalage de nos derniers **acquis**. Pourquoi n'aurais-je pas aimé ces séances ? J'étais toujours première.* (Clara MALRAUX, Nos vingt ans, I.)

- *Au nom de la défense des **acquis** sociaux, le comité référendaire contre la hausse des tarifs hospitaliers tenait lundi une conférence de presse.* (Journal de Genève, 6 février 1979, p. 21.)

ACQUIS, ACQUIT *formes du verbe «acquérir»* : obtenir,
[aki] gagner.

- *Ce point **acquis**, le reste viendra tout seul.* (H. BAZIN, Bouc émissaire.)

- *Elle **acquit** une certaine renommée.* (Nicole AVRIL, Monsieur de Lyon, 4.)

ACQUIT *n. m.* décharge, quittance, reçu.
[aki]

- *Ce n'est donc que par **acquit** de conscience que je parlerai des autres péchés capitaux.* (B. CENDRARS, Bourlinguer, VIII.)

---

6. **AIGUILLÉE** *n. f.* longueur de fil passé dans une aiguille,
[ɛgɥije] pour coudre.

- *Elle vient de couper une **aiguillée** de soie et pose ses ciseaux auprès d'elle* (COLETTE, La retraite sentimentale.)

AIGUILLER *v. tr.* diriger, orienter.
[ɛgɥije]

- *Je songeai au récit de Châtelain, au cercle des officiers de Sfax où l'on évitait, comme la peste, toute conversation susceptible d'**aiguiller** les pensées vers certaine mission Morhange-Saint-Avit.* (P. BENOÎT, L'Atlantide, II.)

---

7. **AILE** *n. f.* 1. organe du vol chez les oiseaux et les insectes.
[ɛl] 2. partie latérale d'un bâtiment, d'une voiture, etc.

- *Je n'ai pour auditrices que deux hirondelles qui de temps en temps me frôlent de l'**aile**.* (M. JOUHANDEAU, Galande, VII.)

- *Il avait fait aménager son bureau à l'extrême sud de la bastide, au bout de l'**aile** des anciens communs.* (G. BONHEUR, La croix de ma mère, I, 1.)

ELLE *pron. pers. f. sing. de la troisième personne ; au pluriel :*
[ɛl] *elles*

● *Elle s'étonnera : je lui protesterai que je ne peux plus vivre sans **elle**.*
(F. MAURIAC, Le désert de l'amour, V.)

HÈLE, HÈLES, HÈLENT *formes du verbe « héler » :* appeler de
['ɛl] loin.

● *Une voiture passe. Je la **hèle**. En deux mots, je mets le chauffeur au courant de ce qui s'est passé.* (Julien GREEN, Si j'étais vous, II, 7.)

---

8. AILÉ, ÉE *adj.* qui a des ailes ; léger, rapide.
[ele]

● *Une chaleur d'orage met en effervescence tous les insectes **ailés** de la forêt.*
(Norbert CASTERET, En rampant, I, 1.)

● *Et sa démarche, d'ordinaire si **ailée**, a ce quelque chose d'hésitant et de chancelant que, depuis hier matin, je ne connais que trop bien.*
(Robert MERLE, Madrapour, XIV.)

HÉLER *v. tr.* appeler de loin.
['ele]

● *Elle m'appelait Dickie depuis qu'en Angleterre elle avait entendu une jeune fille **héler** ainsi un jeune homme.* (A. MAUROIS, Climats I, 5.)

---

9. AINE *n. f.* partie du corps entre la cuisse et le bas-ventre.
[ɛn]

● *Huguette se raidissait pour ne plus se plaindre. Mais lorsqu'il appuya sur les ganglions des **aines**, elle laissa échapper un faible gémissement.*
(R. MARTIN DU GARD, Les Thibault, La Consultation, V.)

HAINE *n. f.* passion violente contre les êtres ou contre les
['ɛn] choses ; animosité, hostilité.

● *Une **haine** farouche avait éclaté aussitôt entre le docteur Latonne et le docteur Bonnefille.* (MAUPASSANT, Mont-Oriol, I, 1.)

---

10. AIR *n. m.*   1. atmosphère.
   [ɛr]   2. allure, apparence, aspect.
        3. mélodie, suite de sons.

● *Quand ils se réveillèrent le lendemain, le ciel était clair et le bulletin météorologique assurait que la France serait sous l'influence d'un flux d'**air** continental sec et chaud.*   (P. GAXOTTE, Le nouvel ingénu, X.)

● *Les unes avaient l'**air** sombre et rechigné; les autres, un **air** folâtre et malin.*
        (BAUDELAIRE, Le spleen de Paris, XX.)

● *Je suis homme, quand l'amour me prend, à acheter une mandoline et à en aller jouer des **airs** sous les fenêtres de la bien-aimée.*
        (G. COURTELINE, Ah! Jeunesse!... II.)

AIRE *n. f.*   1. surface plane.
   [ɛr]   2. nid d'un oiseau de proie.
        3. en géométrie, superficie.
        4. en langage marin, division du cercle de la boussole.

● *Près de la maison, s'étendait une **aire** de sol dur, où, autrefois, l'on battait le blé.*   (Henri TROYAT, Un si long chemin.)

● *Ce fut le cri le plus sauvage que jamais un aigle blessé ait poussé dans son **aire.***   (BALZAC, Béatrix, II, 12.)

● *Il lut : «Dans des polygones semblables, les **aires** sont proportionnelles aux carrés des dimensions homologues.» Découragé, il ferma le livre.*
        (R. VERCEL, Ceux de la Galatée, XII.)

● *Au lieu de resserrer sa famille et ses gens autour de lui, il les avait dispersés à toutes les **aires** de vent de l'édifice.*
        (CHATEAUBRIAND, Mémoires d'outre-tombe, I, 3.)

ÈRE *n. f.*   1. division des temps géologiques.
   [ɛr]   2. grande division chronologique qui commence à un point fixe.
        3. époque qui se signale par un fait nouveau.

● *L'**ère** tertiaire dont la durée est bien réduite par rapport aux **ères** géologiques antérieures, apparaît comme une époque de grands changements.*
        (E. de MARTONNE, Traité de géographie physique, IV, 11.)

● *Des séquoias, déjà vieux de mille ans au début de l'**ère** chrétienne, continuent, de leur ombre immense, à mesurer les heures du jour, les saisons et les siècles.*
        (M. GENEVOIX, Images pour un jardin sans murs, IV.)

● *Le 9 thermidor avait ouvert pour la France cette **ère** nouvelle qui est la seconde phase de toute révolution.*
        (V. HUGO, Discours de réception à l'Académie Française, 3 juin 1841.)

● *L'**ère** de la télématique.*   (Le Monde, 10 mars 1979, p. 26.)

ERRE *n. f.*   vitesse que conserve un navire lorsque les
[ɛr]   moteurs sont arrêtés ou les voiles amenées.

- *On entendit la voix furibonde de Darras, ordres et imprécations mêlés, tandis que le «Saint-Florent», moteurs coupés, courait sur son **erre**.*
(E. ROBLÈS, La croisière, VIII.)

- *Une pinasse bleu ciel, le «Marsouin», débouchait à tribord mourant sur son **erre**.* (H. QUEFFELEC, Tempête sur Douarnenez, IV, 9.)

ERRE, ERRES, ERRENT *formes du verbe «errer»* : aller çà et
[ɛr]   là, vagabonder.

- *On est à peu près sûr de rencontrer un vieillard qui **erre** dans la lande.*
(M. JOUHANDEAU, Galande, XI.)

ERS *n. m.*   légumineuse.
[ɛr]

- *Les bons cruciverbistes trouvent facilement le mot **ers** sous la définition «lentilles».*

HAIRE *n. f.*   chemise de crin.
['ɛr]

- *«Laurent, serrez ma **haire** avec ma discipline».* (MOLIÈRE, Le Tartuffe, III, 2.)

HÈRE *n. m.*   1. homme misérable.
['ɛr]   2. jeune cerf.

- *Il fut un de ces dix mille pauvres **hères**, faméliques et fiers, qui se lèvent chaque matin à Paris, tout étourdis de faim et de rêves ambitieux.*
(A. DAUDET, Jack, I, 2.)

- *Alors il n'était plus un faon, mais un **hère** déjà grand qui portait deux bosses sur le front.* (M. GENEVOIX, La dernière harde, II, 2.)

---

11. AIS *n. m.*   planche, poutre.
[ɛ]

- *Il lui parut que la pluie et le fleuve, confondant leurs eaux tumultueuses, submergeaient cette fragile maison dont les **ais** craquaient de toutes parts.*
(J. VERNE, Maître Zacharius, I.)

- *Entre les **ais** disjoints du vieux moulin, des lames de soleil passaient, minces et droites, qui s'entrecoupaient dans l'ombre.*
(M. GENEVOIX, Le jardin dans l'île, III, 3.)

AIE, AIES, AIT, AIENT *formes du verbe «avoir».*
[ɛ]

- *On ne peut pas dire que tu **aies** bonne mine.*
(Anne PHILIPE, Le temps d'un soupir, IX.)

- *Je ne pense pas que ta proposition **ait** un grand succès.*
(A. ROUSSIN, La petite hutte, II.)

8

ES, EST   *formes du verbe « être ».*
[ɛ]

● *Le rôle constant de la presse parisienne* **est** *de ne pas donner d'importance à ce qui* **est** *important et d'en donner à ce qui ne l'***est*** pas.*
(MONTHERLANT, Carnets, XXV.)

HAIE *n. f.*   1. clôture d'arbustes.
['ɛ]   2. alignement de personnes.

● *Ils restaient sur la terrasse, se promenant à pas irréguliers, ou bien s'asseyaient sur un banc de bois adossé à une* **haie** *de troènes.*
(Valéry LARBAUD, Fermina Marquez, X.)

● *La foule lui faisait une* **haie** *d'honneur.*   (R. RADIGUET, Le bal du comte d'Orgel.)

HAIS, HAIT   *formes du verbe « haïr » :* détester.
['ɛ]

● *Je ne* **hais** *personne, je suis trop bien élevé pour ça.*
(J.-L. CURTIS, Les forêts de la nuit, I, 3.)

---

12. ALÈNE *n. f.*   poinçon servant à percer le cuir.
[alɛn]

● *Elle allongea le bras, et sans quitter sa chaise, elle saisit un outil sur la table : sa pointe de relieuse, aiguë comme une* **alêne.**
(R. DORGELÈS, Le château des brouillards, XV.)

HALEINE *n. f.*   air rejeté par les poumons.
[alɛn]

● *Mme Arnoux, le dos tourné à la lumière, se penchait vers lui. Il sentait sur son front la caresse de son* **haleine.**   (FLAUBERT, L'éducation sentimentale, III, 6.)

---

13. ALLÉE *n. f.*   1. passage étroit; chemin bordé d'arbres.
[ale]   2. « allées et venues » : déplacements.

● *Les* **allées** *secondaires et l'***allée*** principale du jardin ressemblaient, derrière la fenêtre, à des lignes tracées à la craie sur un tableau noir.*
(J. E. HALLIER, Les aventures d'une jeune fille, III, 9.)

● *Embusqué là comme une araignée dans sa toile, il (le docteur Bonnefille) guettait les* **allées** *et venues des malades, surveillant les siens d'un œil sévère et ceux des autres d'un œil furieux.*   (MAUPASSANT, Mont-Oriol, I, 1.)

9

ALLER *v. intr.*　　se déplacer, marcher.
['ale]

● *Il ne savait plus où **aller**.* (G. BONHEUR, La croix de ma mère, III, 2.)

● *On me laissait **aller** comme un jeune chien qui fait ses dents.*
　　　　　　　　　　　　　　　　(J. GUÉHENNO, Changer la vie.)

ALLER *n. m.*　　trajet fait dans un seul sens; « aller et
['ale]　　　　　　　retour » : voyage dans les deux sens.

● *À l'**aller** et au retour du travail, il demeurait en arrière sous un prétexte quelconque, pour ne pas se mêler au groupe.*
　　　　　　　　　　　　　　　(E. GUILLAUMIN, La vie d'un simple, 36.)

HALER *v. tr.*　　tirer avec force.
['ale]

● *Il avait l'impression de **haler** son frère autant par la voix que par la corde.*
　　　　　　　　　　　　　　　(H. TROYAT, La neige en deuil, 6.)

---

14. ALLIÉ, ÉE *adj. et n.*　　(p. p. de « allier ») uni par un pacte,
[alje]　　　　　　　　　　　par un lien de parenté.

● *Je sentis que j'aurais en elle, le cas échéant, une **alliée**.*
　　　　　　　　　　　　　　　(P. BENOÎT, L'Atlantide, 11.)

● *Il était riche et **allié**, par sa femme dont il était veuf, au marquis de Blimont.*
　　　　　　　　　　　　　　(H. de RÉGNIER, La double maîtresse, I, 2.]

HALLIER *n. m.*　　buisson.
['alje]

● *Nous partîmes en suivant les bords de la Thève, à travers les prés semés de marguerites et de boutons-d'or, puis le long des bois de Saint-Laurent, franchissant parfois les ruisseaux et les **halliers** pour abréger la route.*
　　　　　　　　　　　　(NERVAL, Les filles du feu, Sylvie, V.)

---

15. ALLÔ *interj.*　　appel au début d'une conversation télépho-
[alo]　　　　　　　nique.

● *« **Allô** !... Le commissaire Maigret ? »* (G. SIMENON, Maigret et son mort, I.)

HALO *n. m.*　　cercle lumineux qui entoure une source de
['alo]　　　　　　lumière.

● *Le train est arrivé. Le cheminot a manœuvré les commutateurs. Les ampoules électriques de faible puissance ont projeté des **halos** dans les couloirs souterrains.*　　　　　　　(R. VAILLAND, La fête, 9.)

---

16.   AMANDE *n. f.*   fruit ; graine enfermée dans un noyau.
[amɑ̃d]

- *Dans la coupe d'argent, aux filigranes de Damas, qu'elle me présentait, je pris machinalement, parmi d'autres fruits, trois ou quatre **amandes** vertes.*
(P. BENOÎT, La châtelaine du Liban, V.)

AMENDE *n. f.*   peine pécuniaire ; contravention.
[amɑ̃d]

- *M. le Président Bourriche lut entre ses dents un jugement qui condamnait Jérôme Crainquebille à quinze jours de prison et cinquante francs d'**amende**.*
(A. FRANCE, Crainquebille, III.)

AMENDE, AMENDES, AMENDENT   *formes du verbe « amen-*
[amɑ̃d]   ***der »** :* améliorer ; fumer
(une terre).

- *Quel que soit mon dévouement, je ne puis veiller à ce que nos colons n'**amendent** pas leurs propres terres avec nos fumiers.*
(BALZAC, Le lys dans la vallée, I.)

---

17.   AMEN *n. m. inv.*   ainsi soit-il ; mot qui termine une prière
[amɛn]   ou indique la fin d'une chose.

- *Aussi puisse prospérer longtemps et toujours le précieux petit établissement, pour la joie, le repos, ... **Amen !*** (VERLAINE, Les mémoires d'un veuf.)

- *La question restait alors de parvenir à communiquer avec mon frère, malgré la surveillance de Fräulein qui, une fois pour toutes, avait déclaré qu'**amen** signifiait « bonsoir ».* (Clara MALRAUX, Nos vingt ans, I.)

AMÈNE *adj.*   affable, aimable.
[amɛn]

- *Ce garçon me souriait, mais ses yeux bleus minuscules me lançaient des regards peu **amènes**.* (R. V. PILHES, La bête, 10.)

AMÈNE, AMÈNES, AMÈNENT   *formes du verbe « amener » :*
[amɛn]   faire venir avec soi.

- *Je vous **amène** notre vieux Lucien, qui vient vous faire ses adieux.*
(M. PAGNOL, Les marchands de gloire, I, 2.)

---

18.   AMI, E *n. et adj.*   personne pour laquelle on a de l'affection.
[ami]

- *Ces deux jeunes gens étaient deux **amis** dans la véritable acception du mot.*
(BALZAC, Albert Savarus.)

11

AMICT *n. m.*   vêtement sacerdotal en forme d'écharpe.
[ami]

- L'*amict* dérive du foulard que les Romains portaient au cou.
(Grand Larousse Encyclopédique.)

---

19. AN *n. m.*   période de 365 jours.
[ɑ̃]

- Si je reste un **an** sans lire le journal, le dernier que j'ai lu il y a un **an** et celui que je lis aujourd'hui disent la même chose. J'en conclus qu'il ne s'est rien passé entre-temps.   (MONTHERLANT, Brocéliande, I, 1.)

    EN *prép. et pron. adv.*   1. marque le lieu, la manière, le
    [ɑ̃]   temps ; se met devant un participe présent.

     2. équivaut à « de lui, d'elle, de cela ».

- On vient de suspendre **en** France un maire nommé « Trodoux ».
(V. Hugo, Choses vues, 1856.)

- Personne ne peut imaginer la Murzec **en** amoureuse, et encore moins **en** veuve éplorée.   (R. MERLE, Madrapour, IV.)

- Je m'appelle Claudine, j'habite Montigny ; j'y suis née **en** 1884.
(WILLY et COLETTE, Claudine à l'école.)

- Tout à coup, **en** débouchant sur la place de l'église, nous nous trouvons entourés d'une lumière éblouissante.
(A. DAUDET, Contes du Lundi, La moisson au bord de la mer.)

- De son côté, le colonel rêva qu'il tuait un mouflon et que le propriétaire lui **en** faisait payer le prix.   (MÉRIMÉE, Colomba, I.)

- Cette nuit est une des plus belles nuits blanches que j'aie passées : je ne puis plus **en** espérer de pareilles.   (Th. GAUTIER, Mademoiselle de Maupin, IV.)

    HAN *n. m. inv.*   cri sourd de celui qui frappe avec force.
    ['ɑ̃]

- Avec un **han** de casseur de bois, il abattit le corps de toute sa force.
(R. VERCEL, Au large de l'Eden, VIII.)

---

20. ANCRE *n. f.*   lourd crochet d'acier ou de fer servant à
[ɑ̃kr]   retenir un bateau.

- Hier, en fin de matinée, nous avons jeté l'**ancre** dans une crique déserte, non loin d'Épidaure.   (Christine de RIVOYRE, Le voyage à l'envers, I.)

ENCRE *n. f.* liquide pour écrire.
[ãkr]

- *Elle prit le papier noirci d'**encre**, en fit une boule, puis la jeta dans la cheminée.*
(MAUPASSANT, Mont-Oriol, I, 1.)

---

21. ANDAIN *n. m.* rangée d'herbe coupée après une passe à la faux.
[ãdɛ̃]

- *Les **andains** de verdure se suivaient régulièrement sans que le fil de la faux ne touchât une seule pierre.* (Ch. EXBRAYAT, Jules Matrat, I, 6.)

ANDIN *adj.* qui est ou vient des Andes.
[ãdɛ̃]

- *Les paysans **andins** soumis à la corvée alimentent sans désemparer d'énormes entrepôts de céréales.* (Mireille VAUTIER, dans Touring nº 914, p. 72.)

---

22. ANTE *n. f.* pilier d'angle d'un édifice.
[ãt]

- *Le mur est prolongé par des **antes** entre lesquelles prend place, sur chaque façade, un portique de six colonnes doriques.*
(P. DEVAMBEZ, Le style grec, Le Parthénon.)

ENTE *n. f.* greffe.
[ãt]

- *L'autoroute des Deux-Mers demeurera aussi celle de la douceur de vivre : corbières et blanquette, cassoulet et confit d'oie, prunes d'**ente** et tomates de Marmande, armagnac et foie gras.*
(J.-F. GRAVIER, dans La vie française, nº 1754, p. 56.)

HANTE, HANTES, HANTENT *formes du verbe «hanter»* :
['ãt] fréquenter.

- *Les fantômes qui **hantent** ces régions crépusculaires ne se préoccupent ni de manger ni de dormir.* (H. TROYAT, Un si long chemin.)

---

23. ANTRE *n. m.* caverne qui sert d'abri à une bête sauvage; lieu mystérieux.
[ãtr]

- *On est ici, sans conteste, dans l'**antre** d'un sorcier préhistorique où se déroulèrent des scènes d'envoûtement de chasse.*
(N. CASTERET, En rampant, II, 2.)

ENTRE *prép.*   dans l'intervalle de.
[ɑ̃tr]

- *Quand elle passait **entre** les tables, en cherchant une place libre, les gens se retournaient et la suivaient du regard.*   (A. CHAMSON, La neige et la fleur, II.)

ENTRE, ENTRES, ENTRENT   *formes du verbe « entrer » :*
[ɑ̃tr]   pénétrer.

- *On n'**entre** pas ; ces dames s'habillent.*   (BALZAC, L'école des ménages, II, 1.)

- *Pierre et Placide **entrent** dans une cour où stagne cette vie ralentie et silencieuse des fermes dont la main-d'œuvre est aux champs.*
      (P. MORAND, L'homme pressé, I, 3.)

---

24. APPAS *n. m. pl.*   charmes physiques ; seins.
[apɑ]

- *Camille prit des mains de Van' le soutien-gorge en carton qui devait simuler les **appas** de la frivole Adé.*   (A. LANOUX, Le commandant Watrin, III, 1.)

APPÂT *n. m.*   pâture fixée à un hameçon ou mise dans un
[apɑ]   piège ; au pluriel : appâts.

- *Je te demandai d'avoir la gentillesse de m'attraper quelques sauterelles, dont je me servirais comme **appât** si la truite ne mordait pas au ver.*
      (M. TOESCA, Simone ou le bonheur conjugal, II, 2.)

---

25. APPRÊT *n. m.*   1. manipulation subie par les étoffes pour
[aprɛ]   les rendre plus agréables à la vue.
      2. affectation.
      3. au pluriel : préparatifs.

- *Nous achetons du saumon en boîte, des pots de moutarde et de cornichons et les fourrons dans nos musettes neuves, à la toile encore raide d'**apprêt**.*
      (M. GENEVOIX, Les Éparges, IV.)

- *Marie-Bourgogne devint très belle. Oh ! bien sûr, pas de cette beauté citadine, faite d'éclat factice, de mignardise et d'**apprêt**.*
      (LA VARENDE, Marie-Bourgogne.)

- *Je croyais entendre parler d'une cérémonie qui se passait ailleurs et des **apprêts** d'un mariage mystique.*   (NERVAL, Aurélia.)

14

APRÈS *prép. et adv.*
[aprɛ]

1. marque la postériorité dans le temps, dans l'espace.
2. ensuite, postérieurement.

- *Après le déjeuner, nous sommes allés place de la Concorde.*
  (V. HUGO, Choses vues, 10 septembre 1870.)

- *Après les sapins, ils traversèrent un éboulis de rochers où ruisselait l'eau des glaciers.*
  (A. BLONDIN, L'Europe buissonnière, II, 2.)

- *Cela fit une histoire qui n'était pas oubliée trois ans **après**.*
  (FLAUBERT, L'éducation sentimentale, III, 7.)

- *Après, on discutait, sans but ni raison, par besoin de se prodiguer.*
  (R. DORGELÈS, Le château des brouillards, II.)

---

26. ARE *n. m.*
[ar]

unité de superficie valant 100 m².

- *La voici maintenant dans son étroit domaine, dont les vingt **ares** sont aux trois quarts dévorés par l'humide exubérance des peupliers et des têtards de saules.*
  (Hervé BAZIN, La raine et le crapaud.)

ARRHES *n. f. pl.*
[ar]

somme versée à un commerçant pour retenir un objet.

- *Si la promesse de vendre a été faite avec des **arrhes**, chacun des contractants est maître de s'en départir.*
  (Article 1590 du Code civil.)

ART *n. m.*
[ar]

manière de faire une chose; adresse, habileté; expression du beau.

- *Le langage à chaque instant confond l'**art** et la technique. Nous parlons de l'**art** du peintre, du poète, du musicien, mais nous parlons aussi de l'**art** de persuader, de l'**art** médical de l'**art** de l'ingénieur.*
  (Albert BAYET, L'homme et les techniques.)

HART *n. f.*
['ar]

corde pour pendre les criminels.

- *Vous avez déjà sur votre cou, fit le petit cavalier, le sillon de la **hart**.*
  (LA VARENDE, Je vous le donne.)

---

27. ASSAUT *n. m.*
[aso]

attaque, offensive; lutte d'émulation; combat d'escrime.

- *C'est notre bataillon qui donnera l'**assaut**.* (M. GENEVOIX, Les Éparges, II.)

- *Dans ces **assauts** d'impertinence, Santos avait toujours les rieurs, et les rieuses aussi, de son côté.* (Valéry LARBAUD, Fermina Marquez, V.)

- *Les lettres sur mon papier blanc se croisaient, s'enchevêtraient comme des fleurets dans un **assaut** d'escrime.*
  (J. GUÉHENNO, Journal des années noires, 23 déc. 1940.)

ASSEAU *n. m.*   marteau de couvreur.
[aso]

- *L'ardoise est posée sur l'enclume et est taillée avec l'**asseau**.*
  (Anne DEVEL, dans Télé 7 jours, n° 989, p. 14.)

---

28. AU, AUX *articles contractés pour « à le », « à les ».*
[o]

- *Elle m'emmena **au** marché **aux** fleurs.*   (A. MAUROIS, climats, I, 4.)

AULX *n. m. pl.*   le mot « ail » a deux pluriels : ails et aulx.
[o]

- *Au plafond se balançaient des couronnes d'oignons et des guirlandes d'**aulx**.*
  (H. de RÉGNIER, La double maîtresse, III, 2.)

EAU *n. f.*   liquide transparent.
[o]

- *Chacun va chercher son **eau** à la fontaine.*   (M. JOUHANDEAU, Galande, II.)

HAUT *adj. et n.*   1. élevé, grand.
['o]   2. sommet, partie supérieure.

- *Le taxi s'arrêta devant un **haut** porche de pierre grise.*
  (M. DRUON, Les grandes familles, VI, 4.)
- *Car pour vous parler franchement de la géométrie, je la trouve le plus **haut** exercice de l'esprit.*   (B. PASCAL, Lettre à Fermat, 10 août 1660.)
- *Nous sommes assis dans l'herbe, sur le **haut** du talus qui se trouve derrière les stands.*   (B. CLAVEL, Victoire au Mans, II, 30.)

HO! OH! *interj.*   1. « ho » sert à appeler, à exprimer l'éton-
['o, o]   nement, l'indignation.
                                       2. « oh » marque la surprise, l'admiration.

- *Holà! **Ho**, cocher, petit laquais!*   (MOLIÈRE, Monsieur de Pourceaugnac, III, 3.)
- *On s'écria, se récria, on fit des **ho**! on fit des ha!*
  (R. ROLLAND, Colas Breugnon, VI.)
- ***Oh**! n'essayez pas de vous en tirer par une pirouette.*
  (M. PAGNOL, La femme du boulanger.)

Ô *interj.*   marque le vocatif.
[o]

- *Est-ce une parole vaine, **ô** Phèdre?*   (P. VALÉRY, Eupalinos ou l'architecte.)

16

OS *n. m.*   partie solide formant la charpente du corps
[o au pluriel   de l'homme et des autres vertébrés.
ɔs au singulier]

● *Ils n'ont plus véritablement que la peau et les os.*
               (P. BOULLE, Le pont de la rivière Kwaï, III, 3.)

---

29. AUTAN *n. m.*   vent violent du Midi.
[otɑ̃]

● *Le vent d'autan qui se levait, frisquet, semblait descendre en trombe du chemin de la Gloire.*   (G. BONHEUR, La croix de ma mère, II, 6.)

     AUTANT *adv.*   marque l'égalité.
     [otɑ̃]

● *À la fin de l'année scolaire, j'avais trois cent soixante-quinze heures d'absence non justifiées, sans parler d'autant d'heures d'absence ou peut-être du double pour lesquelles j'avais rédigé et signé en imitant la signature de mes parents, des lettres d'excuse si bien tournées qu'elles avaient été toutes agréées.*
               (B. CENDRARS, Vol à voile.)

● *L'Angleterre semble tenir à ce que le monde entier s'ennuie comme elle et autant qu'elle.*   (BALZAC, Autre étude de femme.)

     ÔTANT *p. prés. du verbe « ôter » :* enlever, retirer.
     [otɑ̃]

● *Au retour, elle couvrait d'un châle les épaules de l'enfant ; puis, ôtant sa broche, elle la piquait sur les deux pans croisés.*
               (J. de LACRETELLE, La Bonifas, III, 14.)

---

30. AUTEL *n. m.*   table où l'on célèbre la messe.
[otɛl]

● *L'enfant de chœur et le curé sont là-bas, au bout, agenouillés devant l'autel.*
               (L. PAUWELS, Saint-Quelqu'un, II, 7.)

     HÔTEL *n. m.*   maison pour les voyageurs de passage ;
     [otɛl]   demeure importante ; « hôtel de ville » :
                         mairie.

● *À Naples, Lafcadio descendit dans un hôtel voisin de la gare.*
               (A. GIDE, Les caves du Vatican, V, 3.)

● *Un matin, le préfet maritime, c'est-à-dire la première autorité du lieu, fit inviter mon père à vouloir bien passer en son hôtel avec moi.*
               (E. CORBIÈRE, Le négrier, I, 3.)

● *L'hôtel de ville est un échantillon rare du quinzième siècle.*
               (V. HUGO, Choses vues, 26 octobre 1865.)

---

31. AUTEUR *n. m.*   écrivain, créateur; responsable.
     [otœr]

- *Il fut ébloui par les neuves lumières de Mme la doctoresse Montessori, déplorant toutefois que cet **auteur** n'accordât qu'un rôle fort insuffisant à l'exercice pur et simple de l'autorité paternelle.*
            (J.-L. CURTIS, Les forêts de la nuit, I, 2.)

- *Ils guettaient les **auteurs** de ces délits sans avoir pu les prendre.*
            (BALZAC, Les paysans, II, 6.)

HAUTEUR *n. f.*   dimension verticale, taille; sommet, éléva-
     ['otœr]   tion; grandeur, noblesse.

- *Nous voici à huit cents mètres. Les hommes ressemblent à des insectes. Voyez! Je crois que c'est de cette **hauteur** qu'il faut toujours les considérer, pour juger sainement de leurs proportions.*   (J. VERNE, Un drame dans les airs.)

- *Je suis petit, madame, mais je ne suis pas bas, reprit Julien en s'arrêtant les yeux brillants de colère, et se relevant de toute sa **hauteur**, c'est à quoi vous n'avez pas assez réfléchi.*   (STENDHAL, Le rouge et le noir, I, 7.)

- *À travers champs et par les chemins creux, nous marchions sur les **hauteurs** qui dominent la ville.*   (M. MOHRT, La maison du père, p. 12.)

- *Ainsi, en matière de gouvernement, il n'avait pas hésité à heurter la classe politique, en choisissant des femmes et des hommes d'une vive intelligence, et, surtout, d'une **hauteur** de vues exceptionnelle.*   (R. V. PILHES, La bête, 12.)

---

32. AVANT   1. prép. : marque la priorité de temps, de
     [avɑ̃]   situation.
                 2. adv. : auparavant, antérieurement.

- *Comme notre bateau n'appareillait pas **avant** quatre heures du matin et qu'il était loin d'être minuit, assis au fond d'un box, nous mangions sans nous presser.*   (B. CENDRARS, Bourlinguer, IX, 3.)

- *Quelque temps **avant**, il l'avait rencontrée à l'épicerie de Saint-Julien.*
          (J. CARRIÈRE, L'épervier de Maheux, II.)

AVANT *n. m.*   1. partie antérieure d'un objet.
     [avɑ̃]   2. joueur qui fait partie de la ligne d'attaque.

- *Il descendit au garage et s'assit au volant de la D.S. Il tourna la clef de contact... Il appuya sur l'accélérateur, la carrosserie se souleva, l'**avant** d'abord... puis l'arrière.*   (R. VAILLAND, La fête, II.)

- *Un de leurs **avants** avait été à trois reprises très malchanceux.*
     (MONTHERLANT, Les olympiques, La leçon de football dans un parc.)

AVENT *n. m.*   période de quatre semaines avant Noël.
     [avɑ̃]

- *Nous chantions au temps de l'**Avent** et de Noël, agenouillés chaque soir devant la crèche que mon père dressait dans notre chambre.*
          (M. MOHRT, La maison du père, p. 13.)

B

33. BAH! *interj.*   exprime l'insouciance, l'étonnement.
[bɑ]

● *Tous les jours, on se dit : «**Bah**! j'ai bien le temps.»*
(A. DAUDET, Contes du Lundi, La dernière classe.)

BAS *adj.*   peu élevé ; vil, vulgaire.
[bɑ]

● *Bertin prit un siège très **bas**, un fauteuil nain, où il pouvait tout juste s'asseoir.*
(MAUPASSANT, Fort comme la mort, I, 3.)

● *Ils ne parlaient pas comme tout le monde, se servaient entre eux d'une espèce de jargon que l'enfant trouvait **bas** et laid.*   (A. DAUDET, Jack, II, 1.)

BAS *n. m.*   1. partie inférieure d'une chose.
[bɑ]   2. vêtement qui couvre le pied et la jambe.

● *Une brume cotonneuse, venue du fleuve, ceignait le **bas** de la colline.*
(Ph. HÉRIAT, Famille Boussardel, XI.)

● *Il remarqua qu'elle était chaussée de **bas** blancs et de souliers de daim.*
(COLETTE, Le blé en herbe, XIII.)

BÂT *n. m.*   selle pour les bêtes de somme.
[bɑ]

● *Et, derrière lui, il n'y avait pas de bardot portant le **bât**, ni d'ânes chargés de couffes.*   (J. GIONO, Le grand troupeau, I.)

---

34. BAI, E *adj.*   rouge tirant sur le marron foncé.
[bɛ]

● *Le cheval **bai** brun, mené à la bride par Jean, tourna vers la place.*
(BALZAC, Les paysans, I, 13.)

BAIE *n. f.*   1. petit golfe.
[bɛ]   2. ouverture de fenêtre ou de porte.
    3. fruit.

● *Dans la **baie**, très nombreux, de grands paquebots dorment illuminés, avec leurs étages de hublots.*   (André MALRAUX, Les conquérants, I.)

19

- *Dans une jolie pièce aux murs de bois verni, aux grandes **baies** de glace bleutée, au plafond rayé de poutres droites et foncées...*
  (Boris VIAN, L'herbe rouge, III.)

- *... et des **baies** rouges de sorbiers, qu'on appelle en allemand **baies** pour oiseaux, des **baies** noires de certains lierres aux feuilles peu découpées, des **baies** de sureau qui apparaissent en même temps que les petites fleurs blanches qui les enserrent.* (Clara MALRAUX, Nos vingt ans, I.)

BEY *n. m.* titre de gouverneur de province, vassal du [bɛ] sultan.

- *Méhémet Ali, à qui les **beys** des mamelucks disputaient le pouvoir en Égypte, invita un jour les principaux chefs de cette milice à une fête dans l'enceinte du palais.* (MÉRIMÉE, Chronique du règne de Charles IX, Préface.)

---

35. **BAIL** *n. m.* contrat de location.
[baj]

- *L'agence porte mon nom, le **bail** est à mon nom ; je suis légalement chez moi.*
  (M. PAGNOL, Topaze, IV, 2.)

BAILLE *n. f.* baquet en bois.
[baj]

- *Et le poisson, ouvert comme un livre, glissa dans une **baille** d'eau tiède.*
  (R. VERCEL, Au large de l'Eden, V.)

---

36. **BAILLER** *v. tr.* donner.
[baje]

- *Bonne dame, dis-je, vous voyez comme mon frère est travaillé de fièvre. Pouvez-vous lui **bailler** de votre gourde ?* (R. MERLE, En nos vertes années, II.)

- *Je vais lui **bailler** un morceau et son malaise passera.*
  (H. VINCENOT, Le pape des escargots, I, 3.)

BAYER *v. intr.* avoir la bouche ouverte.
[baje]

- *À t'entendre, on croirait que tu ne fais jamais œuvre que du gosier : badauder, bavarder comme battant de cloche, bâiller de soif et **bayer** aux corneilles, que tu ne vis que pour faire bombance.* (R. ROLLAND, Colas Breugnon, II.)

- N. B. bâiller se prononce [bɑje].

---

37. **BAL** *n. m.* réunion où l'on danse ; lieu où l'on danse.
[bal]

- *Cette petite Paule, reprit Mme Dulaurens, le lieutenant Sinard l'avait trouvée à son goût au **bal** costumé que j'ai donné il y a deux ans.*
  (H. BORDEAUX, La peur de vivre, IV.)

- *Pour la nuit on avait couvert d'une bâche le parquet du **bal.***
  (M. JOUHANDEAU, Galande, XII.)

BALLE *n. f.* 1. petit ballon.
[bal] 2. projectile.
  3. gros paquet de marchandises.
  4. enveloppe des graines de céréales.

- *De l'autre côté de la haie de bambous, on entend claquer une **balle** de tennis sur le court.* (Jean-Louis CURTIS, Les forêts de la nuit, I, 6.)

- *Deux coups de feu claquèrent encore et une **balle** lui traversa la mâchoire d'une joue à l'autre.* (M. AYMÉ, Uranus, XXIII.)

- *Je me glisse dans la cale, entre les **balles** de coton.*
  (Édouard CORBIÈRE, Le négrier, I, 2.)

- *Le vent de nuit époussetait les aires et la **balle** de blé montait en fumée vers la lune.* (J. GIONO, Le grand troupeau, I.)

---

38. BALADE *n. f.* promenade.
[balad]

- *Nous ferons deux ou trois grandes **balades**, au moins, à travers Paris.*
  (J. ROMAINS, La douceur de la vie, XIX.)

BALLADE *n. f.* poème à forme fixe ; poème à forme libre,
[balad] à sujet légendaire ou fantastique.

- *Les poètes du XVᵉ siècle, dans leur souci de perfection technique, consacrent le triomphe des genres à forme fixe. La **ballade** est très en faveur. C'est l'ode lyrique du Moyen Âge.* (R. H. GUERRAND, François Villon.)

- *La maison de mon oncle était toute pleine de voix mélodieuses, et celles des servantes qui nous avaient suivis à Paris chantaient tout le jour les **ballades** joyeuses de leur jeunesse.*
  (NERVAL, Les filles du feu, Chansons et légendes du Valois.)

---

39. BALAI *n. m.* brosse de nettoyage, munie d'un long manche.
[balɛ]

- *On lui servit un café et des croissants tandis que le garçon poussait presque dans ses pieds la serpillière au bout d'un **balai**.*
  (ARAGON, Les cloches de Bâle, III, 2.)

BALLET *n. m.* danse figurée, exécutée par plusieurs per-
[balɛ] sonnes.

- *Vous m'avez dit que vous deviez consacrer votre soirée à un spectacle de **ballets**.* (P. GAXOTTE, Le nouvel ingénu, V.)

---

40. BAN *n. m.*
[bɑ̃]
1. ensemble des vassaux d'un seigneur.
2. proclamation officielle.
3. roulement de tambour, battement de mains.
4. sentence d'exclusion.

- *Le lendemain, au jour levant, Si-Sliman appela sous les armes le **ban** et l'arrière-**ban** de son goum.* (A. DAUDET, Contes du Lundi, Un décoré du 15 août.)

- *On allait publier les **bans** et, dans les délais légaux les plus brefs, Claude Teissier allait devenir Mme Jacques Delord.* (A. CHAMSON, La neige et la fleur, II.)

- *Allons, vous autres, un **ban** à faire trembler la baraque !* (J. KESSEL, L'équipage, II, 3.)

- *Des dispositions, bien mesquines, qui témoignent de la persistance de l'idée que le dirigeant failli est frappé d'infamie, mettent celui-ci au **ban** de la société, aussi bien du point de vue politique que professionnel.* (M. VASSEUR, dans Banque n° 380.)

BANC *n. m.*
[bɑ̃]
1. siège étroit et long.
2. établi, table.
3. amas de sable, de vase, de galets.
4. grande quantité de poissons.

- *Il y avait devant la porte un **banc** où ils s'assirent.* (H. QUEFFELEC, La faute de Monseigneur, II, 4.)

- *Chaque ouvrier contrôle la qualité et soigne son moteur avant de l'envoyer au **banc** d'essai.* (Le Monde, 2 mai 1979, p. 27.)

- *Le fleuve épuisé se traînait entre les **bancs** de sable, se perdait en bras morts bordés de saules et de peupliers.* (Paul GUIMARD, L'ironie du sort, III, 2.)

- *Il distinguait les éclairs vifs des ablettes, des **bancs** d'alevins qui glissaient vers la rive et se dispersaient soudain dans toutes les directions.* (R. VAILLAND, La fête, 10.)

---

41. BAPTISTE *n. et adj.*
[batist]
adepte d'une secte religieuse qui ne reconnaît que le baptême conféré aux adultes.

- *Une fraction des communautés memmonites, émigrée en Angleterre, fut, à cause de sa pratique du baptême par immersion, à l'origine des groupements **baptistes**.* (J. BOISSET, L'histoire du protestantisme.)

BATISTE *n. f.*
[batist]
toile de lin très fine.

- *Le vicaire se passa délicatement sur les lèvres un fin mouchoir de **batiste**.* (ZOLA, Nouveaux contes à Ninon, Le jeûne.)

---

42. BAR *n. m.*   1. débit de boissons.

[bar]   2. comptoir long devant lequel on s'assoit sur de hauts tabourets.

3. poisson de mer appelé aussi loup.

4. unité de pression.

- *Écœuré de cafard, il était allé s'écrouler à la terrasse d'un des* **bars** *modernes qui sentent le formica.* (A. LANOUX, Quand la mer se retire, II, 8.)

- *Le restaurant était une sorte de couloir occupé d'un côté par les tables et de l'autre par un très long* **bar**. (P. GAXOTTE, Le nouvel ingénu, XI.)

- *L'apparition d'un* **bar** *énorme rejeta Roland dans les récits de pêche.* (MAUPASSANT, Pierre et Jean, III.)

- *La pression du jet de pétrole serait de 140* **bars.** (Le Monde, 27 juin 1979, p. 42.)

BARD *n. m.*   civière pour les lourds fardeaux.

[bar]

- *Des femmes passèrent dans la cour avec un* **bard** *d'où dégouttait du linge.* (FLAUBERT, Un cœur simple, III.)

BARRE *n. f.*   1. pièce de bois ou de métal longue, étroite et rigide.

[bar]   2. barrière qui sépare les juges du public.

3. trait de plume.

4. haut-fond à l'embouchure d'un fleuve.

5. organe de commande du gouvernail.

6. «barres» n. f. pl. : jeu de course où deux camps s'affrontent le long d'une ligne tracée sur le sol.

- *En ce moment, un des ouvriers de l'atelier que j'avais visité en entrant parut, tenant une longue* **barre**. (NERVAL, Aurélia, I, 10.)

- *Il ouvrit la fenêtre, et s'accoudant à la* **barre** *d'appui, porta la vue au loin.* (J. GREEN, Si j'étais vous, I, 1.)

- *Une femme fut poussée à la* **barre** *de cet effroyable tribunal.* (M. VUILLAUME, Mes cahiers rouges, Une journée à la Cour martiale du Luxembourg, III.)

- *Le barrement d'un chèque s'effectue au moyen de deux* **barres** *parallèles apposées au recto.* (Article 37 du décret-loi du 30 octobre 1935.)

- *Aucune darse, aucun débarcadère. On prend le large à travers la* **barre** *hostile, on rentre sur le dos de la lame et l'on s'échoue à la limite du flot.* (A. T'SERSTEVENS, L'itinéraire portugais, 5.)

- *Dans la timonerie, Josse tenait la* **barre**. (E. ROBLÈS, La croisière, VII.)

- *De la cour montaient jusqu'à lui les cris de ses camarades jouant aux* **barres.** (A. BILLY, L'Approbaniste, 1.)

BARRE, BARRES, BARRENT
[bar]

formes du verbe «barrer» : interrompre par un obstacle ; rayer.

● *Sur l'allée d'accès carrossable qui conduit à notre cour, il y a depuis des années une dépression transversale qui la **barre** d'un bord à l'autre.*
(M. GENEVOIX, Bestiaire sans oubli, La taupe.)

---

43. BARBU *adj. et n.*
[barby]

qui a de la barbe.

● *Le docteur Carré, **barbu** jusqu'aux yeux, le poil d'un gris indécis, était sale et brutal.*
(G. SIMENON, Le coup de vague, V.)

BARBUE *n. f.*
[barby]

poisson de mer.

● *Un matin, la bonne de Mme Taboureau cherchait une **barbue**, à la poissonnerie.*
(ZOLA, Le ventre de Paris, III.)

---

44. BASILIC *n. m.*
[bazilik]

1. monstre fabuleux dont le regard pouvait foudroyer.

2. plante aromatique.

● *Les bêtes et oiseaux étaient de tapisserie... J'y vis des Catoblépas, bêtes sauvages,... elles ont les yeux tant vénéneux que quiconque les voit meurt soudainement comme qui verrait un **basilic**.*
(RABELAIS, Le cinquième et dernier livre des faits et dits héroïques du noble Pantagruel, 30.)

● *Derrière ces grands rideaux de mousseline blanche, les meubles reluisaient, rares et propres, avec quelque bouquet, un pot de **basilic** ou de giroflée sur l'appui de la croisée.*
(A. DAUDET, Jack, II, 2.)

BASILIQUE *n. f.*
[bazilik]

édifice romain rectangulaire ; importante église chrétienne.

● *Voici enfin la **basilique** de Constantin et ses arcades énormes.*
(H. TAINE, Voyage en Italie, I.)

● *La **basilique** de Cluny, vaste et haute, avec ses cinq nefs et sept clochers, a été l'un des plus beaux édifices qui aient jamais été élevés.*
(Fr. FUNCK-BRENTANO, Le Moyen Âge, XI.)

---

45. BAU *n. m.*
[bo]

poutre transversale d'un bateau.

● *La coque en chêne était bien construite et faite pour résister aux tempêtes ; les **baux**, d'un pied d'équarrissage, étaient fixés aux membres latéraux par des clous de fer gros d'un pouce.*
(F. LOT, Les origines de la France, I.)

BAUD *n. m.*
[bo]
unité de vitesse dans les transmissions télégraphiques ; en informatique, nombre de moments élémentaires écoulés par seconde.

● *Cette rapidité de modulation se mesure en* **bauds.**
(0.1. Informatique, n° 130, p. 97.)

BAUX *n. m. pl.*
[bo]
pluriel de « bail » : contrat de location.

● *Mme de Galandot se trouvait assez mal ce jour-là et elle avait dû garder son fils auprès d'elle pour lui dicter une lettre à maître Le Vasseur, le notaire, au sujet des* **baux** *à renouveler.* (H. de RÉGNIER, La double maîtresse, I, 11.)

BEAU *adj. et n. m.*
[bo]
1. élégant, joli, bien fait ; harmonieux, magnifique, agréable ; radieux, ensoleillé ; noble, digne ; « avec un sens ironique » : mensonger, trompeur, faux.

2. le beau : la beauté.

● *Un officier, grand,* **beau,** *majestueux, débouche à pas lents et solennels d'un escalier.* (Marcel PROUST, Le côté de Guermantes.)

● *Il était déjà rasé, pomponné, cravaté, vêtu de son plus* **beau** *costume.*
(Hervé BAZIN, Mère-Michel.)

● *On raconte que Balzac se trouvant un jour en face d'un* **beau** *tableau, un tableau d'hiver, tout mélancolique et chargé de frimas, clairsemé de cabanes et de paysans chétifs, après avoir contemplé une maisonnette d'où montait une maigre fumée, s'écria : « Que c'est* **beau** *! Mais que font-ils dans cette cabane ? À quoi pensent-ils ? Quels sont leurs chagrins ? »* (BAUDELAIRE, Exposition Universelle, 1855.)

● *L'été fut* **beau,** *tellement* **beau** *que les plus inattentifs remarquèrent sa magnificence.* (A. CHAMSON, La neige et la fleur, II.)

● *Et n'abandonnez pas à la main d'un bourreau
Ce qu'à nos justes vœux promet un sort si* **beau.**
(CORNEILLE, Polyeucte, IV, 3.)

● *Bien sûr, ces* **beaux** *parleurs racontaient juste l'inverse...*
(G. CESBRON, Ce siècle appelle au secours.)

● *Le* **beau** *en peinture ne dépend nullement du sujet... la plus belle femme du monde peut être l'occasion d'un méchant portrait.*
(ALAIN, Préliminaires à l'esthétique, XCVIII.)

BOT *adj.*
[bo]
difforme, contrefait, en parlant d'un pied.

● *Pauvresse la plus déshéritée à deux lieues à la ronde, déhanchée, un pied* **bot,** *harassée à force d'avoir cheminé sans trouver pitance à sa faim ni pitié à sa détresse, elle se reposait debout toute seule dans ce recoin du monde.*
(M. JOUHANDEAU, Galande, XV.)

46. BON *adj. et n. m.*
[bɔ̃]

1. capable, doué, sérieux; excellent, favorable; convenable, propice humain, charitable, honnête, indulgent.
2. ce qui est bien; billet donnant un droit.

- *J'avais eu la chance de tomber sur un **bon** valet, un garçon de vingt ans passés, prénommé Auguste.* (Émile GUILLAUMIN, La vie d'un simple, 28.)

- *Les jumeaux obtenaient de **bons** résultats au collège.*
(Ph. HÉRIAT, Famille Boussardel, VIII.)

- *Qui aime ce qui est **bon**, je l'aime : il est **bon** Bourguignon.*
(R. Rolland, Colas Breugnon, II.)

- *Tout prétexte était **bon** pour réunir la famille.* (Julien GREEN, Le visionnaire, I, 1.)

- *Il avait l'air infiniment doux et **bon**.* (A. BILLY, L'approbaniste, IX.)

- *Que le **bon** soit toujours camarade du beau.* (LA FONTAINE, Le mal marié, VII, 2.)

- *Il présenta son **bon** de réquisition et le visage de l'hôtesse, un beau visage rond sous d'opulents cheveux rouges, s'éclaira.*
(G. BONHEUR, La croix de ma mère, III, 2.)

- *Avec l'or, les **bons** de caisse demeurent le dernier bastion du secret bancaire.*
(Le nouvel économiste, mai 1979, p. 41.)

BOND *n. m.* saut, détente.
[bɔ̃]

- *La chèvre, elle aussi, s'est sauvée, s'élevant par **bonds** de gradin en gradin.*
(C. F. RAMUZ, Derborence, II, 2.)

- *Il se leva d'un **bond**, stupéfait.*
(BERNANOS, Sous le soleil de Satan, Histoire de Mouchette, III.)

---

47. BONACE *n. f.* calme après la tempête.
[bɔnas]

- *Il en est des êtres comme des mers; chez les uns l'inquiétude est l'état normal; d'autres sont une Méditerranée, qui ne s'agite que pour un temps et retombe en la **bonace**.* (R. RADIGUET, Le bal du comte d'Orgel.)

BONASSE *adj.* qui est d'une bonté excessive; débonnaire,
[bɔnas] paterne.

- *Au milieu d'un interrogatoire difficile, je me levais et commençais à tisonner longuement puis à verser de bruyantes pelletées de charbon, l'air **bonasse**, cependant que mon client me suivait des yeux, dérouté.*
(G. SIMENON, Les mémoires de Maigret, 1.)

---

48. BORD *n. m.*
[bɔr]

1. rivage de la mer; rive, berge, pourtour, côté; extrémité.

2. intérieur d'un navire, d'un avion, d'une voiture.

- À présent, il n'est pas un seul employé ou petit rentier qui ne puisse jouir du plaisir de passer quelques semaines au **bord** de la mer ou dans une ville d'eaux. (ZOLA, Les Parisiens en villégiature.)

- Ils arrivèrent au **bord** d'un ruisseau paisible.
(A. LANOUX, Quand la mer se retire, II, 6.)

- Le matelot qui avait ma garde me cacherait quelque part à **bord** pour débarquer avec moi à New York. (B. CENDRARS, Bourlinguer, II.)

- Le chauffeur d'un camion qui roulait vers Paris a bien voulu les prendre à **bord**. (Louis PAUWELS, Saint-Quelqu'un, I, 9.)

BORE *n. m.*
[bɔr]

métalloïde.

- Un composé familier du **bore** est le tétraborate de sodium ou borax.
(Les sciences, p. 325.)

---

49. BOUCHÉE *n. f.*
[buʃe]

1. quantité d'aliment portée à la bouche en une seule fois.

2. confiserie.

- Comme M. Lepic mord sa dernière **bouchée** de pain, elle se précipite au placard et rapporte une couronne de cinq livres. (Jules RENARD, Poil de Carotte.)

- Raymond dit qu'il n'a pas goûté, achète un croissant, une **bouchée** au praliné.
(F. MAURIAC, Le désert de l'amour, VIII.)

BOUCHER *n. m.*
[buʃe]

marchand de viande.

- Le **boucher** ne s'était pas trompé : la viande fondait dans la bouche.
(Maurice TOESCA, Simone ou le bonheur conjugal, II, 7.)

BOUCHER *v. tr.*
[buʃe]

fermer, obturer.

- Une fois dans ma chambre, il fallut **boucher** toutes les issues, fermer les volets.
(M. PROUST, Du côté de chez Swann.)

---

50. BOUE *n. f.*
[bu]

terre détrempée; amas de terre molle et de débris.

- *Lentement, dans la **boue** gluante et profonde, je refais en sens inverse le chemin déjà parcouru.* (M. GENEVOIX, Les Éparges, III.)

- *Le mur d'une chambre qui était accoté au flanc de la montagne, et où heureusement personne ne couchait, venait de s'effondrer sous la pression d'un torrent de **boue** qui s'était amassé derrière.*
(Jean CARRIÈRE, L'épervier de Maheux, II.)

BOUT *n. m.*   1. extrémité, pointe, terme.
[bu]   2. fragment, morceau.

- *Leur déjeuner fini, ils s'installaient dans la petite salle, aux deux **bouts** de la cheminée.* (FLAUBERT, Bouvard et Pécuchet, V.)

- *Alors le petit garçon regardait le **bout** de ses petits souliers qui chassaient devant eux les graviers de la route.* (VERCORS, Ce jour-là.)

- *Pourtant elle n'était pas au **bout** de ses découvertes.*
(R. DORGELÈS, Le marquis de la Dèche, 3.)

- *Il y avait des **bouts** de fils et des épingles sur toutes les tables.*
(G. SIMENON, Les demoiselles de Concarneau, II.)

- *Les pilotes attentifs suivaient le travail des mécanos, prêts à prendre la route pour un **bout** d'essai.* (B. CLAVEL, Victoire au Mans, II, 14.)

BOUS, BOUT   *formes du verbe «**bouillir**» :* être en ébul-
[bu]   lition.

- *La soupe **bout** dans la marmite dont le couvercle tressaute allègrement.*
(Louis OURY, Les prolos, 2.)

---

51. BOULAIE *n. f.*   terrain planté de bouleaux.
[bulɛ]

- *Ils arrivèrent à une **boulaie** aux fûts droits et clairs et furent surpris par le bruit de mer des feuilles frémissantes.*

BOULET *n. m.*   1. projectile.
[bulɛ]   2. boule de métal attachée aux pieds des bagnards.

- *On y voyait, çà et là, d'énormes arbres troués par les **boulets** de la dernière guerre, mais qui avaient survécu.* (Valéry LARBAUD, Fermina Marquez, III.)

- *Le Père Ubu prétend qu'on lui a volé ses **boulets** de forçat en route.*
(Alfred JARRY, Ubu enchaîné, V.)

---

52. BOULEAU *n. m.*   arbre des régions froides et tempérées.
[bulo]

● *Ils s'arrêtèrent encore dans un bois de **bouleaux** et de sapins.*
(A. LANOUX, Le commandant Watrin, II, 7.)

BOULOT *adj.*   gros et petit.
[bulo]

● *Caillette était aussi long et maigre que Canut était court et **boulot**.*
(B. CLAVEL, Le seigneur du fleuve, I.)

BOULOT *n. m.*   travail.
[bulo]

● *Et puis j'ai eu un **boulot** qui me plaisait : mécanicien ajusteur.*
(J.-L. CURTIS, Les forêts de la nuit, I, 3.)

---

53. BOURG *n. m.*   gros village.
[bur]

● *L'école était en dehors du **bourg**, loin de la scierie, loin des forges, isolée de tout ce qui n'est pas la science.* (GIRAUDOUX, Provinciales, Le petit duc, I.)

● *Elles habitaient le même **bourg**, à six cents mètres l'une de l'autre.*
(G. SIMENON, Le coup de vague, III.)

BOURRE *n. f.*   étoffe peluchée, amas de poils ou de
[bur]   déchets de laine ; tampon servant à caler
une charge explosive.

● *Elle avait garni les colliers avec de la **bourre** de fourrure cousue dans de vieilles peaux déchirées.* (R. FRISON-ROCHE, La dernière migration, I, 5.)

● *Le coup avait été tiré de si près que la **bourre** de feutre suiffée traversa le cou de part en part, et fut retrouvé dans sa cravate.*
(BERNANOS, Sous le soleil de Satan, Histoire de Mouchette, III.)

BOURRE, BOURRES, BOURRENT   *formes du verbe*
[bur]   *« **bourrer** » :* remplir,
combler.

● *Elle **bourre** le feu avec les bruyères sèches des vers à soie ; elle souffle ; la flamme part au grand galop.* (J. GIONO, Le grand troupeau, III.)

● *Je leur **bourre** le crâne à longueur de journée.*
(R. VERCEL, Au large de l'Éden, IV.)

---

54. BOURRÉE *n. f.*   danse d'Auvergne.
[bure]

29

- *Tout mon déplaisir, c'est que vous ne voyez point danser les **bourrées** de ce pays ; c'est la plus surprenante chose du monde.*
  (Madame de SÉVIGNÉ, Lettre à Madame de Grignan, 8 juin 1676.)

BOURRER *v. tr.*   remplir, combler ; « se bourrer » : se gaver.
[bure]

- *Je lui donnais de quoi **bourrer** sa pipe.*   (B. CENDRARS, Bourlinguer, XI.)

- *Tu ne peux pas répondre quand ton père te parle, au lieu de te **bourrer** l'estomac ?*   (R. IKOR, Les eaux mêlées, I.)

---

55. BOX *n. m.*   compartiment cloisonné.
[bɔks]

- *En sortant du **box**, il crut qu'un étourdissement le saisissait.*
  (M. DRUON, Les grandes familles, IV, 15.)

- *Je viens d'entendre cela dans l'annexe de presse qui se trouve au-dessus des **boxes**.*   (B. CLAVEL, Victoire au Mans, II, 18.)

BOXE *n. f.*   sport de combat.
[bɔks]

- *Quant à vous, si vous n'avez pas assez de copies à corriger le soir, achetez un poste de radio, ou apprenez la **boxe** par correspondance. Mais cessez de me suivre.*   (H. BAZIN, Bouc émissaire.)

---

56. BRICK *n. m.*   voilier à deux mâts.
[brik]

- *Le **brick** courait presque au plus près du vent.*   (E. CORBIÈRE, Le négrier, 1.)

BRIQUE *n. f.*   matériau de construction fabriqué avec de la
[brik]   terre argileuse, cuite au four.

- *La vieille demeure avait grande allure, portait allégrement ses trois siècles. Elle était bâtie en **briques** roses du pays appareillées avec des meulières, qui garnissaient les angles des murailles.*
  (M. VAN DER MEERSCH, Maria fille de Flandre, V.)

---

57. BRIE *n. m.*   fromage fermenté à pâte molle.
[bri]

- *Servez-moi, lui dis-je. Ce que vous voudrez, je m'en moque. Une côtelette, tenez ; et du **brie**.*   (G. COURTELINE, Ah ! jeunesse ! VI.)

BRIS *n. m.*   rupture, destruction.
[bri]

- *Tout vol commis à l'aide d'un **bris** de scellés sera puni comme vol commis à l'aide d'effraction.*   (Article 253 du Code pénal.)

---

58. BROCARD *n. m.*   raillerie, moquerie.
[brɔkar]

- *Si j'avais été moins tendu et plus fin, les **brocards** et les plaisanteries m'auraient averti.*   (J. GUÉHENNO, Changer la vie.)

BROCART *n. m.*   tissu de soie avec des dessins brochés en
[brɔkar]   fils d'or et d'argent.

- *Elle arrivait vêtue de **brocart**, durant la semaine, et de toile rouge, le dimanche.*   (LA VARENDE, Le roi Gradlon, I.)

---

59. BUTÉ, E *adj.*   obstiné, têtu.
[byte]

- *Si mon père était **buté**, j'étais son fils, donc j'étais encore plus **buté** que lui.*   (Blaise CENDRARS, Vol à voile.)

BUTÉE *n. f.*   culée (une butée de pont); en mécanique,
[byte]   organe d'arrêt.

- *Pour contrôler le déplacement avec plus de précision, on place, sur la **butée** fixe, un comparateur à cadran.*   (A. CAMPA, Technologie professionnelle, Le tournage.)

BUTER *v. intr.*   heurter un obstacle, rencontrer une diffi-
[byte]   culté; «se buter» : s'entêter, s'obstiner.

- *Ils partent en aveugles, les mains en avant, tâtant le bateau, **butant** partout et contents de **buter**, parce qu'on peut s'accrocher à ce qui vient de vous tosser la jambe ou le front.*   (R. VERCEL, Ceux de la Galatée, VI.)

- *Il imite ma manière têtue et taurine de bouder et de me **buter**.*   (COLETTE, La retraite sentimentale.)

BUTTER *v. tr.*   garnir de terre le pied d'une plante.
[byte]

- *Florent ne voyait partout que des gens occupés à sarcler, à repiquer, à fumer, à **butter** les pommes de terre, à effeuiller les pêchers, à écheniller les vignes.*   (Ph. HÉRIAT, Famille Boussardel, VI.)

---

60. ÇA *pr. dém.*   cela, ceci.
[sa]

- *Si je ne vous l'ai pas écrit, c'est parce que je trouvais que **ça** n'a aucune importance, et **ça** n'en a aucune.* (A. MAUROIS, Climats, I, 16.)

ÇÀ *adv. et interj.*   « çà et là » : de côté et d'autre ; « Ah çà ! »
[sa]   marque l'étonnement.

- *Elles (les ailes du papillon) dansaient à travers le jardin, dans le soleil, se posaient, se reposaient dans l'ombre... et reprenaient leur danse... petites lumières jaunes-bleues-rouges encore zébrées, **çà et là,** d'ombres d'herbes.* (M. GENEVOIX, Bestiaire sans oubli, Le papillon.)

- *Ah **çà !** dit-il, tu veux donc que l'on nous renferme tous les deux à l'hôpital de Bethlehem !* (Jules VERNE, Cinq semaines en ballon, III.)

SA *adj. poss. f.*   désigne un seul possesseur.
[sa]

- *Il avait beaucoup voyagé dans **sa** jeunesse, s'occupant, disait-il, des affaires commerciales de son père.* (P. BOULLE, William Conrad, I, 2.)

- *Il la questionnait sur **sa** famille, **sa** maison, **sa** vie.* (M. VAN DER MEERSCH, L'empreinte du Dieu, I, 2.)

---

61. CADRAN *n. m.*   surface dont le tour est divisé en parties
[kadrɑ̃]   égales.

- *Il y a, à droite, une boutique de bijouterie avec une grosse horloge à double **cadran**.* (P. LÉAUTAUD, Le petit ami, 3.)

- *Il surveille la position des aiguilles sur les différents **cadrans** du tableau de bord.* (B. CLAVEL, Victoire au Mans, II, 21.)

QUADRANT *n. m.*   quart de la circonférence.
[kadrɑ̃
ou kwadrɑ̃]

- *Liée par une de ses extrémités au centre de disques circulaires gradués et pouvant tourner autour de ce centre dans le plan du disque, l'alidade fait partie du quart de cercle ou **quadrant**, de l'armille, de l'astrolabe planisphère.* (Dictionnaire archéologique des techniques, article Alidade, Grèce.)

---

62. CAHOT *n. m.*   saut fait par une voiture sur un sol inégal.
[kao]

- *Parfois un **cahot** jetait contre lui son compagnon qui ne cessait de crier au cocher d'aller plus vite.* (Julien GREEN, Si j'étais vous, I, 4.)

CHAOS *n. m.*   confusion, désordre ; entassement de
[kao]   rochers.

- *Quands ils arrivèrent au bout du vallon, au bord de l'abîme, ils aperçurent un petit sentier qui descendait le long de la falaise et sous eux, entre la mer et le pied de la montagne, à mi-côte à peu près, un surprenant **chaos** de rochers énormes, écroulés, renversés, entassés les uns sur les autres.* (MAUPASSANT, Pierre et Jean, VI.)

---

63. CAL *n. m.*   durillon, épaississement de l'épiderme.
[kal]

- *Thomas fit encore un pas ; puis sa main, une lourde main aux **cals** épais, aux ongles cannelés, partit à la volée, gifla la petite à pleine paume.* (Hervé BAZIN, M'en allant promener.)

CALE *n. f.*   1. partie d'un bateau située sous le pont le plus
[kal]   bas.

    2. partie en pente d'un quai.

    3. pièce d'arrêt ou de soutien.

- *Sur le tambour, le câble se déroula, la benne descendit doucement dans la **cale**.* (M. VAN DER MEERSCH, Maria fille de Flandre, III.)

- *Quand le cortège est parvenu au bord de la Loire, devant la **cale** d'embarquement, on fait halte.* (Georges LENÔTRE, Les noyades de Nantes, VIII.)

- *À cet effet, on n'oubliera pas de placer les pièces sur **cales** métalliques de même épaisseur.* (A. CAMPA, Technologie professionnelle, Le perçage.)

CALE, CALES, CALENT *formes du verbe «caler»* : mettre
    [kal]   d'aplomb ; fixer.

● *Il pose un radiateur à la verticale, le **cale** soigneusement.*
                                      (Louis OURY, Les Prolos, 2.)

● *Il referme la porte, il en **cale** le loquet avec un silex en biseau.*
                           (M. GENEVOIX, Le jardin dans l'île, I, 5.)

---

64. CAMP *n. m.*   1. cantonnement.

    [kɑ̃]   2. lieu où sont enfermés des prisonniers poli-
                       tiques.

                       3. équipe.

● *Le régiment de Royal-Lorraine reçut l'ordre de lever le **camp** et de quitter ses
quartiers.*   (H. de RÉGNIER, La double maîtresse, I, 10.)

● *Du dépôt, Annette est conduite aux Tourelles où elle ne reste que onze jours.
Et le 22 juin, elle est transférée dans un **camp** de concentration allemand.*
                   (H. AMOUROUX, La vie des Français sous l'Occupation, XIV.)

● *Mais après de longues palabres, les deux **camps** se constituèrent et la bataille
de boules de neige commença.*   (H. TROYAT, Un si long chemin.)

        QUAND *conj. et adv.*   1. lorsque, au moment où.
          [kɑ̃]   2. à quel moment ?

● ***Quand** il parlait en français, il hésitait sur certains mots.*
                            (Emmanuel ROBLÈS, La croisière, II.)

● ***Quand** aurez-vous fini de conter votre histoire ?*   (V. HUGO, Hernani, I, 2.)

        QUANT à, au, aux *loc. prép.*   pour ce qui est de, en ce qui
          [kɑ̃]   concerne.

● *Il n'avait jamais, **quant** à lui, rien fait de mal.*
                        (H. QUEFFELEC, La faute de Monseigneur, II, 4.)

● ***Quant** aux discussions philosophiques, je pense qu'elles sont absolument
vaines.*   (H. BARBUSSE, L'enfer, I.)

---

65. CANAUX *n. m.*   pluriel de « canal » : cours d'eau artificiel.
    [kano]

● *Certes, il y a des amorces, des ébauches de travaux exécutés sur le terrain,
des tranchées, des bassins, ... des **canaux** sans débouché, des lacs artificiels
et des étangs asséchés.*   (Blaise CENDRARS, Bourlinguer, XI, Paris, port de mer.)

CANOT *n. m.*   barque, chaloupe.

[kano]

● *Les rameurs se regardèrent, désappointés ; ils firent tourner le* **canot**, *ils remontèrent péniblement, luttant contre le flot rapide en cet endroit.*
             (ZOLA, Contes à Ninon, Les voleurs et l'âne, III.)

● *Quelques instants après, un de ces petits* **canots** *qu'on appelle youyous s'éloignait du navire.*
             (V. HUGO, Quatre-vingt-treize, I, 2.)

---

66. CANE *n. f.*   femelle du canard.

[kan]

● *Mais en vantant les omelettes aux œufs de* **cane,** *les soupes d'oseille sauvage, il guettait par rapides coups d'œil le visage clos de son aîné.*
             (R. VERCEL, Au large de l'Éden, VII.)

CANNE *n. f.*   1. plante à tige droite.

[kan]   2. bâton sur lequel on s'appuie en marchant.

● *Il dirige des plantations de* **cannes** *à sucre.*
             (R. RADIGUET, Le bal du comte d'Orgel.)

● *En même temps, il continuait à tracer des lignes sur la terre avec le bout de sa* **canne.**
             (VIGNY, La canne de jonc, II.)

---

67. CAP *n. m.*   1. promontoire, partie de côte qui s'avance dans

[kap]   la mer.

          2. direction de l'axe d'un navire, d'un avion.

● *Le mardi suivant, la « Perle » avait été jeter l'ancre sous les rochers blancs du* **cap** *de la Hève.*
             (MAUPASSANT, Pierre et Jean, I.)

● *Le mieux sera de mettre le* **cap** *au sud et de surveiller le vent et le baromètre.*
             (E. PEISSON, Le pilote, VIII.)

CAPE *n. f.*   1. manteau sans manches.

[kap]   2. « être à la cape » : c'est, pour un navire, par gros temps, réduire sa voilure et diminuer sa vitesse.

● *En pénétrant dans le salon, le comte retira sa* **cape** *en laine des Pyrénées.*
             (J.-L. CURTIS, Les forêts de la nuit, I, 7.)

● *Après avoir essuyé quelques heures de* **cape** *et reçu deux ou trois coups de mer, nous éprouvâmes ce qu'on appelle une accalmie.*
             (Édouard CORBIÈRE, Le négrier, I, 2.)

---

68. CAR *conj.*   parce que.
[kar]

- *Ils ne marchaient pas vite, **car** la descente était mauvaise.*
  (R. DORGELÈS, Le château des brouillards, I.)

CAR *n. m.*   autocar.
[kar]

- *Le **car** était plein quand Bérangère fit signe au conducteur.*
  (A. LANOUX, Quand la mer se retire, II, 6.)

QUART *n. m.*   1. quatrième partie d'un tout.
[kar]   2. gobelet contenant un quart de litre.
    3. temps pendant lequel une partie de l'équipage d'un navire est de service.

- *En un **quart** d'heure, j'avais parcouru les deux tiers du chemin.*
  (René Victor PILHES, La bête, 5.)

- *Marie-Anne vira d'un **quart** de tour sur son tabouret.*
  (Marcel AYMÉ, Uranus, 1.)

- *Mais Durozier tend son **quart**, le fait emplir jusqu'à moitié et le vide goulûment, à longues gorgées.*   (M. GENEVOIX, Les Éparges, III.)

- *Il attira à lui le journal de bord et y nota les observations qu'il avait faites pendant son **quart**.*   (E. PEISSON, Le pilote, I.)

---

69. CARTE *n. f.*   1. petit rectangle cartonné servant à divers jeux.
[kart]   2. morceau de carton pour divers usages.
    3. liste des plats ou des vins servis dans un restaurant.
    4. représentation d'une région, d'un pays, d'un continent, etc.

- *Fierce, silencieux, battit les **cartes** et donna.*
  (Claude FARRÈRE, Les civilisés, XI.)

- *Le planton apporte un paquet de **cartes** de visite qu'il pose sur la table.*
  (André MALRAUX, Les conquérants, II.)

- *Possédez-vous une **carte** de crédit bancaire ? Oui, alors, vous êtes à la pointe du progrès.*   (La vie française, n° 16, p. 51.)

- *Les lecteurs de **cartes** perforées des ordinateurs atteignent des vitesses de 600 à 1 000 **cartes** par minute.*   (A. ROSSIGNOL, Traitement des informations, 9.)

- *Je lui tends ma **carte** d'identité et mon passeport*
  (RÉMY, Mémoires d'un agent secret, I, 2.)

- *Je ne pensais pas à tout cela, quand j'aidais mon père à vendre des **cartes** postales aux touristes.*   (P. GAXOTTE, Le nouvel ingénu, IV.)

- *Dans un restaurant des environs de Paris, nous avons lu sur la **carte** : «saumon fumé du chef».* (GAULT et MILLAU se mettent à table, 10.)

- *Il ne pouvait partir pour Versailles, pour Saint-Germain, sans déplier d'immenses **cartes** de la région Parisienne, bariolées comme des cachemires.* (R. RADIGUET, Le bal du comte d'Orgel.)

- *Les murs des écoles sont tapissés de **cartes** forestières, routières, ferroviaires.* (G. CESBRON, Ce siècle appelle au secours.)

QUARTE *n. f.* position de parade ou d'attaque en escrime.
[kart]

- *Touchez-moi l'épée de **quarte**, et achevez de même.* (MOLIÈRE, Le bourgeois gentilhomme, II, 2.)

---

70. CARTIER *n. m.* fabricant de cartes à jouer.
[kartje]

- *Jeu de cartes du XVIIe siècle, créé en 1660 par Jacques Vieul, maître **cartier** à Paris.* (Inscription sur un jeu de cartes.)

QUARTIER *n. m.* partie d'une ville; cantonnement; por-
[kartje] tion d'une chose.

- *Ce **quartier** de Paris est un des rares qu'on n'ait pas bouleversés.* (P. LÉAUTAUD, Le petit ami, III.)

- *Les soldats avaient été fort bien reçus. On ne se lassait pas d'aller visiter leurs **quartiers**.* (H. de RÉGNIER, La double maîtresse, I, 9.)

- *Il y avait aussi des moutons entiers, des **quartiers** de bœuf, des cuisseaux, des épaules.* (ZOLA, Le ventre de Paris, I.)

---

71. CATARRHE *n. m.* gros rhume.
[katar]

- *Il toussotait sans cesse par timidité et, se croyant victime d'un **catarrhe** chronique, tout le long du jour, suçait des pastilles de gomme.* (R. MARTIN DU GARD, Les Thibault, Le pénitencier, IV.)

CATHARE *n. et adj.* adepte d'une secte religieuse,
[katar] albigeois.

- *À toi, je peux bien l'avouer, je suis resté un peu **cathare**.* (G. BONHEUR, La croix de ma mère, II, 5.)

---

72. CE *pron. dém. et adj. dém.*   1. ceci, cela.

[sə]

2. détermine la personne ou la chose que l'on désigne.

- *Meg ne pense pas tout à fait comme moi. **Ce** n'en est que mieux, d'ailleurs.*
  (Elsa TRIOLET, Le cheval blanc, II, 13.)

- *Je comprends bien **ce** qui vous a plu en elle.*   (P. CLAUDEL, L'otage, I, 1.)

- *La famille, atterrée, se demanda **ce** qu'il fallait faire de **ce** rebelle à qui toute contrainte était intolérable.*   (J.-L. CURTIS, La conversion.)

- *Vous voyez **ce** portrait ici, sur **ce** rayon de livres ?*
  (J. ROMAINS, Les travaux et les joies, II.)

SE *pron. pers. réfléchi de la 3ᵉ personne ;* renvoie au sujet du

[sə] verbe.

- *Joseph **se** promenait, les mains enfoncées dans les poches.*
  (G. DUHAMEL, La passion de Joseph Pasquier, XIII.)

- *Ils **se** voyaient tous les jours, parfois deux fois par jour.*
  (Elsa TRIOLET, Le cheval blanc, II, 8.)

- *Joé n'avait personne à qui **se** confier.*   (J. CAYROL, Histoire d'une prairie.)

---

73. CÉANS *adv.*   ici, dans cette maison.

[seɑ̃]

- *Ah, ah, c'est vous ? Quelle surprise ! Que venez-vous faire **céans** ?*
  (MOLIÈRE, Le malade imaginaire, II, 1.)

- *... et sous ces coiffures différentes, toujours la même tête solennelle et droite, la tête du maître de **céans**...*   (A. DAUDET, Contes du Lundi, La soupe au fromage.)

SÉANT *adj.*   convenable.

[seɑ̃]

- *Le Maillebois pour m'honorer jugea **séant** de s'étonner que je restasse en ce pays, étouffé, loin des grands esprits de Paris.*
  (R. ROLLAND, Colas Breugnon, VI.)

SÉANT *n. m.*   posture d'une personne assise dans son lit.

[seɑ̃]

- *Elle se dressa sur son **séant,** interrogeant de toutes ses oreilles le silence de la maison.*   (J. CARRIÈRE, L'épervier de Maheux, II.)

---

74. CÉLERI *n. m.*   plante potagère.
   [selri]

● *Et derrière, les neuf autres tombereaux, avec leurs montagnes de choux, leurs montagnes de pois, leurs entassements d'artichauts, de salades, de **céleris**, de poireaux, semblaient rouler lentement sur lui.*   (ZOLA, Le ventre de Paris, I.)

SELLERIE *n. f.*   ensemble des selles et des harnais ; lieu où
   [selri]   on les range.

● *En tout état de cause, il faut garder tout ce qui est **sellerie** et vendre les chevaux nus.*   (BALZAC, Lettre à sa mère, 26 juillet 1832).

● *La coquetterie d'installation de la **sellerie** n'est jamais de trop.*
      (MARCENAC et AUBERT, Encyclopédie du cheval, p. 311.)

---

75. CELLE *pron. dém.*   féminin de celui.
   [sεl]

● *Toutes les têtes étaient à **celle** des fenêtres du salon qui donnait sur la place.*
      (BALZAC, Les paysans, II, 2.)

CÈLE, CÈLES, CÈLENT *formes du verbe « celer » : taire,
   [sεl]   cacher.

● *Pour moi, je ne le **cèle** point, je souhaite fort que les choses aillent dans la douceur.*   (MOLIÈRE, Dom Juan, V, 3.)

SCELLE, SCELLES, SCELLENT *formes du verbe « scel-
   [sεl]   ler » : marquer d'un sceau,
         effectuer un scellement.

● *Puis, les deux maçons posent la pierre sur la tombe et la **scellent**.*

SEL *n. m.*   chlorure de sodium ; ce qui donne du piquant.
   [sεl]

● *Il reste de l'huile, du **sel** et du poivre, et puis voilà des boîtes de conserve.*
      (SARTRE, Les chemins de la liberté, Le sursis.)

● *Il y a des époques où la camaraderie a été vraiment le **sel** de ma vie.*
      (J.-L. CURTIS, L'échelle de soie, I, 1.)

SELLE *n. f.*   siège sur le dos d'une bête de somme ; petit
   [sεl]   siège d'une bicyclette, d'une moto.

● *Et remontant en **selle**, je m'éloignai au galop.*   (CAMI, Le baron de Crac.)

SELLE, SELLES, SELLENT
[sɛl]

formes du verbe « seller » :
mettre une selle.

- *Machinalement, je selle ma bête.* (R. FRISON-ROCHE, L'appel du Hoggar, 2.)

---

76. CENDRE *n. f.*
[sɑ̃dr]

résidu de ce qui a brûlé ; restes mortels
d'une personne.

- *Elle verse un seau d'eau dans la marmite, rapproche les deux bûches et remue la cendre.* (J. RENARD, Poil de carotte.)

- *Elle secoua la cendre de sa cigarette.* (R. VERCEL, Été indien, VI.)

- *Il rappela ses mérites extraordinaires en quelques sentences bien choisies et ce fut probablement la dernière oraison funèbre prononcée sur les cendres du vainqueur de Waterloo.* (GOBINEAU, Akrivie Phrangopoulo.)

SANDRE *n. m. ou f.*
[sɑ̃dr]

poisson.

- *La chair de sandre est particulièrement estimée.*

---

77. CÈNE *n. f.*
[sɛn]

repas de Jésus avec ses apôtres.

- *Les disciples groupèrent tous leurs souvenirs eucharistiques sur la dernière cène.* (RENAN, Vie de Jésus, Appendice.)

SAINE *adj. f.*
[sɛn]

en bonne santé ; en bon état ; raisonnable,
juste.

- *Il trouvait Marie-Anne jolie, saine, il aimait son air franc, honnête.*
(M. AYMÉ, Uranus, VII.)

- *L'affaire pourrait toutefois redevenir saine et viable à condition d'adopter d'autres modalités de gestion.* (J.-L. CURTIS, La conversion.)

- *Au reste, j'y étais bien trop mêlée pour conserver une saine vision des choses.*
(Brigitte FRIANG, Regarde-toi qui meurs, II, 2.)

SCÈNE *n. f.*
[sɛn]

1. plateau d'un théâtre.

2. division d'un acte.

3. événement, dispute, querelle.

- *Absorbé par ces réflexions, je ne m'étais pas aperçu que Paule était sortie de scène.* (A. CHAMSON, La neige et la fleur, II.)

- *Pourtant j'essaye de me souvenir ; et par ricochet, de justifier l'une des paroles de l'acteur, lors de la première **scène**, alors qu'il énumérait avec la jeune fille les diverses péripéties de leurs relations antérieures.*
(J. E. HALLIER, Les aventures d'une jeune fille, IV.)

- *Pendant longtemps, plus d'un mois, la même **scène** se répéta chaque jour.*
(VERCORS, Le silence de la mer.)

- *Elle, par horreur du bruit, des **scènes**, des explications inutiles, cédait toujours et ne demandait jamais rien.* (MAUPASSANT, Pierre et Jean, I.)

SENNE *n. f.*   filet de pêche.
[sɛn]

- *À toutes les heures du jour, en un point ou en un autre de la plage, on tire la **senne** ou la traîne.* (T'SERSTEVENS, L'itinéraire portugais, 5.)

---

78. CENS *n. m.*   recensement ; impôt.
[sɑ̃s]

- *De toutes les sujétions auxquelles étaient exposés les pays nouvellement conquis par Rome, le **cens** était le plus impopulaire.*
(RENAN, Vie de Jésus, IV.)

- *Il avait acheté une maison qui lui donnait le **cens** d'éligibilité.*
(BALZAC, Albert Savarus.)

SENS *n. m.*   1. faculté d'éprouver des impressions, des
[sɑ̃s]   sensations.
2. jugement, avis.
3. signification.
4. direction.

- *Anthime resta peut-être un quart d'heure avant de reprendre ses **sens**.*
(A. GIDE, Les caves du Vatican, I, 6.)

- *S'il vous reste encore un soupçon de **sens** moral, vous devriez comprendre que votre place n'est plus avec nous.* (Robert MERLE, Madrapour, IV.)

- *Vous vous servez là d'une parole dont le **sens** m'est resté jusqu'à ce jour inconnu.* (BAUDELAIRE, Le spleen de Paris, I.)

- *Ils reviennent. Ils arpentent le pont en **sens** inverse, à la même allure désinvolte.* (P. BOULLE, Le pont de la rivière Kwaï, IV, 5.)

---

79. CENSÉ, ÉE *adj.*   supposé, regardé comme.
[sɑ̃se]

- *Il s'agit, Monsieur, de vos absences fréquentes et immotivées des classes que vous êtes **censé** suivre dans cet établissement.*
(J.-L. CURTIS, Les forêts de la nuit, I, 5.)

SENSÉ, ÉE *adj.*   logique, perspicace, judicieux, raison-
[sɑ̃se]   nable.

- *La première parole **sensée** que tu aies prononcée depuis ta naissance.*
(M. DRUON, Les grandes familles, IV, 6.)

- *Mais pour vous comme pour moi, il est absolument indispensable de faire ce
que font les gens **sensés**, c'est-à-dire de l'ignorer.*
(Hervé BAZIN, Bouc émissaire.)

---

80. CENT *adj. num.*   dix fois dix.
[sɑ̃]

- *Il y a **cent** manières d'être blonde et il n'y en a qu'une d'être brune.*
(BALZAC, Béatrix, II,6.)

SANG *n. m.*   liquide qui circule dans les vaisseaux, artères,
[sɑ̃]   veines.

- *La blessure du chevalier n'était pas mortelle, mais il perdait beaucoup de
sang.*   (MÉRIMÉE, Chronique du règne de Charles IX, 3.)

SANS *prép.*   exprime la privation, l'exclusion.
[sɑ̃]

- ***Sans** mari, **sans** enfants, **sans** amis, certes on ne pouvait être plus seule au
monde.*   (F. MAURIAC, Le désert de l'amour, IX.)

SENS, SENT *formes du verbe « sentir » :*
[sɑ̃]   ressentir ; répandre une odeur.

- *Je ne **sens** plus du tout mon rhumatisme dans le genou.*
(Elsa TRIOLET, Le cheval blanc, V, 1.)

- *La pièce **sent** le renfermé, le moisi, le rance.*
(Marie-Thérèse HUMBERT, À l'autre bout de moi, 2.)

---

81. CEP *n. m.*   pied de vigne.
[sɛp]

- *Entre les **ceps**, le plus souvent on cultivait des pommes de terre ou des
haricots.*   (BALZAC, Les paysans, I, 3.)

42

CÈPE *n. m.*   champignon.
[sɛp]

● *Nous cherchions des champignons. La chance était avec nous : partout des* **cèpes**, *des russules, des lactaires.*   (M. GENEVOIX, Bestiaire enchanté, L'aoûtat.)

SEP *n. m.*   pièce à laquelle on assujettit le soc de la
[sɛp]   charrue.

● *Le* **sep** *suit le fond de la raie de la charrue.*
    (R. DEBRIE, Pratiques agricoles dans le pays de Somme.)

---

82. CERF *n. m.*   mammifère ongulé.
[sɛr]

● *D'autres bêtes arrivaient au galop, biches et* **cerfs** *pêle-mêle, les yeux fous, se heurtant dans leur course...*   (M. GENEVOIX, La dernière harde, I, 1.)

SERRE *n. f.*   1. local vitré.
[sɛr]   2. griffes de rapaces.

● *Les Bergmann s'étaient créé d'admirables jardins et une* **serre** *magnifique autour de leur habitation.*   (BALZAC, Albert Savarus.)

● *Pendant que la couleuvre, immobile sur la mare, déglutissait laborieusement sa proie... une buse géante l'avait aperçue, lui avait fendu d'un coup de bec la boîte crânienne et l'avait emportée dans ses* **serres** *pour la pâture de la soirée.*   (L. PERGAUD, De Goupil à Margot.)

SERRE *n. m.*   crête étroite et allongée.
[sɛr]

● *Il avait vu le jour dans un autre pays, beaucoup plus haut, derrière le* **serre** *de Montdenier.*   (M. SCIPION, Le clos du roi, Le pré du chai.)

SERRE, SERRES, SERRENT *formes du verbe « serrer » :*
[sɛr]   presser, étreindre.

● *Sa main ne quitte pas mon bras. Elle le* **serre** *même un peu plus.*
    (P. VIALAR, Les invités de la chasse, Daniel Severac.)

SERS, SERT *formes du verbe « servir » :* aider, donner.
[sɛr]

● *Aussi payait-on ses impôts comme on* **sert** *une rente à quelque vieille domestique.*   (G. CESBRON, Ce siècle appelle au secours.)

---

83. **CES** *adj. dém. plur.* détermine les personnes ou les
[sɛ] ou [se] choses que l'on désigne.

- *Elle était de **ces** femmes dont la beauté attire et inquiète et que l'on respecte malgré soi.* (M. VAN DER MEERSCH, Maria fille de Flandre, IV.)

SAIE *n. f.* manteau sans manches porté par les Gaulois.
[sɛ]

- *Vers le soir, je me revêtis de mes armes que je recouvris d'une **saie**.* (CHATEAUBRIAND, Les Martyrs, IX.)

SAIS, SAIT formes du verbe « savoir » : connaître.
[sɛ]

- *Dans le petit nombre de choses qu'il **sait** et qu'il **sait** bien, la plus importante est qu'il y en a beaucoup qu'il ignore.* (J.-J. ROUSSEAU, L'Émile, III.)

SES *adj. poss., pluriel de « son, sa »*
[sɛ] ou [se] propres à la personne dont il est question.

- *Dans la circonstance, il sut garder la maîtrise de **ses** nerfs.* (E. ROBLÈS, La croisière, II.)

---

84. CESSION *n. f.* donation, vente, transfert.
[sɛsjɔ̃]

- *La **cession** de parts que ton oncle doit me faire représente l'équivalent de ce qui aurait dû m'être versé en espèces.* (J.-L. CURTIS, La conversion.)

SESSION *n. f.* période pendant laquelle une assemblée
[sɛsjɔ̃] tient séance ; temps des examens.

- *Mais la sonnette de M. Grévy a retenti. La **session** est ouverte.* (ZOLA, La république en marche, VII.)

---

85. CET, CETTE *adj. dém.* on emploie « cette » devant un nom
[sɛt] féminin et « cet » devant un nom
masculin commençant par une
voyelle ou un h muet.

- *On souhaiterait à beaucoup de peuples d'avoir **cette** sagesse et **cet** instinct.* (M. DÉON, L'Irlande que j'aime.)

SEPT *adj. num.*   six plus un.
[sɛt]

● *Avant de répondre, l'abbé Guitrel tourna **sept** fois sa langue dans sa bouche.*
(A. FRANCE, L'anneau d'améthyste, III.)

SET *n. m.*   manche d'une partie de tennis, de ping-pong.
[sɛt]

● *Le Texan au moral fragile gagna pourtant le deuxième **set** et mena 5-2 dans le troisième, avant de s'incliner en quatre **sets**.*
(Gérard ALBOUY, Tournoi de Wimbledon, dans Le Monde, 5 juillet 1979, p. 20.)

---

86. CHAÎNE *n. f.*   lien de métal constitué par des anneaux
[ʃɛn]   engagés les uns dans les autres ; ornement,
parure ; suite, enchaînement ; réseau d'émet-
teurs de radio ou de télévision.

● *La barque se balance en tirant sur sa **chaîne** qui se tend par moments et sort de l'eau.*
(B. CLAVEL, Pirates du Rhône, 18.)

● *Autour du cou, elle portait la belle **chaîne** d'or à grosses mailles où pendait le médaillon de la famille.*
(G. BONHEUR, La croix de ma mère, IV.)

● *Dans les lointains bleuâtres, une nouvelle **chaîne** de montagnes a surgi.*
(R. FRISON-ROCHE, L'appel du Hoggar, 2.)

● *Les frères Voisin lancèrent les premiers une **chaîne** d'assemblage de biplans.*
(Encyclopédie de l'aviation.)

● *... la diffusion (vingt-quatre heures sur vingt-quatre), sur toutes les **chaînes** radio et télévision, de grandes épopées...* (Jean CAYROL, Histoire d'une prairie.)

CHÊNE *n. m.*   arbre à glands.
[ʃɛn]

● *Arrivé enfin au centre de la forêt, à l'endroit où étaient les plus grands **chênes,** le chariot s'arrêta.*
(E. RENAN, Souvenirs d'enfance et de jeunesse, II.)

---

87. CHAIR *n. f.*   substance fibreuse et sanguine constituée par
[ʃɛr]   les muscles, viande ; pulpe de certains fruits.

● *Elle était un peu boulotte, avec une **chair** mate, un peu trop tendre.*
(SARTRE, Les chemins de la liberté, Le sursis.)

● *Il les (les melons) aimait jaunes et raboteux, à grosses côtes, de **chair** juteuse et ruisselante.*
(H. de RÉGNIER, La double maîtresse, III, 2.)

CHAIRE *n. f.*　　siège, tribune.
[ʃɛr]

● *Wolf apercevait un coin de tableau noir, et, raide et austère, une **chaire** sur son estrade usée.*　　(Boris VIAN, L'herbe rouge, XXIII.)

● *Le prédicateur parcourut des yeux la foule qui se pressait autour de la **chaire**.*
(MÉRIMÉE, Chronique du règne de Charles IX, V.)

CHER, CHÈRE *adj.*　　1. aimé, adoré, précieux.
[ʃɛr]　　　　　　　　　　　2. coûteux, onéreux.

● *À qui d'autre confierai-je ce qui m'est le plus **cher** au monde?*
(P. CLAUDEL, Le père humilié, I, 2.)

● *La **chère** enfant avait compassion de toutes les souffrances.*
(ZOLA, Contes à Ninon, Sœur des pauvres, VI.)

● *Mais dans ces maisons modernes, les loyers étaient **chers**.*
(Ph. HÉRIAT, Famille Boussardel, IV.)

● *Quand l'énergie après-demain se fera rare et **chère**, les villes se désarticuleront et s'émietteront toutes seules.*
(R. BARJAVEL, dans le Journal du Dimanche, 14 janvier 1979, p. 2.)

CHÈRE *n. f.*　　nourriture.
[ʃɛr]

● *Les uns feront **chère** exquise et les autres jeûneront.*
(J. VERNE, Un drame dans les airs.)

● *L'endroit était agréablement familial; la cuisine, sans prétention mais très soignée; les vins, excellents. Monsieur Émile parut apprécier et le cadre et la **chère**.*　　(J.-L. CURTIS, La conversion.)

---

88. CHAMBRÉE *n. f.*　　ensemble des soldats logés dans une
[ʃɑ̃bre]　　　　　　　　　　même chambre; la pièce elle-même.

● *Vers cinq heures, à la fin de l'exercice, les hommes de la section à laquelle appartenait Gildas venaient de monter dans la **chambrée** et se préparaient à sortir en ville.*　　(René BAZIN, Magnificat, VI.)

CHAMBRER *v. tr.*　　amener un vin à la température de la
[ʃɑ̃bre]　　　　　　　　　pièce où il doit être bu.

● *Alors comment s'y prendre pour **chambrer** correctement une bouteille de vin?*
(C. BOURQUIN, Connaissance du vin, II, 29.)

---

89. CHAMP *n. m.* terre cultivable, terrain ; campagne ; portion
[ʃɑ̃] d'espace.

- *Durant ce temps, nos **champs** tombaient en friche, notre cheptel s'amenuisait.*
(G. CESBRON, Ce siècle appelle au secours.)

- *Je n'ai aucun mérite à connaître les fleurs, j'ai toujours vécu aux **champs**.*
(PROUST, Le côté de Guermantes.)

- *De là elle pouvait prendre dans son **champ** de vision non seulement la porte
à tambours, la réception et le salon d'arrivée, mais encore le bar.*
(Christine de RIVOYRE, La mandarine, I, 3.)

CHANT *n. m.* suite de sons musicaux ; hymne, mélodie.
[ʃɑ̃]

- *Des voix s'élèvent, qui scandent un **chant** puissant et grave.*
(M. GENEVOIX, Les Éparges, I.)

- *Dès l'aube le **chant** des merles me réveillait.*
(A. GIDE, Les nourritures terrestres, VI.)

---

90. CHAS *n. m.* trou d'une aiguille.
[ʃa]

- *Il attendait pour continuer que ma nièce eût enfilé de nouveau le fil qu'elle
venait de casser. Elle le faisait avec une très grande application, mais le **chas**
était très petit et ce fut difficile. Enfin elle y parvint.*
(VERCORS, Le silence de la mer.)

CHAT *n. m.* animal domestique.
[ʃa]

- *Je portais sur mon bras un petit **chat** qui se mit à miauler.*
(NERVAL, Aurélia.)

---

91. CHAUD *adj. et adv.* qui possède, donne ou conserve de la
[ʃo] chaleur.

- *Elle soupira, prit un peu de sable dans sa main et le fit couler, **chaud** et blanc,
sur sa jambe brune.* (SARTRE, Les chemins de la liberté, Le sursis.)

- *Il faisait plus **chaud** que dans une forge.* (Claude FARRÈRE, Les civilisés, XI.)

CHAUX *n. f.* oxyde de calcium.
[ʃo]

- *Il habite, à l'hôtel, une chambrette blanchie à la **chaux**.*
(GIRAUDOUX, Provinciales, La pharmacienne, III.)

CHAUT *forme du verbe « chaloir » :* avoir de l'importance.
[ʃo]

● *Eh bien, après tout, peu me chaut!* (Robert MERLE, Madrapour, XIV.)

---

92. CHAUME *n. m.* tige des céréales ; éteule.
[ʃom]

● *La Bardonnie met pied à terre devant une petite maison sise au bord de la route, toute blanche sous son toit de chaume.*
(RÉMY, Mémoires d'un agent secret, I, 4.)

● *Les vrais lièvres que j'ai vus depuis galoper par les labours ou les chaumes ras de Nevers...* (M. GENEVOIX, Bestiaire sans oubli, La mante.)

CHÔME, CHÔMES, CHÔMENT *formes du verbe « chômer » :*
[ʃom] cesser le travail.

● *Voyez-vous, Monsieur, me dit le père, le paysan chôme l'hiver.*
(M. JOUHANDEAU, Galande, II.)

---

93. CHEIK *n. m.* chef de tribu chez les Arabes.
[ʃɛk]

● *Après avoir bu le café et parlé beaucoup ensemble, ces Arabes tombèrent dans le silence, à l'exception du cheik.*
(CHATEAUBRIAND, L'itinéraire de Paris à Jérusalem, III.)

CHÈQUE *n. m.* Bon à vue ou au porteur.
[ʃɛk]

● *Il ne faisait rien du carnet de chèques que Mary lui avait donné et sur lequel il pouvait tirer n'importe quelle somme.* (Elsa TRIOLET, Le cheval blanc, III, 1.)

---

94. CHEMINEAU *n. m.* vagabond, mendiant.
[ʃəmino]

● *Il était mal tenu, mal lavé, habillé comme un chemineau.*
(A. CHAMSON, La neige et la fleur, I.)

CHEMINOT *n. m.* employé des chemins de fer.
[ʃəmino]

● *Les voyageurs, habitués à la gare, sont sortis les premiers, en déposant avec désinvolture, au passage, sans s'arrêter, leur billet dans la main du cheminot.*
(R. VAILLAND, La fête, 9.)

---

95. CHIC *n. m. et adj. inv.*   1. allure élégante, distinction.
   [ʃik]   2. élégant ; brave, gentil.

- *Larouselle a de la branche, il a en tout un **chic** épatant, c'est un gentle-*
  man.   (F. MAURIAC, Le désert de l'amour, V.)

- *Les femmes les plus **chic** prennent le métro.*   (Ph. HÉRIAT, Les grilles d'or, I.)

- *Vous êtes un **chic** garçon et on parlera de vous.*
                                       (LA VARENDE, Le comte Philippe de Meyerdorff.)

   CHIQUE *n. f.*   morceau de tabac que l'on mâche.
   [ʃik]

- *Le père Pluret se tait. Il remue sa bouche comme s'il mâchouillait une **chique**.*
                                       (J.-L. BORY, Mon village à l'heure allemande, 10.)

   CHIQUE, CHIQUES, CHIQUENT *formes du verbe « chiquer »* :
   [ʃik]   mâcher du tabac.

- *Mais c'est la mode maintenant d'être vertueux... l'on ne jure plus, l'on fume*
  *peu, et l'on **chique** à peine.*   (Th. GAUTIER, Mademoiselle de Maupin, Préface.)

---

96. CHLORE *n. m.*   Corps simple, jaune verdâtre, d'odeur irri-
   [klɔr]   tante, soluble dans l'eau.

- *Moi, je donnais mon linge à une blanchisseuse de la rue Poulet ; mais elle*
  *m'emportait tout, avec son **chlore** et ses brosses. Alors, je lave moi-même.*
                                       (ZOLA, L'assommoir, 1.)

   CLORE *v. tr.*   fermer ; terminer.
   [klɔr]

- *La chaleur avait fait **clore** les volets de ma chambre.*
                                       (Clara MALRAUX, Nos vingt ans, I.)

- *Mais on peut **clore** le débat d'un mot.*
                                       (Aimé CÉSAIRE, Toussaint Louverture, III, 17.)

---

97. CHŒUR *n. m.*   1. composition musicale ; ensemble de
   [kœr]   chanteurs.
                          2. partie de la nef d'une église.

- *Ce qu'ils chantaient était un de ces **chœurs** écossais, une des anciennes*
  mélodies des bardes.   (VIGNY, La veillée de Vincennes, IV.)

- *Ce **chœur** est composé de jeunes filles de la tribu de Lévi.*
                                       (RACINE, Athalie, Préface.)

- *Il gravit les degrés du **chœur** et continua vers l'autel une marche rituelle.*
                                       (G. BATAILLE, L'abbé C..., II, 9.)

CŒUR *n. m.*   1. organe qui règle la circulation du sang.
[kœr]   2. partie centrale de quelque chose.

- *Il se sentit ankylosé soudain, hors d'haleine, avec le **cœur** qui cognait contre la cage des côtes.*   (A. LANOUX, Le commandant Watrin, II, 6.)

- *Le bistrot avait beau se dresser en plein **cœur** de Marsilly, il n'en formait pas moins dans le village comme une enclave, un monde à part.*
(G. SIMENON, Le coup de vague, V.)

---

98. CHOLÉRIQUE *adj. et n.*   atteint du choléra.
[kɔlerik]

- *Je proposai de distribuer aux **cholériques** une somme de douze mille francs de la part de la mère d'Henri V.*   (CHATEAUBRIAND, Mémoires d'outre-tombe, 3.)

COLÉRIQUE *adj.*   enclin par tempérament à la colère.
[kɔlerik]

- *Et malgré le dépit qu'il éprouvait de ne pouvoir se montrer avec son œil poché, il devint amoureux fou de la **colérique** Gabrielle.*
(MÉRIMÉE, La partie de tric-trac.)

---

99. CHORAL *n. m. et adj.*   chant.
[kɔral]

- *Et Chamaille, que leur **choral** venait troubler, quand il lisait son bréviaire, se signait.*   (R. ROLLAND, Colas Breugnon, III.)

CHORALE *n. f.*   société musicale.
[kɔral]

- *C'était l'heure où la **chorale** et la fanfare défilaient.*
(GIRAUDOUX, Provinciales, Le petit duc, V.)

CORRAL *n. m.*   enclos où l'on parque le bétail.
[kɔral]

- *Il était né chez eux (racontait-on) un taureau blanc, le fameux taureau. Ils le cachaient. On lui avait bâti un **corral** pour lui seul, dans une île, sur un étang.*
(H. BOSCO, Malicroix, Dromiols.)

---

100. CHUT *interj. et n. m. invar.*   mot servant à imposer le
[ʃyt]   silence.

- *Devant les **chut** des voisins, les deux jeunes gens qui étaient avec elle tâchèrent de la faire tenir tranquille.*   (PROUST, Le côté de Guermantes.)

CHUTE *n. f.* action de tomber.
[ʃyt]

● *Je progresse lentement, très lentement, centimètre par centimètre; le moindre dérapage de ma bottine en caoutchouc, et ce serait la **chute**.*
(R. FRISON-ROCHE, L'appel du Hoggar, 2.)

---

101. CIL *n. m.* poil qui borde les paupières.
[sil]

● *Ses cheveux, ses sourcils, ses **cils**, sa courte moustache étaient comme décolorés.* (E. PEISSON, Le pilote, I.)

SIL *n. m.* argile rouge ou jaune.
[sil]

● *Des poteries de **sil**.*

---

102. CILICE *n. m.* chemise de crin que l'on porte par mortification.
[silis]

● *Il y a deux siècles, Mᶦˡᵉ de Plémeur, avec un **cilice** et folle de la Croix, eût marché sanglante sur les routes.* (MONTHERLANT, Les olympiques.)

SILICE *n. f.* oxyde de silicium.
[silis]

● *Les cailloutis cimentés entre eux par la **silice** ou le calcaire dont sont chargées les eaux d'infiltration deviennent des conglomérats.*
(E. de MARTONNE, Traité de géographie physique, IV, 5.)

---

103. CIRE *n. f.* 1. matière molle jaunâtre.
[sir] 2. sécrétion qui se fait au bord des paupières ou dans les oreilles.

● *Du bout du doigt, il aplatissait la **cire** de la bougie autour de la petite flamme rouge.* (Julien GREEN, Le visionnaire, I, 8.)

● *L'ironie du sort, pour regarder et peindre les splendeurs du monde, lui avait donné de grands yeux mais chassieux, pleins de **cire** et toujours pleurants.*
(J. GUÉHENNO, Changer la vie.)

CIRE, CIRES, CIRENT *formes du verbe « cirer » :*
  [sir]   encaustiquer ; enduire de cirage.

- *Lockard furieux, n'ayant rien à faire, retourne à son appareil de radar, le remet en marche tandis qu'Elliott dans un coin* **cire** *ses chaussures.*
  (P. CLOSTERMANN, Feux du ciel, II.)

SIRE *n. m.*   titre donné à un souverain.
  [sir]

- **Sire,** *j'ai supplié Votre Majesté de me laisser carte blanche à cet égard.*
  (STENDHAL, Lucien Leuwen, II, 33.)

---

104. CITÉ *n. f.*   1. fédération de tribus, dans l'Antiquité.
  [site]   2. ville importante ; sa partie la plus ancienne.
                          3. ensemble d'immeubles.

- *Les tribus qui se groupèrent pour former une* **cité** *ne manquèrent jamais d'allumer un feu sacré et de se donner une religion commune.*
  (FUSTEL DE COULANGES, La cité antique, III, 3.)

- *Je pensais maintenant à Trieste, mais comme à une* **cité** *maudite.*
  (PROUST, Sodome et Gomorrhe, II, 4.)

- *Elle remontait le cours du fleuve, atteignait la* **Cité,** *tournait autour des deux îles originelles, renouait le contact avec Paris.*
  (Ph. HÉRIAT, Les grilles d'or, XIV.)

- *Dans cette* **cité** *les familles nombreuses étaient prioritaires.*
  (Christiane ROCHEFORT, Les petits enfants du siècle, I.)

CITER *v. tr.*   mentionner, signaler ; assigner à comparaître.
  [site]

- *La Rome impériale possède ses lacunes et ses tares : insuffisance du réseau des rues, inexistence des moyens de transport rapides et pratiques, absence d'éclairage nocturne, pour n'en* **citer** *que quelques-unes.*
  (Léon HOMO, Nouvelle histoire romaine, III, 3.)

- *Le juge d'instruction militaire convoque toutes les personnes dont la déposition lui paraît utile ou les fait* **citer** *devant lui, sans frais, par un agent de la force publique.* (Article 129 du Code de justice militaire.)

---

105. CLAC! *interj.*   onomatopée imitant un claquement.
  [klak]

- *Ma mère est contente quand elle me donne une gifle... C'est mon enfant, mon fruit, cette joue est à moi,* **clac!** (J. VALLÈS, L'enfant.)

CLAQUE *n. f.*   1. gifle violente.

[klak]   2. partie de la chaussure fixée à la semelle.

● *Gaigneux, dur et râblé, était sûr de l'étendre d'une **claque**.*

(M. AYMÉ, Uranus, VII.)

● *L'opération de montage était d'autant plus délicate que la **claque**, l'empeigne était plus grande.*   (J. GUÉHENNO, Changer la vie.)

CLAQUE *n. m. et adj.*   chapeau haut de forme qui peut

[klak]   s'aplatir.

● *Le chef de famille tenait d'une main et caressait de l'autre comme un animal, un chapeau **claque** d'une forme ancienne.*

(R. RADIGUET, Le bal du comte d'Orgel.)

CLAQUE, CLAQUES, CLAQUENT   *formes du verbe «cla-*

[klak]   *quer»* : produire un bruit sec.

● *Ses semelles de cuir **claquent** sur le pavage.*

(P. J. HÉLIAS, Le cheval d'Orgueil, III.)

● *Quand la jeunesse se refroidit, le reste du monde **claque** des dents.*

(BERNANOS, Les enfants humiliés.)

---

106. CLAIR, E *adj.*   limpide, lumineux ; pâle ; fluide ; net, com-

[klɛr]   préhensible.

● *Le ciel était devenu tout à fait **clair**, l'air était tiède et le pavé sec.*

(H. TAINE, Voyage en Italie, I.)

● *Au-delà du pont de l'Alma, la nuit était plus **claire**.*

(ARAGON, Les cloches de Bâle, III, 3.)

● *Elle a les yeux bleus et le teint **clair** ; elle a bien le type norvégien.*

(R. VERCEL, Au large de l'Éden, III.)

● *Elle se contentait, en effet, d'un peu de soupe **claire**.*

(E. GUILLAUMIN, La vie d'un simple, 29.)

● *Et dès qu'il ouvre la bouche, je sais que nous allons avoir droit à un discours à la française, **clair**, logique, bien articulé, et tout à fait à côté de la véritable question.*   (R. MERLE, Madrapour, VI.)

● *Il demanda aux élèves si son exposé avait été suffisamment **clair** et ses explications bien comprises.*   (P. BOULLE, William Conrad, I, 4.)

CLAIR *n. m.*   clarté.

[klɛr]

● *Elle sortit : pas besoin de lampe pour y voir ; il faisait un **clair** à lire le journal.*   (J. CARRIÈRE, L'épervier de Maheux, II.)

- *Quand je rentrais, vers dix heures du soir, il m'arrivait souvent de me remettre à l'œuvre, au **clair** de lune, dans notre potager.*
(E. GUILLAUMIN, La vie d'un simple, 18.)

CLERC *n. m.*   1. ecclésiastique, intellectuel.
[klɛr]   2. employé chez un notaire.

- *Cette adhésion des **clercs** à la passion nationale est singulièrement remarquable chez ceux que j'appellerai les **clercs** par excellence, j'entends les hommes d'Église.*   (J. BENDA, La trahison des clercs, III.)

- *Cette exclamation échappait à un **clerc** appartenant au genre de ceux qu'on appelle dans les Études des saute-ruisseaux.*   (BALZAC, Le colonel Chabert.)

---

107. CLAUSE *n. f.*   condition particulière d'un contrat.
[kloz]

- *Chez le gérant, quand elle examina, article par article, son acte de location qui comportait une vingtaine de **clauses** rédigées avec minutie, à l'ancienne, Agnès fit une découverte encore.*   (Ph. HÉRIAT, Les grilles d'or, XIII.)

CLOSE *adj. f. (masculin : clos)*   fermée, terminée.
[kloz]

- *La maison était encore déserte. Du dehors, Mathieu avait vu toutes les persiennes **closes**.*   (SARTRE, Les chemins de la liberté, Le sursis.)

- *Eh bien, dit-il comme si la discussion était **close**, voilà qui est entendu.*   (R. MERLE, La mort est mon métier, 1929.)

---

108. CLIC! *interj.*   onomatopée imitant un bruit sec.
[klik]

- *Guy touchera sa part de bénéfices. Rubis sur l'ongle. **Clic!***   (P. MODIANO, Les boulevards de ceinture.)

CLIQUE *n. f.*   1. bande, groupe de personnes peu recommandables.
[klik]
      2. ensemble des tambours et des clairons d'une musique militaire.

- *La police m'affirme que tu appartenais à la **clique** de l'homme aux petits yeux gris, votre Georges Cadoudal.*   (H. QUEFFELEC, La faute de Monseigneur, I, 3.)

- *Que reste-t-il pour accomplir cette pseudo-révolution ? Une **clique** de ratés et de lâches.*   (J. GUÉHENNO, Journal des années noires.)

- *... les **cliques** où les soldats s'entraînent inlassablement à battre de la grosse caisse et à souffler dans des cuivres...*   (L. BODARD, L'enlisement, I.)

CLIQUES *n. f. pl.*   sabots de bois.
[klik]

- *Eh bien, dans trois ans, peut-être plus tôt, j'aurai trente mille francs. Ce jour-là, fini, Cricri, Rinette et tout le reste. Victorine prend son magot, ses **cliques,** ses claques, et hop! dans le train de Lannion! Adieu la compagnie!*
(R. MARTIN DU GARD, Les Thibault, La belle saison, XII.)

---

109. COI *adj.*   tranquille, silencieux.
[kwa]

- *Mais sentant sur moi le petit œil noir, guetteur et perçant de Frère Antoine, je restai **coi** et pris une mine des plus confites.*
(R. MERLE, En nos vertes années, I.)

- *En ce danger, le mieux était de rester **coi**.* (R. ROLLAND, Colas Breugnon, X.)

QUOI   1. ***pron. rel. ou interr.*** désigne une chose.
[kwa]   2. ***interj.,*** marque la surprise.

- *Il n'y a rien à **quoi** on n'arrive avec de la patience et de la douceur et de la sympathie.* (CLAUDEL, Le père humilié, I, 2.)

- *Pourtant il me plaisait par un je ne sais **quoi** de réel et de passionné qu'il dissimulait mal.* (H. BOSCO, Malicroix, Dromiols.)

- ***Quoi!** vous prenez au grave un propos si léger? Faites-vous un chagrin d'un ennui passager?* (MUSSET, Louison, I, 7.)

---

110. COIN *n. m.*   1. angle formé par l'intersection de deux
[kwɛ̃]   lignes, de deux rues.

                 2. portion d'espace; endroit reculé.

                 3. pièce de fer servant à fendre le bois.

- *Son auto, au **coin** de la rue, nous attend.* (A. MALRAUX, Les conquérants, I.)

- *De l'endroit où il était assis, il apercevait un **coin** de ciel au-dessus d'un toit noir.* (J. GREEN, Si j'étais vous, I, 3.)

- *Agnès errait à travers la gare sans trouver un **coin** tranquille où s'établir.* (Ph. HÉRIAT, Les grilles d'or, I.)

- *Cinq minutes après, il en revenait avec, sur une épaule, une loube (grande scie à main des scieurs de long...), sur l'autre deux énormes haches, un gros maillet à bois et enfin, sous le bras, dans un sac, une dizaine de **coins** pour éclater les souches.* (M. SCIPION, Le clos du roi, Le cousin Tin.)

COING *n. m.* fruit du cognassier.
[kwɛ̃]

● *La gelée de coing fit un plof affreux en s'écrasant sur le plancher.*
(Christine de RIVOYRE, La mandarine, I, 1.)

● *Madame Grandet était une femme sèche et maigre, jaune comme un coing, gauche, lente.*
(BALZAC, Eugénie Grandet, I.)

---

111. COKE *n. m.* combustible.
[kɔk]

● *Il n'y avait que rarement du feu dans sa chambre, bien que le coke et les bûchettes y fussent toujours préparés.*
(A. BILLY, L'approbaniste, III.)

COQ *n. m.* mâle de la poule.
[kɔk]

● *Au-dehors s'éleva le chant d'un coq.*
(H. QUEFFELEC, La faute de Monseigneur, II, 4.)

● *Il avait en nourrice trente coqs de combat, dans les fermes d'alentour.*
(M. VAN DER MEERSCH, L'empreinte du Dieu, I, 2.)

COQUE *n. f.* 1. carcasse d'un navire.
[kɔk] 2. enveloppe de l'œuf, de certains fruits.
3. coquillage.
4. boucles de cheveux.

● *Dehors la mer clapotait contre la coque et accompagnait les hoquets du dalot.*
(E. ROBLÈS, La croisière, XII.)

● *Gilbert entra en carême comme à Cîteaux ou presque : soupe au chou-rave, avec deux gousses d'ail en guise de beurre, des patates au four, un œuf à la coque, ou, le dimanche, une omelette.*
(H. VINCENOT, Le pape des escargots, I, 7.)

● *À table, on lui passe les noix, et, d'un coup de poing, elle écrase les coques.*
(J. de LACRETELLE, La Bonifas, I, 4.)

● *Quelques pêcheuses de coques, reflétées dans les flaques, rentraient une à une, chassées par la marée montante.* (A. LANOUX, Quand la mer se retire, II, 6.)

● *Sa chevelure était coiffée en grosses coques hérissées de longues épingles.*
(H. de RÉGNIER, La double maîtresse, II, 6.)

---

112. COL *n. m.* partie du vêtement qui entoure le cou.
[kɔl]

● *Il haussa le **col** de son manteau de cavalier, il y avait une bise qui pinçait les
oreilles.* (ARAGON, La semaine sainte, XVI.)

COL *n. m.*
[kɔl]   passage entre deux sommets montagneux.

● *À la nuit tombante, nous campons dans le lit de l'oued, au pied d'un petit **col**
séparant de la chaîne principale un énorme contrefort de granit.*
(R. FRISON-ROCHE, L'appel du Hoggar, 2.)

COLLE *n. f.*   1. matière gluante et adhésive.
[kɔl]   2. question difficile.

● *Il n'a pas de matériaux, pas de peinture, pas de bon papier, pas de bonne
colle, pas de Ripolin.* (J.-L. BORY, Mon village à l'heure allemande, 13.)

● *Le soir, nous repassions nos leçons, l'un en face de l'autre, et pour nous
préparer à l'examen, nous nous posions des **colles** mutuellement.*
(H. TROYAT, Un si long chemin.)

COLLE, COLLES, COLLENT *formes du verbe «coller»* : faire
[kɔl]   adhérer; appliquer contre.

● *Le tisserand tisse la toile de ménage et avec une brosse de racines, il **colle**
les fils pour apprêter le tissage.* (Chantal CHAWAF, Le soleil et la terre, I.)

● *Le mitrailleur qui veut voir encore **colle** son visage au collimateur.*
(P. CLOSTERMANN, Feux du ciel, VII.)

● *Mes vêtements me **collent** au corps comme si j'étais resté sous une averse.*
(P. MODIANO, Les boulevards de ceinture.)

---

113. COLLET *n. m.*   1. partie du vêtement qui entoure le cou.
[kɔlɛ]   2. nœud coulant qui sert à prendre les
lièvres, etc.

● *Le **collet** de son habit vert bouteille monte haut.* (A. FRANCE, La cravate.)

● *Finalement le piège fut prêt, le **collet** bien tendu.*
(R. FRISON-ROCHE, Le rapt, I, 1.)

COLLAIS, COLLAIT, COLLAIENT *formes du verbe «coller»* :
[kɔlɛ]   appliquer contre.

● *Il emballait quantité d'ouvrages, plus ou moins légers, **collait** étiquettes et
timbres, inscrivait les adresses et tenait à jour les envois dans un cahier
d'écolier.* (D. BOULANGER, Le chemin des Caracoles.)

● *Sa gorge était sèche comme du sable, sa langue lui **collait** au palais.*
(R. IKOR, La greffe de printemps, I.)

COLLEY *n. m.*   chien de berger écossais.
[kɔlɛ]

● *On ne rencontre que fort peu de colleys à poil ras : le nom de colley s'est attaché à la beauté d'une fourrure abondante.* (Chiens de race, p. 183.)

---

114. COMPTANT *n. m. et adv.*   1. argent disponible.
[kɔ̃tɑ̃]   2. immédiatement.

● *Au premier groupe du comptant, la banque Schoudler baissait.*
(M. DRUON, Les grandes familles, IV, 15.)

● *Lafcadio payait toujours comptant.* (A. GIDE, Les caves du Vatican, II, 4.)

COMPTANT *part. prés. du verbe « compter » : calculer ; suppo-*
[kɔ̃tɑ̃]   *ser, espérer.*

● *J'essayais de m'endormir en comptant des moutons.*
(A. MAUROIS, Climats, I, 14.)

● *Il n'avait pas prévenu sa femme de son arrivée, comptant faire la route plus vite qu'une lettre.* (M. VAN DER MEERSCH, Maria fille de Flandre, VIII.)

CONTANT *part. prés. du verbe « conter » :* raconter, narrer.
[kɔ̃tɑ̃]

● *Il lui suffisait d'en inviter parfois une à sa table... et de la raccompagner jusqu'à sa porte, en lui contant des histoires dont il riait seul.*
(J. ROMAINS, Les Superbes, 25.)

CONTENT *adj.*   satisfait, enchanté.
[kɔ̃tɑ̃]

● *Ils vont être contents de te revoir.* (H. HÉMON, Maria Chapdelaine, 1.)

CONTENT *n. m.*   ce qui satisfait, ce qui rassasie.
[kɔ̃tɑ̃]

● *Je parie que tu ne manges point ton content, chez ta mère.*
(J. RENARD, Poil de carotte.)

---

115. COMPTE *n. m.*   1. calcul statistique, bilan.
[kɔ̃t]   2. état de l'avoir et des dettes dans une banque.
      3. exposé, rapport.

● *Dans son bureau, mon père revoyait les comptes, les catalogues de sa maison de tissus.* (Françoise MALLET-JORIS, Le rempart des béguines.)

- *Tu sais ce qu'il représentait, comme économies, ce modeste petit **compte**? Tu imagines ce que c'était, pour moi, d'avoir un **compte** en banque? La première fois que j'ai manié mon premier carnet de chèques avec mon numéro de **compte** et mon nom imprimé dessus, j'ai eu presque l'impression d'être une autre personne.* (J.-L. CURTIS, La quarantaine.)

- *Vous y réglerez tout pour le mieux, et m'en rendrez au retour un **compte** exact.* (H. de RÉGNIER, La double maîtresse, I, 5.)

- *Vous avez vu les **comptes** rendus dans les journaux.* (M. PAGNOL, Les marchands de gloire, V, 3.)

COMPTE, COMPTES, COMPTENT
[kɔ̃t]
formes du verbe «compter» : avoir de l'importance; espérer.

- *J'ai toujours présents à la mémoire les épisodes de cette matinée dont le souvenir **compte** au nombre des plus douloureux de ma vie.* (E. GUILLAUMIN, La vie d'un simple, 37.)

- *Que **comptes**-tu faire quand tu seras guéri?* (J. CAYROL, Histoire d'une prairie.)

COMTE n. m.
[kɔ̃t]
titre de noblesse.

- *Au parterre, tout ce que Lyon et sa province comptaient de marquis, de **comtes** et de vicomtes, de barons et de chevaliers, de nobliaux et de riches bourgeois, paradait en habit de soie ou de nankin, en souliers à talons hauts et rouges.* (Nicole AVRIL, Monsieur de Lyon, 9.)

CONTE n. m.
[kɔ̃t]
récit, légende, fable.

- *Ses lectures préférées sont les **contes** de fées et les poètes.* (A. MAUROIS, Climats, I, 4.)

CONTE, CONTES, CONTENT
[kɔ̃t]
formes du verbe «conter» : raconter, narrer.

- *Demandez-lui qu'il nous **conte** des aventures de mer.* (E. ROBLÈS, La croisière, II.)

---

116. COMPTER v. tr. et intr.
[kɔ̃te]
calculer; escompter, espérer.

- *Nous nous mîmes à **compter** les secondes, attendant le bruit de la foudre, essayant de localiser le point de chute.* (D. BOULANGER, Le chemin des caracoles, Polaire.)

- *Tu peux **compter**, m'a t-il dit, sur sa bienveillance et sur son efficacité.* (G. BONHEUR, La croix de ma mère, II, 10.)

COMTÉ *n. m.*   territoire possédé par un comte.
[kõte]

- *Beaucoup de ces villes ont été les capitales d'un petit état féodal, **comté**, duché.*   (BALZAC, Béatrix, I, 1.)

CONTER *v. tr.*   raconter, narrer.
[kõte]

- *Pendant la première partie de la route, Roche ne cessa de me **conter** des histoires abracadabrantes.*   (P. BENOÎT, La châtelaine du Liban, X.)

---

117. COMPTEUR *n. m.*   appareil servant à mesurer.
[kõtœr]

- *En haut de la côte, l'aiguille du **compteur** de vitesse n'avait pas atteint le chiffre 50.*   (R. VAILLAND, La fête, II.)

CONTEUR *n. m.*   personne qui raconte, narrateur.
[kõtœr]

- *Aujourd'hui on entend dire que le temps des contes est passé, que les derniers **conteurs** sont allés rejoindre les vieilles lunes.*
  (P. J. HÉLIAS, Le pays bigouden.)

---

118. CONTRÉE *n. f.*   région.
[kõtre]

- *Cette belle **contrée** est affreusement pauvre, avec ses quelques fermes disséminées.*   (WILLY et COLETTE, Claudine à l'école.)

CONTRER *v. tr. et intr.*   défier un adversaire au bridge ;
[kõtre]   s'opposer à.

- *Alors on peut **contrer** pour essayer d'amener Est-Ouest à 4 Piques **contrés**.*
  (Bridge de compétition.)

---

119. COOLIE *n. m.*   travailleur, porteur en Extrême-Orient.
[kuli]

- *Des **coolies** reviennent de la cave, ahanant, l'épaule écrasée par le large bambou où sont suspendues de nouvelles caisses de cartouches.*
  (A. MALRAUX, Les conquérants, II.)

COULIS *n. m.*   préparation culinaire.
[kuli]

- *On rangeait les réserves dans le cellier : vin, huile d'olive, **coulis** de tomates, légumes en conserve, pommes de terre, maïs, haricots et fruits secs.*
(Ph. HÉRIAT, Les grilles d'or, II.)

COULIS *adj.*   qui glisse, qui passe par les interstices.
[kuli]

- *... et à l'abri des vents **coulis,** les pieds enfouis aux coussins, elle s'envoyait nonchalamment au visage, de son éventail parfumé, la caresse d'un continuel zéphyr.*
(H. de RÉGNIER, La double maîtresse, II, 5.)

---

120. COR *n. m.*   1. instrument à vent.
[kɔr]   2. ramification des bois des cerfs.
     3. durillon.

- *Son maudit **cor** de chasse fait trembler les vitres de l'immeuble.*
(CAMI, Le chasseur obstiné.)

- *Le Rouge, parfois, sous une poussée de joie irrésistible, gambadait autour du dix **cors,** le bousculait du front ou de l'épaule pour le provoquer à jouer.*
(M. GENEVOIX, La dernière harde, I, 5.)

- *J'avais tellement pris, à cause de mes **cors,** l'habitude de marcher du talon, que Roche ne put me la faire perdre.* (J.-J. ROUSSEAU, Les confessions, V.)

CORPS *n. m.*   1. partie matérielle des êtres animés, chair.
[kɔr]   2. réunion d'individus, assemblée, groupe.

- *Il lui semblait que son cœur flottait comme son **corps** sur quelque chose de moelleux, de fluide, de délicieux qui la berçait et l'engourdissait.*
(MAUPASSANT, Pierre et Jean, I.)

- *Charpentiers, menuisiers, maçons, peintres, tous les **corps** de métiers n'ont fait que participer à la matérialisation d'un rêve.*
(P. GUIMARD, L'ironie du sort, IV, 1.)

---

121. CORNÉ, E *adj.*   1. qui est de la nature de la corne.
[kɔrne]   2. part. passé du verbe « corner » : plier dans un coin.

- *Tissu **corné,** nom générique sous lequel on réunit les ongles, les cornes, les sabots.* (LITTRÉ.)

- *On m'apporte un peu plus tard la carte **cornée** de la marquise de Cambremer.*
(PROUST, Sodome et Gomorrhe, II, 1.)

CORNÉE *n. f.*
[kɔrne]
membrane transparente qui tapisse l'œil à l'extérieur.

- *L'enveloppe protectrice de l'œil, la sclérotique, est transparente en avant et porte, à cet endroit, le nom de **cornée**.*

CORNER *v. tr. et intr.*
[kɔrne]
sonner d'une trompe ; répéter partout et bruyamment.

- *Il fallait **corner** sans cesse, les piétons étant aussi nombreux sur la chaussée que sur les trottoirs.* (R. MARTIN DU GARD, les Thibault, L'été 1914, LXXIII.)

- *J'entends **corner** sans cesse à mes oreilles : « L'homme est un animal raisonnable. »* (LA BRUYÈRE, Les caractères, Des jugements, 119.)

---

122. COTE *n. f.*
[kɔt]
dimension d'une pièce usinée ; altitude d'un point de terrain ; cours des monnaies, des valeurs ; estimation de la valeur d'une personne, d'une chose.

- *Les constructeurs n'écartent pas la possibilité de réduire la capacité des réservoirs, de modifier les **cotes**, le poids.* (F. JANIN, dans Le Monde, 28 février 1979, p. 14.)

- *Jean reconnut la **cote** 108, car il avait vu les clichés du monticule.* (J. KESSEL, L'équipage, II.)

- *Au premier plan de son regard, sur les parois vitreuses de son obsession, revenait sans cesse, avec la persistance intemporelle du rêve, la ligne de la **cote** boursière.* (M. DRUON, Les grandes familles, IV, 13.)

- *Sa **cote** de popularité, gravement atteinte par toutes les crises de ces derniers mois, va enfin remonter.* (Les Échos, 14 mars 1979, p. 24.)

COTE, COTES, COTENT *formes du verbe « coter » :* évaluer ; établir une cote.
[kɔt]

- *On **cote** 390 francs au plus haut de l'année.* (Les Échos, 2 mai 1979, p. 20.)

COTTE *n. f.*
[kɔt]
tunique ; vêtement de travail.

- *Voici de plus un talisman qui préservera des coups d'épée mieux que ne ferait une **cotte** de mailles.* (MÉRIMÉE, chronique du règne de Charles IX, XVI.)

- *Comme il était vêtu d'une **cotte** bleue pareille à celle que portent les garagistes, j'ai pensé qu'il s'agissait d'un mécanicien.* (B. CLAVEL, Victoire au Mans, I, 6.)

62

QUOTE
[kɔt]
dans quote-part (kɔtpar) part proportionnelle, coti-
sation.

● *Agnès fit le compte des **quotes**-parts qu'elle avait discrètement recueillies.*
(Ph. HÉRIAT, Les grilles d'or, II.)

N. B. côte se prononce [kot] et n'est pas homonyme de cote [kɔt].

---

123. COU *n. m.*
[ku]
partie du corps qui unit la tête au tronc.

● *Il arpentait la pièce d'un pas nerveux, le **cou** rentré dans les épaules pour ne
pas heurter les poutres du plafond.* (Nicole AVRIL, Monsieur de Lyon, 1.)

COUD, COUDS *formes du verbe « coudre » :* joindre deux
[ku]   choses avec du fil.

● *Une ouvrière **coud** la layette, une sage-femme s'apprête à donner les premiers
soins au nouveau-né.* (ZOLA, Dans Paris, Les nids.)

COUP *n. m.*
[ku]
choc, blessure, heurt, claque ; mouvement
d'une partie du corps, d'un objet ; attaque
brusque.

● *On ne peut rien tirer de ce gamin. Il se laisserait rouer de **coups** plutôt que
d'être agréable à sa mère.* (J. RENARD, Poil de carotte.)

● *Ce n'était cependant pas un **coup** de boxeur appliqué à la pointe du menton,
mais un honnête **coup** de poing dans le nez.*
(R. VERCEL, Ceux de la Galatée, V.)

● *Ivich jeta un **coup** d'œil au réveil et vit qu'il était déjà six heures vingt.*
(SARTRE, Les chemins de la liberté, Le sursis.)

● *Lorsqu'il veut rendre service à un ami, il donne vingt **coups** de téléphone par
jour.* (J. ROMAINS, Les travaux et les joies, II.)

● *Un **coup** de tonnerre d'une intensité extrême m'éveilla.*
(G. BATAILLE, L'abbé C..., II, 14.)

COÛT *n. m.*
[ku]
prix, montant, dépense.

● *C'est dans la méconnaissance complète des **coûts** du traitement de l'information qu'il faut voir la principale raison du peu d'intérêt porté par les
responsables d'entreprise à la gestion de l'information.*
(01 Informatique, n° 128, p. 32.)

● *Était-ce vraiment le moment de me parler du **coût** de la vie, alors que je venais
de perdre ma place ?* (G. DUHAMEL, Confession de minuit, III.)

---

124. COUPÉ *n. m.*
[kupe]

voiture fermée à quatre roues et à deux places.

- *C'était une sorte de* **coupé**. *Entre ses roues démesurées aux rayons grêles, le caisson noir, bâché de cuir, paraissait minuscule.*
(H. BOSCO, Malicroix, Dromiols.)

COUPÉE *n. f.*
[kupe]

ouverture dans le flanc d'un navire.

- *Le haut-parleur du bord se mit à crier : « On demande M. Blaise Cendrars à la* **coupée** *pour prendre livraison d'un tigre. »*   (B. CENDRARS, Bourlinguer, IV.)

COUPER *v. tr.*
[kupe]

tailler, trancher, séparer.

- *Ils se mirent à* **couper** *et arracher les aunes, prenant les branches par faisceaux dans leurs mains et les tranchant à coups de hache.*
(L. HÉMON, Maria Chapdelaine, IV.)

---

125. COUR *n. f.*
[kur]

1. espace découvert, entouré de murs ou de bâtiments.

2. entourage d'un souverain.

3. tribunal.

- *La* **cour** *du Sénat, la petite* **cour** *qui s'ouvre sur la rue de Vaugirard, et non la grande* **cour** *d'honneur qui fait face à la rue de Tournon, est pleine de soldats, d'hommes de police, de gens de tout âge et de tous costumes.*
(M. VUILLAUME, Mes cahiers rouges, Une journée à la Cour martiale, II.)

- *La* **cour** *n'est jamais dénuée d'un certain nombre de gens en qui l'usage du monde, la politesse ou la fortune tiennent lieu d'esprit et suppléent au mérite.*
(LA BRUYÈRE, Les caractères, De la cour, 83.)

- *L'ordonnance stipulait que la Haute* **Cour** *de Justice serait présidée par le premier magistrat de la* **Cour** *de cassation.*   (Historama, dossier n° 27, p. 104.)

COURRE *v. tr.*
[kur]

poursuivre.

- *L'heure est venue de prendre des décisions énergiques pour faire cesser les chasses à* **courre**.   (CAMI, Le chasseur obstiné.)

COURS *n. m.*
[kur]

1. mouvement de l'eau des fleuves, rivières ou ruisseaux.

2. écoulement du temps.

3. cote, prix des valeurs ou marchandises.

4. leçon, conférence ; manuel scolaire ; établissement privé.

5. promenade plantée d'arbres.

- *La rivière était, bien entendu, un modeste **cours** d'eau d'une largeur d'un mètre cinquante et, que, après avoir lu Atala, ils appelèrent le Meschacebé.*
  (F. MARCEAU, Bergère légère, I, 3.)

- *Mais, au **cours** de ma vie, j'ai été si souvent trompé par les apparences que je ne veux plus m'y fier.* (PROUST, Le côté de Guermantes.)

- *À deux heures et quart, Sonchelles cotait à 1 550, et c'est à ce **cours** qu'on clôtura.* (M. DRUON, Les grandes familles, IV, 15.)

- *Le **cours** d'histoire fut pour moi une autre cause de vif éveil.*
  (RENAN, Souvenirs d'enfance et de jeunesse, III.)

- *Le **cours** Sainte-Clotilde était une maison privée.*
  (Clara MALRAUX, Nos vingt ans, I.)

- *Ils débouchaient sur le **cours**, bordé à droite d'énormes platanes et à gauche d'arbustes si fragiles qu'on les avait mis en paillassons comme des bouteilles.*
  (GIRAUDOUX, Provinciales, Le petit duc, IV.)

COURS, COURT, COURENT
[kur]
formes du verbe « courir » : se déplacer rapidement, se hâter ; circuler, se propager.

- *Mais ne **cours** pas comme ça, tu vas tomber !*
  (Elsa TRIOLET, Le cheval blanc, I, 10.)

- *Mais le bruit **court** que c'est toi qui as envoyé le poison.* (ANOUILH, Médée.)

COURT *adj.*
[kur]
petit ; bref.

- *Les cheveux blancs, drus et **courts**, avivaient son œil noir sous d'épais sourcils gris.* (MAUPASSANT, Fort comme la mort, I, 1.)

- *Mais pour avoir été **court**, le combat n'en a pas été moins vif ni moins cruel.*
  (BALZAC, Albert Savarus.)

- *Un **court** moment je suis resté embarrassé ne sachant comment engager la conversation.* (R. DORGELÈS, Le Marquis de la Dèche, 1.)

COURT *n. m.*
[kur]
terrain de tennis.

- *Pendant que nous marchions vers le **court** de tennis, ce matin, j'ai surpris un curieux lambeau de conversation entre Jacques et Christel.*
  (J. GRACQ, Un beau ténébreux.)

---

126. COUVANT
[kuvã]
p. prés. du verbe « couver » : se tenir sur des œufs pour les faire éclore ; se préparer dans le secret.

- *... un sourd ferment de jalousie et de haine **couvant** depuis qu'un homme était là, avec ses volontés et ses appétits de mâle.* (ZOLA, La terre, III, 6.)

COUVENT maison de religieux ou de religieuses, monastère.
[kuvã]

● *La rue Méchain, avec d'un côté le long mur de l'hôpital et, de l'autre, le* **couvent**, *des petites maisons genre hôtels particuliers, était déserte.*
(Elsa TRIOLET, Le cheval blanc, II, 13.)

---

127. COUVÉE ensemble des œufs qu'un oiseau couve ; jeunes
[kuve] oiseaux qui viennent d'éclore ; famille nombreuse.

● *Il détruisit dans les blés en herbe des* **couvées** *de perdrix et de cailles.*
(L. PERGAUD, De Goupil à Margot, La tragique aventure de Goupil, VI.)

COUVER *v. tr. et intr.* se tenir sur des œufs pour les faire
[kuve] éclore ; entourer de soins attentifs, regarder avec attention ; avoir les germes d'une maladie.

● *Il donne pension à un homme qui n'a point d'autre ministère que... de faire* **couver** *des canaris.* (LA BRUYÈRE, Les caractères, De la mode, Diphile.)

● *Enfin, les chevaux s'alignèrent pour le départ du Grand Prix du ministre de l'Enregistrement, et Sabine se mit à* **couver** *du regard le cheval Théocrate VI.*
(M. AYMÉ, Les Sabines.)

---

128. CRAC ! *interj.* imitation d'un bruit sec, évocation d'un évé-
[krak] nement soudain.

● *Hélas ! mes frères, combien de pauvres moribonds veulent dire « peccavi », à qui la voix manque sur le pec ! et* **crac !** *voilà une âme emportée par le diable.*
(MÉRIMÉE, Chronique du règne de Charles IX, V.)

CRACK *n. m.* très bon cheval ; champion, as.
[krak]

● *Une admirable bête, dit le général. Sans M. Pivin, ce* **crack** *aurait déjà été taillé en biftecks.* (P. VIALAR, Les invités de la chasse, Pivin.)

● *Il y avait à Catfoss une invraisemblable écurie de* **cracks** *de l'aviation de chasse de toutes les nations.* (P. CLOSTERMANN, Feux du ciel, III.)

CRAQUE, CRAQUES, CRAQUENT *formes du verbe « cra-*
[krak] *quer »* : émettre un bruit sec.

● *L'énorme caisse* **craque** *de toutes parts... J'ai un peu peur quand cela* **craque** *trop fort, mais la caisse est solide !* (P. J. HÉLIAS, Le cheval d'orgueil, II.)

KRACH *n. m.*   débâcle financière, banqueroute.
[krak]

● *Mon père avait été sérieusement atteint par le **krach** de 1929.*
(Brigitte FRIANG, Regarde-toi qui meurs, I, 1.)

● *Pendant quelques mois les **krachs** font diminuer les dépôts, c'est vrai ; mais, après six mois, les sommes retirées rentrent automatiquement.*
(A. MALRAUX, La condition humaine, VII.)

KRAK *n. m.*   enceinte fortifiée construite par les Croisés.
[krak]

● *Puis le plus célèbre de tous, le Kalaat-el-Hoesn, le **krak** des Chevaliers, qui domine la route d'Homs à Tripoli.*   (P. BENOÎT, La châtelaine du Liban, IV.)

---

129. CRIC *n. m.*   appareil pour soulever les fardeaux.
[krik]

● *Chaque fois que le malheureux, suant, croyait réussir, le **cric**, mal calé, laissait retomber la voiture.*   (R. RADIGUET, Le bal du comte d'Orgel.)

CRIQUE *n. f.*   petite baie dans une côte rocheuse.
[krik]

● *Au nord-ouest de l'île, les falaises s'effondraient sur une **crique** de sable fin, aisément accessible par une coulée d'éboulis rocheux clairsemés de maigres bruyères.*   (M. TOURNIER, Vendredi ou les limbes du Pacifique, II.)

● *Le lendemain, le surlendemain, au bord du rivage, on attendit le mazout. Il arriva, flottant sur la mer. Dans le port, dans les **criques**, sur les rochers roux polis par des siècles de flot pur, il déposait sa vomissure noire, empoisonnée, tenace, où parfois un poisson mort demeurait englué.*
(Ph. HÉRIAT, Les grilles d'or, X.)

---

130. CROISÉ *n. m.*   celui qui participait à une Croisade.
[krwaze]

● *Les véritables **croisés**, ceux qui ont reçu du pape le privilège de la croix, sont pour la plupart des hommes rompus au métier des armes, même lorsqu'il s'agit des gens d'Église.*   (A. DEMAZIÈRE, Les chevaliers teutoniques.)

● *L'armée des **croisés** atteignit Antioche le 20 octobre 1097.*
(Fr. FUNCK-BRENTANO, Le Moyen Âge, V.)

CROISÉ, E *adj.*   disposé en croix.
[krwaze]

● *Pendant un long moment, elle demeura immobile, les bras **croisés** sur le bord de la table.*   (B. CLAVEL, Celui qui voulait voir la mer, 7.)

CROISÉE *n. f.* 1. point où deux choses se coupent.
[krwaze] 2. châssis vitré qui clôt une fenêtre.

- *Depuis leur rencontre à la croisée des chemins, ils avaient connu la joie d'être trois.* (J. ROMAINS, Les copains, IV.)

- *Sur une table ronde à un seul pied, figurant un cep de vigne et placée devant la croisée qui donne sur le jardin, se voit une lampe bizarre.* (BALZAC, Béatrix, I, 2.)

CROISER *v. tr.* passer à côté de quelqu'un qui va en sens
[krwaze] contraire.

- *Mon père préférait traverser la rue plutôt que de croiser le père de Laurent.* (Nicole AVRIL, Monsieur de Lyon, 7.)

---

131. CROÎT *n. m.* augmentation d'un troupeau par les petits qui
[krwa] naissent; accroissement de la végétation.

- *Nous avons retrouvé un certain nombre de pièces administratives qui tournent autour du bétail confié aux bergers, de son croît, de ses pertes, de la laine produite...* (Dictionnaire archéologique des techniques, Article Élevage, Asie occidentale.)

- *C'est une haie de thuyas robustes, dont le croît a depuis longtemps enseveli sous son épaisse verdure, de part et d'autre, la clôture de grillage et les poteaux qui la soutiennent.* (M. GENEVOIX, Bestiaire enchanté, L'écureuil.)

CROIE, CROIES, CROIS, CROIT *formes du verbe « croire » :*
[krwa] tenir pour vrai; penser.

- *Un polytechnicien est un homme qui croit que tous les êtres vivants ou inanimés peuvent être définis avec rigueur et soumis au calcul algébrique.* (A. MAUROIS, Les silences du colonel Bramble, 18.)

- *Qu'on ne me croie pas ici gasconnant, je ne dis que le vrai.* (R. MERLE, En nos vertes années, I.)

CROÎS, CROÎT *formes du verbe « croître » :* augmenter,
[krwa] grandir.

- *Les organes s'atrophient ou deviennent plus forts ou plus subtils selon que le besoin qu'on a d'eux croît ou diminue.* (PROUST, Sodome et Gomorrhe.)

CROIX *n. f.* gibet, objet de piété, crucifix; signe fait de
[krwa] deux traits qui se coupent; décoration; bijou.

- *La croix fut dressée, le poids du corps agrandit horriblement les blessures, et j'entendis les os se briser. Le crucifié eut un long frisson.* (ZOLA, Contes à Ninon, Le sang, IV.)

- *Où est la croix, là ne cesse pas l'Église.* (P. CLAUDEL, L'otage, I, 2.)

- *Toutes les fois que je voudrai venir ici, tu trouveras une croix faite à la craie sur la porte du jardin.* (BALZAC, Vautrin, I, 5.)

- *Sous le cadre, entre deux diplômes, la **croix** de guerre, la médaille militaire, et la **croix** de la Légion d'honneur sont accrochées à un coussin de velours rouge.* (M. PAGNOL, Les marchands de gloire, II.)

- *Autour du cou, elle portait la belle chaîne d'or à grosses mailles où pendait le médaillon de la famille, avec la **croix** à douze perles des comtes de Toulouse serties dans le jais.* (G. BONHEUR, La croix de ma mère, I, 4.)

---

132. CROUP *n. m.*
[krup]

laryngite diphtérique.

- *Enfant, elle avait eu toutes les maladies courantes, de la coqueluche à la varicelle, mais n'avait attrapé ni le **croup** ni la scarlatine.* (H. BAZIN, Il n'arrive jamais rien.)

CROUPE *n. f.*
[krup]

arrière-train du cheval ; partie postérieure d'une personne ; sommet arrondi d'une colline.

- *Gros-Louis s'approcha de la jument noire et se mit à lui caresser la **croupe**.* (SARTRE, Les chemins de la liberté, Le sursis.)

- *Et son large pantalon de soie ponceau, collant sur la **croupe** et serré à la taille par une écharpe, avait, tout au long de la couture, de petits camélias blancs naturels.* (FLAUBERT, L'éducation sentimentale, II, 1.)

- *Une idée enfantine lui vint à l'esprit : monter sur le cheval et se laisser porter vers le sommet de la **croupe**, pour découvrir de là-haut le large des terres.* (J. CARRIÈRE, L'épervier de Maheux, I.)

---

133. CRU *n. m.*
[kry]

terroir, vin.

- *Monsieur Caselli se montrait disert, avec un vigoureux accent du **cru**.* (Ph. HÉRIAT, Les grilles d'or, XII.)

- *De son côté, Erich Hartmann n'accordait d'attention suivie qu'à ce qu'il mangeait et buvait. Il s'informait, auprès de Santelli, réclamait des précisions sur les **crus**.* (E. ROBLÈS, La croisière, II.)

CRU, E *adj.*
[kry]

1. qui n'est pas cuit.
2. intense, éclatant.
3. osé, choquant.

- *Enfin, après trois ans de cette horrible existence, quand il eut mangé un nombre incalculable de radis noirs et d'artichauts **crus**...* (A. DAUDET, Jack, I, 2.)

- *Sous la lumière **crue** de la lampe, elle paraît plus âgée que je ne le pensais.* (Patrick MODIANO, Les boulevards de ceinture.)

- *Elle n'a pas renoncé, même pour voyager en automobile, aux nuances **crues** qui exaltent l'or rouge de ses cheveux et la blancheur de sa peau.*
  (COLETTE, La retraite sentimentale.)

- *Aujourd'hui Cécile n'hésitait pas à employer des mots **crus,** des locutions d'argot.*
  (J.-L. CURTIS, La conversion.)

CRU, CRUS, CRUT *formes du verbe «croire»* : tenir pour vrai ; penser.
[kry]

- *Pas un instant, il n'avait **cru** que sa vue fût menacée.*
  (E. PEISSON, Le pilote, III.)

- *Je ne **crus** pas un instant à une erreur.*
  (P. GASCAR, Les bêtes, Entre chiens et loups.)

CRÛ, CRÛS, CRÛT *formes du verbe «croître»* : augmenter, grandir.
[kry]

- *Quoi! cet amour si tendre, et né dans notre enfance Dont les feux avec nous ont **crû** dans le silence.*
  (RACINE, Bajazet, II, 5.)

CRUE *n. f.* élévation du niveau de l'eau d'un fleuve.
[kry]

- *Le limon que le Nil dépose à l'époque de sa grande **crue** se décompose après le passage du flot en particules impalpables que le vent soulève.*
  (R. VAILLAND, La fête, 3.)

- *La Loire était gonflée d'une **crue** paisible.* (M. GENEVOIX, La boîte à pêche, IV.)

---

134. CUIR *n. m.* peau tannée et préparée.
[kyir]

- *L'après-midi, elle s'installait dans son fauteuil de **cuir** de manière à surveiller la rue.* (J. GREEN, Le visionnaire, III.)

- *Puis le père passa et repassa longuement sur le **cuir** avant d'en faire crisser le fil sur sa paume calleuse.* (B. CLAVEL, Celui qui voulait voir la mer, 3.)

CUIRE *v. tr.* soumettre à l'action du feu.
[kyir]

- *Quand ces hommes avaient des pommes de terre, ils les faisaient **cuire** et ils dînaient.* (V. HUGO, choses vues, 1853.)

---

135. CURÉ *n. m.*   prêtre chargé de la direction d'une paroisse.
     [kyre]

● *C'est Monsieur le **Curé** qui est venu dire la messe...*
(P. CLAUDEL, L'otage, I, 1.)

● *C'était un de ces **curés** comme il y en a beaucoup dans les Flandres.*
(F. MARCEAU, Bergère légère, I, 6.)

CURÉE *n. f.*   partie de la bête donnée aux chiens après une
     [kyre]   chasse à courre; moment où on la donne;
          ruée vers cette nourriture; partage de butin,
          des honneurs, etc.

● *Un maître y démontrait à son élève l'art de dresser les chiens et d'affaiter les faucons, de tendre les pièges,... avec l'énumération des cris et les règles de la **curée**.*   (FLAUBERT, La légende de Saint Julien L'hospitalier, I.)

● *Depuis quand le vieil aigle reste-t-il dans le nid, quand ses aiglons vont à la **curée**?*   (MUSSET, Lorenzaccio, III, 2.)

● *Les feuilletonistes sont bien vite arrivés, à l'odeur, comme des corbeaux à la **curée**, et ils ont dépecé du bec de leurs plumes et méchamment mis à mort ce pauvre genre de roman qui ne demandait qu'à prospérer.*
(Th. GAUTIER, Mademoiselle de Maupin, Préface.)

CURER *v. tr.*   nettoyer.
     [kyre]

● *On pouvait **curer** la mare! ce n'était pas un travail suffisant; ou bien creuser une seconde mare! mais à quelle place?*   (FLAUBERT, Bouvard et Pécuchet, VI.)

---

136. CYGNE *n. m.*   oiseau palmipède.
     [siɲ]

● *Les **cygnes** sur le lac faisaient avec leurs cous de beaux S majuscules, tout blancs.*   (Elsa TRIOLET, Le cheval blanc, I, 7.)

SIGNE *n. m.*   geste; indice.
     [siɲ]

● *Quand la voiture démarra, ils se firent de grands **signes** de la main.*
(R. VAILLAND, La fête, 1.)

● *La présence d'un hôte dans une maison se révèle par bien des **signes**, même lorsqu'il est invisible.*   (VERCORS, Le silence de la mer.)

---

137. DAIS *n. m.*   baldaquin.
   [dɛ]

● *À peine furent-ils assis sous un **dais** de velours cramoisi, à l'arrière de l'embarcation, que, sur un ordre de Romachkine, les avirons frappèrent.*
        (H. TROYAT, Grimbosq, 1.)

     DÈS *prép.*   à partir de, depuis.
     [dɛ]

● *Les premiers bulldozers arrivèrent **dès** l'aube.*   (J. CAYROL, Histoire d'une prairie.)

     DEY *n. m.*   ancien chef du gouvernement d'Alger.
     [dɛ]

● *Les troupes du **dey** furent battues à Staouéli.*
        (E. SIEURIN, Précis d'histoire, XXX, 1.)

● N. B. DES, article contracté pour « de les », se prononce [de].

---

138. DAM *n. m.*   dommage, préjudice.
   [dɑ̃]

● *Mais désirant mener cette scène où je voulais, c'est-à-dire au plus grand **dam** et détriment de mon accusateur, je restai coi.*
        (R. MERLE, En nos vertes années, II.)

     DANS *prép.*   marque le lieu, la manière ou le temps.
     [dɑ̃]

● *Les Anglais sont élevés **dans** le respect des choses sérieuses, et les Français **dans** l'habitude de s'en moquer.*   (JOUBERT, Pensées.)

● *Jamais Gérard n'aurait cru qu'il pût exister ailleurs que **dans** les livres des gens aussi extravagants.*   (R. DORGELÈS, Le château des brouillards, II.)

     DENT *n. f.*   petit os enchâssé dans les mâchoires, servant à
     [dɑ̃]   la mastication.

● *Et les deux enfants se riaient l'un à l'autre fraternellement avec des **dents** d'une égale blancheur.*   (BAUDELAIRE, Le spleen de Paris, XIX.)

---

139. DANSE *n. f.*   suite de pas et de mouvements rythmés.
[dɑ̃s]

● *Une douzaine de gosses, des deux sexes, quelques-uns fort proprets, mais la plupart assez dépenaillés, dansaient une espèce de **danse** du scalp, hurlant comme des Sioux autour du poteau de torture.*   (H. BAZIN, Bouc émissaire.)

● *La **danse**, c'est la poésie avec des bras et des jambes.*
(BAUDELAIRE, La Fanfarlo.)

DANSE, DANSES, DANSENT   *formes du verbe «danser» :*
[dɑ̃s]   se mouvoir en cadence.

● *Est-ce qu'il a l'air aussi bête quand il **danse** que quand il marche ?*
(M. PAGNOL, Marius, I, 3.)

● *Elles **dansent**, dans cette demi-nuit des répétitions, comme elles danseront le soir de la générale, ni plus mal, ni mieux.*   (COLETTE, L'envers du music-hall.)

DENSE *adj.*   épais, touffu, compact.
[dɑ̃s]

● *À mesure qu'ils approchaient de l'Aisne, le brouillard se faisait plus **dense**.*
(J. KESSEL, L'équipage, II.)

● *Le convoi longe un bois très **dense** de hauts bambous.*
(R. DELPEY, Soldats de la boue, XII.)

● *En face, la foule est toujours aussi **dense** sur les gradins et dans les tribunes.*
(B. CLAVEL, Victoire au Mans, I, 8.)

---

140. DATE *n. f.*   indication du jour, du mois, de l'année.
[dat]

● *Je n'ai pas la mémoire des **dates** et je ne suis pas de ceux qui gardent soigneusement des traces écrites de leurs faits et gestes.*
(G. SIMENON, Les mémoires de Maigret, 1.)

DATE, DATES, DATENT   *formes du verbe «dater» :* inscrire
[dat]   une date; prendre pour point de départ.

● *Ce n'est pas d'hier que **date** sa haine contre nous.*   (MUSSET, Lorenzaccio, III, 7.)

● *Les premiers linéaments de l'Europe qui est aujourd'hui la nôtre **datent** du monde grec et bien entendu de l'Empire romain.*
(E. LE ROY-LADURIE, dans l'Express, n° 1455 p. 172.)

DATTE *n. f.*   fruit du dattier.
[dat]

● *Françoise, qui savait le nom d'Alger, à cause d'affreuses **dattes** que nous recevions au Jour de l'An, ignorait celui d'Angers.*
(PROUST, Le côté de Guermantes.)

---

141. DÉ *n. m.*   1. petit cube.

[de]   2. petit étui qui protège le doigt.

● *Les **dés** peut-être étaient pipés.* (J. GUÉHENNO, changer la vie.)

● *Zézette s'aperçut qu'elle avait encore son **dé** au doigt. Elle l'ôta et le jeta dans sa boîte à couture.*   (SARTRE, Les chemins de la liberté, Le sursis.)

    DES *article contracté pour « de les » ; article indéfini, pluriel de*

    [de] *un, une.*

● *Le lendemain, lorsque Gabrielle parut, du banc **des** officiers partirent **des** huées et **des** sifflets à fendre les oreilles.* (MÉRIMÉE, La partie de trictrac.)

---

142. DÉCENT *adj. m.*   convenable, bienséant.

[desɑ̃]

● *La fausse modestie est le plus **décent** de tous les mensonges.*
    (CHAMFORT, Produits de la civilisation perfectionnée.)

    DESCEND, DESCENDS *formes du verbe « descendre » :* aller

    [desɑ̃]   du haut vers le bas.

● *Attends-moi. Je **descends** chercher du champagne à la cave. Je touche terre et je remonte.* (P. MORAND, L'homme pressé, II, 17.)

---

143. DÉCENTE *adj. f.*   convenable, bienséante.

[desɑ̃t]

● *Et loin de reproduire in extenso ses propos, je vais m'attacher, au contraire, à les résumer de la façon la plus **décente**.* (R. MERLE, Madrapour, III.)

    DESCENTE *n. f.*   action d'aller du haut vers le bas ; pente.

    [desɑ̃t]

● *Les passagers avaient été accueillis, à leur **descente** du paquebot, par une grève de dockers, déclenchée un quart d'heure auparavant.*
    (R. VERCEL, Été indien, IV.)

● *Il refit trois fois la même manœuvre, poussant à fond dans les **descentes** et les plats, levant le pied dans les côtes.* (R. VAILLAND, La fête, 2.)

---

144. DÉCRÉPI *adj. et p. passé du verbe « décrépir » :* enlever le
[dekrepi] revêtement de plâtre, de mortier.

● *Le corridor s'allongeait toujours, se bifurquait, resserré, lézardé, **décrépi**, de loin en loin éclairé par une mince flamme de gaz.* (ZOLA, L'Assommoir, 2.)

DÉCRÉPIT *adj.* sénile, usé, croulant.
[dekrepi]

● *Il allait évidemment parler de Monseigneur à M. le Préfet en termes sévères, le décrivant au moins comme un vieux **décrépit** incapable de diriger un diocèse.* (H. QUEFFELEC, La faute de Monseigneur, III, 6.)

---

145. DÉDIT *n. m.* rétractation.
[dedi]

● *Les juges du fond peuvent considérer les arrhes, soit comme un moyen de **dédit**, soit comme un acompte.* (CODE CIVIL, Commentaires sur l'article 1590.)

DÉDIE, DÉDIES, DÉDIENT *formes du verbe « dédier » :* consa-
[dedi] crer au culte divin, mettre un ouvrage sous le patronage de quelqu'un.

● *Je **dédie** « les Thibault » à la mémoire fraternelle de Pierre Margaritis.* (R. MARTIN DU GARD.)

DÉDIS, DÉDIT *formes du verbe « dédire » :* démentir, désa-
[dedi] vouer.

● *De tout ce que j'ai dit, je me **dédis** ici.* (MOLIÈRE, Le Misanthrope, II, 1.)

● *Jamais il ne se **dédit** de sa proposition de mariage.* (ARAGON, Les cloches de Bâle, I, 14.)

---

146. DÉFAIRE *v. tr.* modifier l'arrangement d'une chose ;
[defɛr] dénouer ; débarrasser.

● *D'ailleurs, il n'a aucune idée de ce que c'est que de faire ni de **défaire** une valise.* (P. MORAND, L'homme pressé, II, 21.)

● *Il se mit à **défaire** la bandelette enroulée.* (Nicole AVRIL, Monsieur de Lyon, 3.)

● *Mais comment aurais-tu réussi à me **défaire** d'une créature à laquelle ton père s'est attaché au point d'avoir mis dans sa tête qu'elle serait de la famille ?* (BALZAC, L'école des ménages, I, 8.)

DÉFÈRE, DÉFÈRES, DÉFÈRENT *formes du verbe « déférer » :*
[defɛr] accorder un titre, une dignité.

● *Quelques titres nouveaux que Rome lui défère.*
Néron n'en reçoit point qu'il ne donne à sa mère. (RACINE, Britannicus, I, 1.)

DÉFERRE, DÉFERRES, DÉFERRENT *formes du verbe*
[defɛr] *« déferrer » :* enlever un fer.

● *Le maréchal-ferrant déferre le cheval, et lui pose des fers neufs.*

---

147. DÉFAIS, DÉFAIT *formes du verbe « défaire » :* modifier l'arran-
[defɛ] gement d'une chose ; détacher, dénouer ; vaincre.

● *Et moi, avec des gestes désordonnés, je fais, je défais, je refais ma valise.*
(Christine de RIVOYRE, Le voyage à l'envers, I.)

● *Son chignon s'était défait comme un câble qui se déroule tout à coup.*
(VIGNY, Laurette ou le cachet rouge.)

● *Rome est sujette d'Albe, et vos fils sont défaits.* (CORNEILLE, Horace, III, 6.)

DÉFET *n. m.* feuille dépareillée d'un livre.
[defɛ]

● *Les droits d'auteur ne portent pas sur les exemplaires dits de passe, destinés*
à couvrir les défets en cours de fabrication, les pertes, les dégradations.
(Extrait d'un contrat d'édition.)

---

148. DÉFÉRER *v. tr.* traduire en justice ; céder par respect,
[defere] obéir.

● *L'individu, arrêté en flagrant délit et déféré devant le Procureur de la*
République, est, s'il a été placé sous mandat de dépôt, traduit sur-le-champ à
l'audience du tribunal. (Article 393 du Code de procédure pénale.)

● *Il s'excusa de n'avoir pu déférer que si tard aux instructions du général baron*
von Hubner. (P. BENOÎT, Boissière, IX.)

DÉFERRER *v. tr.* enlever un fer, une ferrure.
[defere]

● *Déferrer un cheval.*

---

149. DÉFILÉ *n. m.*
[defile]

1. passage étroit et encaissé entre deux montagnes.

2. marche en colonne, cortège.

● *Enfin, un soir, entre la Montagne d'Argent et la Montagne de Plomb, au milieu de grosses roches, à l'entrée d'un **défilé**, ils surprirent un corps de vélites.*
(FLAUBERT, Salammbô, XIV.)

● *La presse donna le plus large écho au **défilé** de la 1ʳᵉ Armée.*
(J. DINFREVILLE, Le roi Jean, XIII.)

● *Une des corvées de la kermesse était le **défilé** rythmé que nous effectuions dans la cour, devant les parents et amis, toutes vêtues d'une jupe plissée bleu marine et d'un chemisier blanc.* (Régine DEFORGES, Blanche et Lucie.)

DÉFILER *v. tr. et intr.*
[defile]

1. défaire.

2. marcher en colonne ; se succéder rapidement.

3. « se défiler » : se dérober.

● ***Défiler,** effiler ne sont pas synonymes : on défile ce qui est enfilé ; on effile ce qui est tissu avec du fil ; **défiler** des perles ; effiler du linge.* (LITTRÉ.)

● *Les soldats, au repos, attendaient d'un air maussade le commandement pour **défiler.*** (J. de LACRETELLE, La Bonifas, III, 13.)

● *Les voitures fleuries arrivaient en effet du bout de la pelouse pour **défiler** devant les tribunes qu'une foule brillante garnissait.*
(H. BORDEAUX, La peur de vivre, I, 3.)

● *À travers les vitres, il vit **défiler** des champs et s'estomper, au loin, une chaîne de montagnes qui fermait l'horizon.* (Ch. EXBRAYAT, Jules Matrat, II, 2.)

● *Mais, en réalité, c'était une façon de se **défiler,** on le savait bien.*
(Christiane ROCHEFORT, Les petits enfants du siècle, V.)

---

150. DÉGOÛTER *v. tr.*
[degute]

écœurer, décourager.

● *« Hum ! je vois que vous aimez la crème fouettée ; je vous signale que celle-ci comporte une bonne proportion de blanc de baleine. »*
*Il n'arrive pas à m'en **dégoûter.*** (Ch. PINEAU, La simple vérité, I, 6.)

● *Peu de livres peuvent plaire toute la vie. Il y en a dont on se **dégoûte** avec le temps, la sagesse ou le bon sens.* (JOUBERT, Pensées.)

DÉGOUTTER *v. intr.*
[degute]

couler goutte à goutte, ruisseler.

● *Pendant les jours pluvieux de septembre, il semble que les murs suintent de l'humidité, qui en **dégoutte** mélancoliquement.*
(ZOLA, Les Parisiens en villégiature, I.)

---

151. DENGUE *n. f.*   maladie épidémique tropicale.
[dɛ̃g]

● *La maladie n'est pas contagieuse. Des volontaires, couchant sous la mousti-quaire avec des malades, ne prennent pas la **dengue.***
(P. GASTINEL, Précis de bactériologie médicale, VI.)

DINGUE *adj. et n.*   fou, toqué.
[dɛ̃g]

● *Le seul boulot qui a failli me rendre **dingue,** c'était d'écrire des adresses à la main sur des enveloppes, pour des firmes commerciales.*
(R. GARY, La nuit sera calme.)

---

152. DESCELLER *v. tr.*   rompre le sceau ; détacher, arracher.
[desele]

● *Je grimpe sur le lavabo pour finir de le **desceller.***
(Albertine SARRAZIN, L'astragale, VII.)

● *David pénétra dans certaines demeures, dont il put **desceller** les volets.*
(A. DHÔTEL, David, VIII.)

DESSELLER *v. tr.*   enlever la selle.
[desele]

● ***Desseller** un cheval.*

N. B. Attention aux formes homonymes :

● *Décèle, décèles, décèlent* [desɛl] *de « déceler »*

● *Descelle, descelles, descellent* [desɛl] *de « desceller »*

● *Desselle, desselles, dessellent* [desɛl] *de « desseller »*

---

153. DESSEIN *n. m.*   but, intention, projet.
[desɛ̃]

● *Je suis partie de Paris dans le **dessein** de me retirer du monde et du bruit jusqu'à jeudi au soir.*
(Madame de SÉVIGNÉ, Lettre à Madame de Grignan, 24 mars 1671.)

DESSIN *n. m.*   représentation graphique.
[desɛ̃]

● *M. Duval leur expliquait en vain la différence qu'il y avait entre une photographie et un **dessin.*** (J. GUÉHENNO, Changer la vie.)

● *Il se mit à feuilleter les esquisses, les croquis, les **dessins** qu'il gardait enfermés en une grande armoire ancienne.*
(MAUPASSANT, Fort comme la mort, I, 1.)

---

154. DESSERT *n. m.*   pâtisserie, fruits servis à la fin d'un repas.
[desɛr]

- *Le **dessert** était servi. Au milieu, il y avait un gâteau de Savoie en forme de temple, avec un dôme à côtes de melon... Puis, à gauche, un morceau de fromage blanc nageait dans un plat creux, tandis que, dans un autre plat, à droite, s'entassaient de grosses fraises...*   (ZOLA, L'Assommoir, I, 7.)

DESSERRE, DESSERRES, DESSERRENT   *formes du verbe « desserrer » :*
[desɛr]   relâcher ce qui est serré.

- *Mais le radieux paon de jour... attend, confiant, la main qui l'emprisonne. Je le cueille, plié en deux comme un billet... Puis je **desserre** mes doigts, et son vol nonchalant le ramène sur la même fleur où je puis le cueillir encore.*   (COLETTE, Histoires pour Bel-Gazou.)

- *Les torons de la corde se **desserrent** à chaque bout*   (P. J. HÉLIAS, Le cheval d'orgueil, II.)

DESSERS, DESSERT   *formes du verbe « desservir ».*
[desɛr]   1. assurer un service de communication.
2. débarrasser une table.
3. nuire.

- *Il ne sert en effet à rien qu'une locomotive porte le nom du Jura si elle **dessert** un désert et si les liaisons ferroviaires de la région qu'elle traverse sont quasi nulles.*   (Journal de Genève, 23 juin 1979, p. 9.)

- *Il dresse le couvert, sert et **dessert** pendant les repas, remplit les verres...*   (G. MONGRÉDIEN, La vie quotidienne sous Louis XIV, III.)

- *La jeunesse est toujours encline à je ne sais quelle promptitude de jugement qui lui fait honneur, mais qui la **dessert**.*   (BALZAC, Le lys dans la vallée, II.)

---

155. DÉTONER *v. intr.*   exploser.
[detɔne]

- *Dans sa poche, il tâtait ses cartouches ; elles étaient légères à ses doigts, chargées seulement à demi-mesure de poudre pour **détoner** moins fort et moins abîmer les faisans.*   (M. GENEVOIX, Raboliot, II, 5.)

DÉTONNER *v. intr.*   ne pas être en harmonie, contraster.
[detɔne]

- *Elle (ma maison) est de style normand et pourtant ne **détonne** pas dans ce pays.*   (P. VIALAR, Les invités de la chasse, Pivin.)

- *Seul entre tous, Conseil protestait par son indifférence touchant la question qui nous passionnait et **détonnait** sur l'enthousiasme général du bord.*   (J. VERNE, Vingt mille lieues sous les mers, I, 4.)

---

156. DIFFÉREND *n. m.*   désaccord, querelle.
[diferα̃]

- Simon surveillait, contrôlait, choisissait entre les idées proposées, arbitrait les **différends.**   (M. DRUON, Les grandes familles, V, 7.)

   DIFFÉRANT *part. prés. de « différer » :* 1. remettre à plus tard.
   [diferα̃]   2. être   dissemblable,
                                                                          se différencier.

- Ainsi j'ai cru que rien ne m'obligeait de précipiter ma réponse, que je voulais rendre plus exacte, en la **différant** pour un temps.
                                                   (Blaise PASCAL, Lettre à M. Le Pailleur.)

- Les deux pièces frappées sont de deux types, **différant** seulement par la légende sur la tranche.
(Maxime VUILLAUME, Mes cahiers rouges, Par la ville révoltée, La pièce de la Commune.)

   DIFFÉRENT *adj.*   autre, distinct, divers.
   [diferα̃]

- Nos yeux, nos oreilles, notre odorat, notre goût **différents** créent autant de vérités qu'il y a d'hommes sur la terre.   (MAUPASSANT, Pierre et Jean, Préface.)

- On se fait mal à l'idée qu'un même individu soit **différent** selon les interlocuteurs sans cesser d'être fidèle à lui-même. (Paul GUIMARD, L'ironie du sort, II, 2.)

---

157. DO *n. m. invar.*   note de musique.
[do]

- Je me rejetai sur la cuisinière dont une rondelle voulut aussi tinter (la moyenne, bien sûr, qui donnait un **do...**).   (H. BAZIN, Qui j'ose aimer, XII.)

   DOS *n. m.*   partie postérieure du corps.
   [do]

- Mme de Marsantes, qui tournait le **dos** à la porte, n'avait pas vu entrer son fils.
                                                   (PROUST, Le côté de Guermantes.)

---

158. DOIGT *n. m.*   organe de la main.
[dwa]

- Il n'osait rien toucher du bout du **doigt.** (ALAIN-FOURNIER, Le grand Meaulnes, I, 13.)

- Élise reproche à Madeleine de ne rien faire de toute la journée de ses dix **doigts.**   (M. JOUHANDEAU, Galande, I.)

DOIS, DOIT
[dwa]
formes du verbe « devoir » : être obligé à donner; être dans l'obligation de...

● *Sur 31 500 francs elle ne me **doit** plus que 500 francs.*
(BALZAC, Lettre à sa sœur Laure Surville, 26 octobre 1835.)

● *Monsieur l'Abbé, est-ce que l'anneau des évêques **doit** avoir une forme particulière ?* (A. FRANCE, L'anneau d'améthyste, III.)

DOIT *n. m.*
[dwa]
partie d'un compte.

● *L'ouvrage qui m'a laissé le souvenir le plus tenace était un grand livre de caisse à couverture de toile noire... Sous le **doit** et l'avoir, des enfants avaient collé des images découpées dans des magazines.* (B. CLAVEL, Écrit sur la neige, 1.)

---

159. DOM *n. m.*
[dõ]
titre donné à certains religieux.

● *Le vénérable **dom** Balaguère plantait sa fourchette dans une aile de gélinotte.*
(A. DAUDET, Contes du Lundi, Les trois messes basses.)

DON *n. m.*
[dõ]
1. cadeau, aumône.
2. aptitude, talent.

● *Il eut l'idée de faire des **dons** à l'œuvre des Dames-Patronesses de la ville.*
(M. AYMÉ, L'huissier.)

● *Vous savez que c'est un métier où la bonne volonté, le travail ne suffisent pas. Il y faut d'abord des **dons,** et, en fin de compte, de la chance et encore de la chance.* (A. CHAMSON, La neige et la fleur, II.)

● *Avec votre **don** d'orateur, je vous prédis une grande carrière.*
(M. PAGNOL, Les marchands de gloire, II, 2e tableau, 1.)

DONT *pr. rel.*
[dõ]
duquel, de laquelle, desquels, desquelles.

● *Je n'ai pas à relater cette cérémonie **dont** s'occupèrent tous les journaux italiens de l'époque.* (A. GIDE, Les caves du Vatican I, 7.)

● *Le premier soir, à l'hôtel, je remarquai à la table voisine de la mienne une jeune fille d'une beauté aérienne, angélique, **dont** je ne pus détacher mes yeux.*
(A. MAUROIS, Climats, I, 4.)

● *Julien ne répondit pas un seul mot aux prévenances **dont** pendant tout le reste de la promenade il fut l'objet.* (STENDHAL, Le rouge et le noir, I, 9.)

---

160. DU *art. contracté, mis*
[dy] *pour « de le » :*
s'emploie devant les mots commençant par une consonne ou un h aspiré.

- *Eh! Monsieur, vous voulez **du** fer, **du** cuivre, de l'acier, **du** bois... Toutes ces choses-là sont chez les marchands.* (BALZAC, Les ressources de Quinola, I, 19.)

DÛ *n. m.*   ce que l'on doit à quelqu'un.
[dy]

- *Et vers quatre heures du matin, lorsqu'il vient chercher son **dû,** on lui donne un sandwich à la viande ou au jambon.* (F. MARCEAU, Bergère légère, I, 1.)

DUS, DUT, DÛ, DUE   *formes du verbe « devoir » :* être dans
[dy]   l'obligation de... être dans la possibilité de...

- *Moi seul **dus** m'en apercevoir.* (R. DORGELÈS, Le château des brouillards, XVII.)
- *Quoi qu'il en soit, elle n'aurait jamais **dû** faire ce qu'elle a fait.*
(J. CARRIÈRE, L'épervier de Maheux, II.)

---

161. DUR, E *adj.*   résistant ; difficile ; impitoyable, méchant.
[dyr]

- *C'est ainsi que quand nous disons que le diamant est le plus **dur** de tous les corps, nous entendons de tous les corps que nous connaissons, et nous ne pouvons ni ne devons y comprendre ceux que nous ne connaissons point.*
(B. PASCAL, Préface pour un traité du vide.)

- *Le Mascara devait partir de grand matin chaque jour couper du bois dans les forêts alentour. Il ne rentrait que le soir, exténué par ce **dur** labeur qui, à l'époque, ne se faisait qu'à la hache.* (M. SCIPION, Le clos du roi, Le braconnier et l'enfant.)

- *Je me suis faite à l'idée que vous êtes léger, mais je n'aime pas quand vous êtes **dur**.* (ANOUILH, Ornifle ou le courant d'air, II.)

DURE, DURES, DURENT   *formes du verbe « durer » :* conti-
[dyr]   nuer, persister.

- *Cette guerre **dure** depuis si longtemps que l'on a peut-être oublié pourquoi on la fait !* (P. CLOSTERMANN, Feux du ciel, VI.)

DURENT   *troisième personne du pluriel du passé simple du*
[dyr]   *verbe « devoir » :*
être dans l'obligation de...

- *Dans la violence de l'orage, les sentinelles s'enfermèrent dans une cabane, moins une ou deux qui **durent,** comme nous, le subir.*
(Ch. BERNADAC, Le neuvième cercle, V.)

---

162. ÉCHO n. m.
[eko]

1. répétition d'un son par un corps qui le réfléchit ; onde électromagnétique émise par un radar.

2. bruit, nouvelle ; bref article de journal.

3. imitation, reflet.

● *Alors la grande paroi s'est mise à rire tout entière par suite des **échos** envoyés de droite et de gauche, qui ne font bientôt plus qu'une seule rumeur.*
(C. F. RAMUZ, Derborence, II, 1.)

● *Il y a trois minutes de silence dans le récepteur, pendant que, sur l'écran du radar, les **échos** grandissent et se fractionnent en se rapprochant.*
(P. CLOSTERMANN, Feux du ciel, II.)

● *Truffaut n'avait rien dit, sinon on en aurait eu des **échos**.*
(G. SIMENON, Le coup de vague, I.)

● *Une quinzaine d'**échos** bien rédigés dans les feuilles à grand tirage attireraient fortement l'attention sur Mont-Oriol.* (MAUPASSANT, Mont-Oriol, II, 6.)

● *Nous sommes tous plus ou moins **échos,** et, nous répétons, malgré nous, les vertus, les défauts, les mouvements et le caractère de ceux avec qui nous vivons.* (JOUBERT, Pensées.)

ÉCOT n. m.
[eko]   quote-part, contribution.

● *Quand un officier est de passage, ses camarades vont le chercher en bateau et l'invitent au cercle pour la durée de l'escale. Il paie son **écot** en nouvelles du pays.* (P. BENOÎT, L'Atlantide, I.)

● *Très vite, cependant, je compris que je ne pourrais pas attendre la fin des études pour rapporter mon **écot** à la maison.* (H. TROYAT, Un si long chemin.)

---

163. EFFORT n. m.
[efɔr]   tension, application.

● *Une fois qu'un bloc était déchaussé, il l'empoignait à main nue et le soulevant d'un lent et irrésistible **effort** des reins, il le déposait sur le bord de l'excavation.* (J. CARRIÈRE, L'épervier de Maheux, II.)

- *Pendant un an, j'ai fait, pour m'améliorer, des **efforts** d'autant plus affreux que je les sentais ridicules.* (G. DUHAMEL, Le club des Lyonnais, XIV.)

ÉPHORE *n. m.*   magistrat spartiate.
[efɔr]

- *À Sparte on porte la barbe longue et touffue, mais on rase la moustache : les **éphores** renouvellent cette prescription chaque année à leur entrée en charge.* (L. LAURAND, Études grecques et latines.)

---

164. ENTER *v. tr.*   greffer.
[ɑ̃te]

- *L'Arthur! dit le père. Ce grand-là ? Celui de la Félicie ? Celui qui savait si bien **enter** la vigne ?* (J. GIONO, Le grand troupeau, II.)

HANTÉ, E *adj.*   visité par les fantômes.
['ɑ̃te]

- *Nous sommes dans la maison que j'ai achetée et qui, comme l'autre, passe pour **hantée** ; il y a une légende populaire sur cette maison.* (V. HUGO, Choses vues, 6 juillet 1856.)

HANTER *v. tr.*   fréquenter ; obséder.
['ɑ̃te]

- *Il arriva enfin à la clinique. Cela lui parut singulier qu'un homme qui allait mourir vînt **hanter** le quartier de Paris où l'on naît le plus.* (P. MORAND, L'homme pressé, II, 24.)

- *Les jeunes gens sont tous les mêmes : ils sont **hantés** de l'idée fixe que l'Europe a les yeux fixés sur leurs essais.* (G. COURTELINE, Lauriers coupés, III.)

---

165. ÉPICER *v. tr.*   relever le goût d'un aliment avec du poivre,
[epise]   de la cannelle, du clou de girofle, de la muscade, du gingembre.

- *Ils goûtaient ensemble la chair crue des saucisses du bout de la langue, pour voir si elle était convenablement **épicée**.* (ZOLA, Le ventre de Paris, II.)

ÉPISSER *v. tr.*   joindre bout à bout deux cordages en
[epise]   entrecroisant les torons.

- *Le plaisancier ne devra jamais tenter d'**épisser** du fil d'acier, opération très difficile, dangereuse pour les doigts.* (J. MERRIEN, Naviguez.)

---

166. ERGO *conj.*   en conséquence, donc.
[ɛrgo]

• *Mon cher, cela crève les yeux, elle s'attend à ta déclaration. **Ergo,** fais-la.*
(Ph. HÉRIAT, Famille Boussardel, XII.)

    ERGOT *n. m.*   ongle pointu de certains animaux.
    [ɛrgo]

• *Un coq, plus grand que nature, se dressait sur ses **ergots.***
(A. LANOUX, Le commandant Watrin, I, 1.)

---

167. ERSE *n. m. et adj.*   dialecte celtique.
[ɛrs]

• *Roger La Ferté, dans ses mots croisés, donne comme définition du mot **erse** :*
« *Pour un Écossais, c'est une façon de parler.* »

    HERSE *n. f.*   1. grille armée de pointes de fer qui défendait
    ['ɛrs]   l'entrée d'une forteresse.
                      2. instrument aratoire garni de pointes.

• *Mais une **herse,** haute de quarante coudées, et faite à la mesure exacte de l'intervalle, s'abaissa devant eux tout à coup, comme un rempart qui serait tombé du ciel.* (FLAUBERT, Salammbô, XIV.)

• *Les bœufs tirent les chariots avec peine, comme si le sol s'attachait aux roues, comme si ces parcelles de terre sèche restées aux **herses,** aux charrues, aux pioches, aux râteaux, rendant la charge encore plus lourde, faisaient de ce départ un déracinement.* (A. DAUDET, Contes du Lundi, La vision du juge de Colmar.)

---

168. ÉTAI *n. m.*   pièce de soutien.
[etɛ]

• *Maintenant, la galerie de roulage était boisée, des **étais** de chêne soutenaient le toit, faisaient à la roche ébouleuse une chemise de charpente.*
(ZOLA, Germinal, I, 3.)

    ÉTAIS, ÉTAIT, ÉTAIENT   *formes du verbe « être ».*
    [etɛ]

• *On **était** à la fin du mois d'août, au déclin de l'été.*
(ALAIN-FOURNIER, Le grand Meaulnes, III, 5.)

• *Ainsi ma grand-mère avait des syncopes et me les avait cachées. Peut-être au moment où j'**étais** le moins gentil pour elle, où elle **était** obligée, tout en souffrant, de faire attention à être de bonne humeur pour ne pas m'irriter.*
(PROUST, Sodome et Gomorrhe, II, 1.)

---

169. ÉTANG *n. m.*   étendue d'eau peu profonde, petit lac.
[etɑ̃]

- *Les vainqueurs avaient été conviés à un repas qui se donnait dans une île ombragée de peupliers et de tilleuls, au milieu de l'un des **étangs** alimentés par la Nonette et la Thève.*   (NERVAL, Les filles du feu, Sylvie.)

ÉTANT   participe présent du verbe « être ».
[etɑ̃]

- *Les habitants de Saumur **étant** peu révolutionnaires, le père Grandet passa pour un homme hardi, un républicain, un patriote.* (BALZAC, Eugénie Grandet, I.)

ÉTEND, ÉTENDS *formes du verbe « étendre » :*
[etɑ̃]   allonger, étaler.

- *Je me retourne dans les draps frais, j'**étends** les bras avec une volupté jusque-là ignorée.*   (Marie-Thérèse HUMBERT, À l'autre bout de moi, Prologue.)

---

170. ÉTHIQUE *n. f.*   science des mœurs, morale ; règle de
[etik]   conduite.

- *« On n'est pas sur terre pour s'amuser. » Cet aphorisme, que les mères répètent volontiers à leurs enfants, résume assez bien l'**éthique**, au moins théorique, de la société bourgeoise.*   (J. CHASTENET, La belle époque, II.)

ÉTIQUE *adj.*   maigre, décharné.
[etik]

- *Dans la piste, un cheval **étique** était attelé à un morceau de bois flanqué d'un vieux bout de panier.*   (MONTHERLANT, Les bestiaires, VII.)

- *D'un geste violent, M. de Galendot avait rejeté les draps... et on vit pendre le long du lit une jambe **étique** et une cuisse maigre.*
(H. de RÉGNIER, La double maîtresse, III, 15.)

---

171. ÊTRE *n. m.*   créature, individu.
[ɛtr]

- *Il fut stupéfait de ce qu'un **être**, sans le vouloir, puisse peser d'un tel poids dans le destin d'un autre **être**.*   (F. MAURIAC, Le désert de l'amour, XII.)

- *On ne pouvait rêver deux **êtres** plus loin l'un de l'autre que ces deux amis.*
(R. RADIGUET, Le bal du comte d'Orgel.)

ÊTRE *v. intr. et aux.*   exister, avoir la qualité de.
[ɛtr]

- *C'est dans l'absolue ignorance de notre raison d'**être** qu'est la racine de notre tristesse et de nos dégoûts.*   (A. FRANCE, Le jardin d'Épicure.)

- *Sans **être** un cancre, il avait l'esprit assez lent.*
(G. SIMENON, Les mémoires de Maigret, 4.)

ÊTRES ou AÎTRES *n. m. pl.*   les diverses parties d'une
[ɛtr]   habitation.

- *Tu sais parfaitement les **êtres** de la maison.* (J.-J. ROUSSEAU, La nouvelle Héloïse, I.)

- *J'ouvris la porte qui donne accès à son bureau, car je connaissais les **aîtres**.*
(Maurice TOESCA, Simone ou le bonheur conjugal, II, 9.)

- *Et ils avaient tout pour eux : le nombre, la masse, les lieux et la connaissance
des **aîtres**.*   (H. BOSCO, Malicroix, Dromiols.)
N. B. La graphie AÎTRES n'est pas admise par l'Académie.

HÊTRE *n. m.*   arbre forestier.
['ɛtr]

- *Il y avait non loin de Peïné un bois de **hêtres** et de châtaigniers.*
(J. GUEHENNO, Changer la vie.)

---

172. ÉTRIER *n. m.*   anneau en métal suspendu de chaque côté
[etrije]   de la selle et qui sert d'appui au pied du
                            cavalier.

- *Le bruit que font les **étriers** en se cognant au moment où l'on apporte les
selles, le clic-clac des cuirs, le rongement du mors, j'ai encore cela dans
l'oreille.*   (Jules VALLÈS, L'enfant.)

ÉTRILLER *v. tr.*   brosser, frotter.
[etrije]

- *Elle avait été frappée de la bonne mine de Barusse, **étrillé** et pomponné pour
la circonstance.*   (LA VARENDE, Vieille dame.)

---

173. EUH! *interj.*   marque le doute, l'embarras, l'étonnement.
[ø]

- ***Euh ?** je crois qu'ils se font signe l'un à l'autre de me voler ma bourse.*
(MOLIÈRE, L'avare, I, 4.)

EUX *pr. pers. m. pl.*   pluriel de « lui ».
[ø]

- *Il y avait, épars le long des tables, quelques vieillards avec des favoris, et
d'autres complètement rasés qui pouvaient être d'anciens marins. Près d'**eux**
dînaient d'autres vieux qui leur ressemblaient.*
(ALAIN-FOURNIER, Le grand Meaulnes, I, 14.)

ŒUFS *n. m. pl.*   corps arrondis produits par la poule, les
[ø]   femelles des oiseaux.

● *Ils trouvèrent un autre lieu de délices, dans le pavillon de la vente en gros des beurres, des **œufs** et des fromages.*   (ZOLA, Le ventre de Paris, IV.)

● N. B. ŒUF, au singulier, se prononce (œf).

---

174. EXAUCER *v. tr.*   accueillir favorablement, satisfaire.
[εgzose]

● *Il me semble que le rêve surnaturel, que j'avais tout à l'heure, est **exaucé.***
     (H. BARBUSSE, L'enfer, II.)

EXHAUSSER *v. tr.*   surélever.
[εgzose]

● *Nous assistions là à l'un des deux mécanismes qui avaient contribué à **exhausser** de plusieurs centaines de mètres en quelques années le fond du cratère.*   (H. TAZIEFF, L'odeur du soufre, 25.)

---

175. EXPRESS *n. m.*   train qui ne s'arrête que dans les grandes
[εksprεs]   gares.

● *L'**express** de vingt-deux heures passa, et toute la vieille maison tressaillit.*
     (F. MAURIAC, Génitrix, I.)

EXPRESSE *adj. f.*   catégorique, explicite.
[εksprεs]

● *Elle redoutait ma mère et n'eût pas empli un seau d'eau sans une permission **expresse.***   (J. GREEN, Le visionnaire, I, 10.)

● N. B. Pour le masculin EXPRÈS, L'Académie recommande la prononciation (εksprε).

F G

176. FACE *n. f.*
[fas]

1. partie antérieure de la tête, visage.
2. côté d'une chose.
3. aspect d'une chose, point de vue.

- *L'un d'eux a même une bonne grosse **face** réjouie, avec une tignasse toute frisée, et de gros yeux noirs de caniche.*
  (M. VUILLAUME, Mes cahiers rouges, Une journée à la Cour martiale, II.)

- *Les trois pièces de même largeur se succédaient. Elles étaient entourées sur l'avant par la passerelle, sur les trois autres **faces** par un étroit balcon.*
  (E. PEISSON, Le pilote, II.)

- *J'avais beau tourner et retourner le problème sous toutes ses **faces**, je n'arrivais même pas à entrevoir sa solution.*
  (R. MERLE, La mort est mon métier, 1934.)

FASCE *n. f.*
[fas]

en héraldique, bande horizontale au milieu de l'écu.

- *D'azur à trois bourdons en pal d'argent, à la **fasce** brochante de gueules, chargée de cinq croisettes d'or au pied aiguisé.*   (BALZAC, Les paysans, I, 2.)

FASSE, FASSES *formes du verbe « faire » :* agir, produire, réaliser.
[fas]

- *Mais qu'est-ce que vous voulez que ça me **fasse** ?*
  (A. CHAMSON, La neige et la fleur, II.)

- *Je veux que tu **fasses** sa connaissance.*   (R. VERCEL, Été, indien, V.)

---

177. FAIM *n. f.*
[fɛ]

besoin de manger.

- *S'il n'arrivait presque jamais à apaiser sa **faim**, il lui arrivait d'outrepasser sa soif.*   (H. de RÉGNIER, La double maîtresse, II, 6.)

FEINS, FEINT *formes du verbe « feindre » :*   simuler, faire
[fɛ̃]   semblant de.

- *Moi, je **feins** la lenteur, parce que c'est l'allure familiale, mais je ne suis jamais fatiguée.* (P. MORAND, L'homme pressé, I, 12.)

- *Pour abréger l'interrogatoire, elle **feint** d'avoir compris une question, elle répond au hasard, mais le contresens paraît certain.*
(R. VAILLAND, La fête, 10.)

- *Deux ou trois fois, exaspéré, j'ai **feint** de vouloir prendre la porte.*
(G. COURTELINE, La mégère apprivoisée.)

FIN *adj. m.*   délicat, distingué, exquis, excellent ; menu
[fɛ̃]   élégant ; subtil, spirituel.

- *La seule photo qui me reste d'elle la montre avec des traits et un ovale **fins**.*
(Clara MALRAUX, Nos vingt ans, I.)

- *Les fatigues d'un trop **fin** souper en sont la cause.*
(M. VAN DER MEERSCH, Maria fille de Flandre, V.)

- *Le vent faisait courir sur les pavés un peu de sable aussi **fin** que de la poussière.* (B. CLAVEL, Le seigneur du fleuve, II.)

- *Il portait du linge **fin** comme je n'en ai jamais vu à personne.*
(BALZAC, Autre étude de femme.)

- *La chasse me délassait de tant de luttes secrètes avec des adversaires tour à tour trop **fins** ou trop obtus, trop faibles ou trop forts pour moi.*
(Marguerite YOURCENAR, Mémoires d'Hadrien.)

- *Ne joue pas au plus **fin** avec moi.* (M. ACHARD, Jean de la lune, II, 8.)

FIN *n. f.*   terme ; but, dessein.
[fɛ̃]

- *Les sirènes sonnèrent la **fin** de l'alerte.*
(A. BLONDIN, L'Europe buissonnière, II, 3.)

- *Toutes les femmes, même la plus niaise, savent ruser pour arriver à leurs **fins**.*
(BALZAC, Eugénie Grandet, I.)

---

178. FAIRE *v. tr. et intr.*   créer, produire ; agir.
[fɛr]

- *En arrière, voyons. Vous n'avez rien à **faire** ici.*
(L. GUILLOUX, Le sang noir, p. 267.)

- *Saint-Loup employait à tout propos ce mot de **faire** pour « avoir l'air », parce que la langue parlée, comme la langue écrite, éprouve de temps en temps le besoin de ces altérations du sens des mots, de ces raffinements d'expression.*
(PROUST, Le côté de Guermantes.)

FER *n. m.*   métal.
[fɛr]

- *Le **fer** pur est un métal mou, mais, par l'addition de petites quantités de carbone, il se forme du carbure de **fer**, combinaison d'un atome de carbone avec trois atomes de **fer**. C'est un composé très dur.*   (Les techniques, p. 56.)

FERRE, FERRES, FERRENT *formes du verre « ferrer » :* garnir
[fɛr]   de fer ; donner un coup sec à la ligne.

- *Puis on taquine le gardon, on **ferre** quelquefois un brochet.*
(L. OURY, Les prolos, 2.)

---

179. FAIT *n. m.*   événement.
[fɛ]

- *Tu t'obstines à nier les **faits** les plus authentiques.*
(G. LENÔTRE, Les noyades de Nantes, X.)

FAIS, FAIT *formes du verbe « faire » :*   agir, exécuter.
[fɛ]

- *J'affecte de ne pas te voir. Je **fais** comme si tu n'existais pas.*
(J. GUEHENNO, Journal des années noires.)

- *Tout ce que j'ai **fait** autrefois paraîtrait maintenant acte de folie.*
(RENAN, Souvenirs d'enfance et de jeunesse, VI, 4.)

FAIX *n. m.*   charge, fardeau.
[fɛ]

- *Le dos courbé sous un **faix** de bois, il se hâtait.*
(H. BOSCO, Malicroix, Dromiols.)

---

180. FAÎTE *n. m.*   sommet, pointe, crête ; apogée.
[fɛt]

- *Sur la baraque, au **faîte** du toit, une silhouette, dont la lueur du ciel marquait le contour, se déplaçait lentement.*   (J. ROMAINS, Les copains, I.)

- *Les feuilles, au **faîte** des futaies, s'agitent doucement dans la brise.*
(L. PERGAUD, De Goupil à Margot, La conspiration du Murger.)

- *Je n'en veux pas à mes collègues aujourd'hui parvenus au **faîte** des honneurs officiels.*   (P. BENOÎT, L'Atlantide, 9.)

FAITE, FAITES [fɛt] formes du verbe « faire ».

- *À la première visite que je lui ai **faite**, j'ai vu sortir un homme avec une robe de chambre, et qui prisait.* (J. VALLÈS, Le bachelier, La maison Renoul.)

- ***Faites**-moi le plaisir de laisser là vos drogues et d'écouter un peu ce que je vous dis.* (MUSSET, Carmosine, I, 1.)

FÊTE *n. f.* [fɛt] jour consacré à des cérémonies civiles ou religieuses, festivité, réjouissance.

- *Je me retrouvai à Loisy au moment de la **fête** patronale.* (NERVAL, Les filles du feu, Sylvie.)

- *À chaque **fête** familiale, mariage, baptême, communion, Pâques, Nouvel An, elle aimait avoir le plus de monde possible auprès d'elle.* (Régine DEFORGES, Blanche et Lucie.)

FÊTE, FÊTES, FÊTENT *formes du verbe « fêter » :* célébrer. [fɛt]

- *Je **fête** le passage du tropique du Capricorne en ouvrant une bouteille de Frontignac.* (J. -Y. Le Toumelin, Kurun autour du monde, XVII.)

---

181. FAON *n. m.* [fɑ̃] petit de la biche, de la daine.

- *De l'autre côté du vallon, sur le bord de la forêt, il aperçut un cerf, une biche et son **faon**... La biche blonde comme les feuilles mortes, broutait le gazon, et le **faon** tacheté, sans l'interrompre dans sa marche, lui tétait la mamelle.* (FLAUBERT, La légende de Saint Julien l'Hospitalier, I.)

FEND, FENDS *formes du verbe « fendre » :* couper dans le sens [fɑ̃] de la longueur ; traverser (une foule).

- *Le comte le frappe avec tant de vigueur qu'il lui **fend** le heaume.* (La chanson de Roland, 124.)

---

182. FAR *n. m.* [far] dessert fait avec de la farine, des œufs, du lait, auxquels on ajoute des raisins secs, des pruneaux.

- *Cependant, les **fars** de froment sucrés aux pruneaux ou aux raisins secs se dégustent encore un peu partout.* (Simone MORAND, Gastronomie bretonne.)

FARD *n. m.*
[far]
produit destiné à embellir le teint ; dissimulation.

● *Le **fard** qui avivait son teint et la poudre qui couvrait ses cheveux donnaient à ses yeux et à son visage un éclat surprenant.*
(H. de RÉGNIER, la double maîtresse, Épilogue.)

● *Il prenait cette profession de foi pour une bravade, bien que le marquis parlât sans **fard**.* (BERNANOS, Sous le soleil de Satan, Histoire de Mouchette, II.)

PHARE *n. m.*
[far]
tour surmontée d'un fanal pour guider les navires ; projecteur placé à l'avant d'une auto, d'une moto.

● *Il tenait à rectifier lui-même la route du paquebot par l'observation des bateaux-feux et des **phares** côtiers.* (E. PEISSON, Le pilote, III.)

● *Le temps s'était mis à la neige, la température s'était adoucie, et Kristina, étonnée, suivait à la lueur des **phares** l'éblouissante danse des flocons.*
(R. FRISON-ROCHE, Le rapt, I, 10.)

---

183. FAUSSE *adj.*
[fos]
féminin de « faux » : contraire à la vérité ; affecté, fictif.

● *Et toutes les approximations seraient fatalement **fausses** en trop ou en trop peu.* (G. SIMENON, Les mémoires de Maigret, 6.)

● *La **fausse** gaieté de Mahaut donnait à penser qu'elle avait déjà oublié ce départ.* (R. RADIGUET, Le bal du comte d'Orgel.)

FAUSSE, FAUSSES, FAUSSENT
[fos]
formes du verbe « fausser » : déformer, dénaturer, falsifier.

● *Tant qu'un être vit, toutes les choses qu'il pourra encore accomplir, et qu'on ignore, constituent des inconnues qui **faussent** les calculs.*
(R. MARTIN DU GARD, Les Thibault, IV.)

FOSSE *n. f.*
[fos]
trou dans la terre.

● *Tout le bataillon était là, tête nue, pendant qu'on descendait la bière dans la **fosse**.* (M. GENEVOIX, Les Éparges, I.)

---

184. FAUT *forme du verbe « falloir » :*
[fo]
être nécessaire.

● *Il **faut** qu'un homme travaille, ne crois-tu pas ?*
(Albert COSSERY, Les fainéants dans la vallée fertile, 2.)

FAUX *adj. m.*   contraire à la vérité ; fourbe, hypocrite.
[fo]

- *Il est **faux** que l'égalité soit une loi de la nature : la nature n'a rien fait d'égal.*
(VAUVENARGUES, Réflexions et maximes, 227.)

- *Je sens que quiconque est un **faux** ami pour moi n'en peut être un vrai pour personne.* (J.-J. ROUSSEAU, Lettre à M. Duclos.)

- *Tous les hommes sont menteurs, inconstants, **faux**, bavards, hypocrites, orgueilleux et lâches, méprisables et sensuels.*
(MUSSET, On ne badine pas avec l'amour, II, 5.)

FAUX *n. m.*   1. mensonge, erreur.
[fo]   2. falsification.

- *Ce n'est pas tout à fait la vérité qui manque le plus souvent aux idées des hommes, mais la précision et l'exactitude. Le **faux** absolu se rencontre rarement dans leurs pensées et le vrai pur et entier encore plus rarement dans leurs expressions.* (VAUVENARGUES, Réflexions et maximes, 469.)

- *Le **faux** a été forgé en rapprochant des morceaux de deux lettres.*
(René ESCAICH, L'Affaire Dreyfus.)

FAUX *n. f.*   instrument pour couper l'herbe.
[fo]

- *Les hommes vont devant, qui sont baissés et fauchent ; l'un plus en avant, tout à fait à gauche, et les autres en ligne oblique, de gauche à droite se suivant, chacun de deux pas en arrière de l'autre, et tous ont ce même grand mouvement du haut du corps et des épaules, du haut du corps penché sur les jambes fléchies, avec les bras qui vont en rond, au bout de quoi la **faux** siffle et glisse dans l'herbe qu'elle tranche au pied et abat.*
(C. F. RAMUZ, Le domestique de campagne.)

---

185. FERMANT *part. prés. du verbe « fermer » :*   clore.
[fɛrmɑ̃]

- *Et moi, **fermant** les yeux sur ce noir attentat,*
Je suivais mon destin en victime d'État. (CORNEILLE, Rodogune, III, 3.)

FERMENT *n. m.*   germe, levain.
[fɛrmɑ̃]

- *... du côté de ces classes nombreuses et laborieuses, où il y a tant de courage, tant d'intelligence, tant de patriotisme, où il y a tant de germes utiles et en même temps, je le dis avec douleur, tant de **ferments** redoutables.*
(Victor HUGO, Discours à la Chambre des Pairs, 14 juin 1847.)

FERREMENT *n. m.*   action de ferrer ; partie métallique qui
[fɛrmɑ̃]   consolide un objet.

- *La Grande Bretèche et ses hautes herbes, ses fenêtres condamnées, ses **ferrements** rouillés, ses portes closes, ses appartements déserts se montra tout à coup fantastiquement devant moi.* (BALZAC, Autre étude de femme.)

186. FIL *n. m.*   1. brin de textile.
[fil]   2. long cylindre de métal étiré.
      3. cours, enchaînement.
      4. partie tranchante d'une lame.

● *L'aiguille à la main, elle tirait le **fil** d'un geste prompt.*
(H. TROYAT, Un si long chemin)

● *Les hirondelles se rassemblent le long des **fils** électriques et sur le mur de la mairie, bien décidées à nous quitter.* (M. JOUHANDEAU, Galande, XV.)

● *Abel avait tout à fait perdu le **fil** de l'histoire.*
(A. LANOUX, Quand la mer se retire, I, 1.)

● *Il planta doctement une longue fourchette dans une aile. Puis, sous le **fil** du couteau, avec une dextérité qui tenait du miracle, il découpa.*
(H. BOSCO, Malicroix, Dromiols.)

● N. B. Le mot fils (garçon) se prononce (fis).

FILE *n. f.*   suite, rangée, colonne.
[fil]

● *Bloqués dans une **file** de voitures, nous regardions avec angoisse approcher l'heure du départ.* (B. CLAVEL, Victoire au Mans, II, 16.)

● *Cette fois, ils venaient tous les quatre à la **file,** à la manière des canards.*
(VERCORS, Le silence de la mer.)

FILE, FILES, FILENT *formes du verbe « filer » :* transformer en
[fil]   fil ; aller vite, se sauver.

● *Elle **file** du matin au soir, son temps est employé et lui rapporte.*
(BALZAC, Les paysans, II, 6.)

● *J'entends maman qui rentre. Je **file** par l'autre porte.*
(A. ROUSSIN, Lorsque l'enfant paraît, III.)

---

187. FILTRE *n. m.*   appareil servant à purifier les liquides, pas-
[filtr]   soire ; cornet de papier servant à extraire
      l'arôme du café.

● *Je me refuse à faire le compte des pannes qui surviennent à bord. La pompe à eaux usées, le générateur, les injecteurs, les **filtres,** les grilles des souf-flantes, que sais-je ?* (H. TROYAT, Un si long chemin.)

● *J'entendais et je sentais les préparatifs d'un café : remuement de la cafetière, goutte-à-goutte du **filtre,** odeur un peu amère.*
(Albertine SARRAZIN, L'astragale, II.)

FILTRE, FILTRES, FILTRENT *formes du verbe « filtrer » :*
[filtr]   passer au tamis ; traverser,
      sourdre.

● *C'est lui qui **filtre** tout, les visiteurs et les nouvelles.*
(L. BODARD, L'enlisement, I.)

● *Au travers de sombres nuées, **filtre** une lumière étrange...*
(Brigitte FRIANG, Regarde-toi qui meurs, I, 2.)

PHILTRE *n. m.*   breuvage magique.
[filtr]

● *Elle parla de **philtres** et crut lui exprimer de façon délicate qu'il était loin de lui déplaire, en lui chuchotant la recette illustre de ce **philtre** qui lia pour jamais Tristan et Yseult.* (R. RADIGUET, Le bal du comte d'Orgel.)

---

188. FLAC! *interj.*   onomatopée imitant un claquement, un bruit,
[flak]   une chute.

● *... et tout d'un coup, **flac!** je me suis jeté sur lui de toute ma hauteur.*
(P. CLAUDEL, L'annonce faite à Marie, I, 3.)

FLAQUE *n. f.*   petite mare d'eau ou d'un autre liquide.
[flak]

● *Il continua son chemin vers l'église, de **flaque** en **flaque,** prenant grand soin d'éclabousser tout ce qui passait à sa portée de vieilles dames portant petits paquets et d'officiers de la légion d'honneur.*
(G. CESBRON, Notre prison est un royaume, II.)

● *Partout du sang en larges **flaques.** Des uniformes abandonnés. Des tas d'armes brisées.* (Maxime VUILLAUME, Mes cahiers rouges.)

---

189. FLAMAND *adj. et n. m.*   relatif à la Flandre; natif de
[flamᾶ]   Flandre.

● *Il m'a demandé quelques toiles pour une exposition d'art **flamand** moderne.*
(M. VAN DER MEERSCH, Maria fille de Flandre, VI.)

FLAMANT *n. m.*   oiseau échassier.
[flamᾶ]

● *Le soleil, en train de mourir derrière la montagne peignait de rose les graviers des allées, et de rouge sanglant le **flamant** hiératique posé, une patte en l'air, au bord du petit lac de profond saphir.* (P. BENOÎT, L'Atlantide, 11.)

---

190. FLAN *n. m.*   entremets fait avec de la farine, des œufs, du
[flᾶ]   sucre et du lait.

● *Voulez-vous du **flan**?* (Hervé BAZIN, Bouc émissaire.)

FLANC *n. m.*   partie latérale du corps; côté de diverses
[flᾶ]   choses.

● Un agneau, frisé ras, rua dans le vide, fit un temps de galop, et se colla contre le **flanc** de sa mère. (H. TROYAT, La neige en deuil, 1.)

● Le moteur tournait rond et l'eau filait le long des **flancs** du bateau qui se penchait lentement à droite, puis à gauche, d'un mouvement berceur.
(G. SIMENON, Les demoiselles de Concarneau, V.)

---

191. FLEUR *n. f.*
[flœr]
partie colorée d'un végétal, qui exhale quelquefois une odeur agréable.

● J'adorais surtout les **fleurs** brillantes, le reflet rouge des pivoines, la bigarrure des tulipes, l'orgueil des lis. (Jules VALLÈS, La rue.)

FLEURE, FLEURES, FLEURENT
[flœr]
formes du verbe «fleurer» : exhaler une odeur.

● En cet Anjou, qui **fleure** bon la douceur de vivre. (Louis OURY, Les prolos, 2.)

---

192. FOC *n. m.*
[fɔk]
voile triangulaire.

● Jean Bart tout à coup hissa le **foc** dont le triangle, plein de vent, semblait une aile. (MAUPASSANT, Pierre et Jean, IV.)

PHOQUE *n. m.*
[fɔk]
mammifère marin.

● Seuls, quelques **phoques** en chasse clapotaient le long du bord.
(R. VERCEL, Ceux de la Galatée, IX.)

---

193. FOI *n. f.*
[fwa]
1. croyance religieuse.
2. confiance.
3. sincérité.

● Je ne peux pas dire que ma **foi** chrétienne fût réellement diminuée. Ma **foi** a été détruite par la critique historique, non par la scolastique ni par la philosophie. (E. RENAN, Souvenirs d'enfance et de jeunesse, IV.)

● J'ai **foi** en votre parole et je n'ai pas besoin de papier.
(P. CLAUDEL, Cinq grandes odes, III.)

● Je ne suis pas sûr de sa bonne **foi**. (M. AYMÉ, Uranus, X.)

97

FOIE *n. m.*　　　glande digestive.
[fwa]

● *La veille nous avions fêté le Jour de l'An et ma mère aujourd'hui payait d'une crise de foie un demi-verre de malaga bu à la santé de Manuel.*
(Julien GREEN, Le visionnaire, III.)

FOIS *n. f.*　　　mot qui marque le nombre, la quantité.
[fwa]

● *Une nouvelle sirène de navire appela trois fois, par saccades, puis une fois encore, brusquement.*　　(A. MALRAUX, La condition humaine, I.)

---

194. FOND *n. m.*　　1. partie la plus basse.
　　[fɔ̃]　　　　　　2. partie la plus éloignée de l'entrée.
　　　　　　　　　　3. partie essentielle.

● *Il pouvait, en avançant la tête, distinguer tous les cailloux du fond.*
(M. GENEVOIX, La boîte à pêche, VI.)

● *J'étais assis au fond de la pièce, relativement dans l'ombre.*
(VERCORS, Le silence de la mer.)

● *Il livrait là le fond de sa pensée.*　(Aimé CÉSAIRE, Toussaint Louverture, III, 14.)

FOND, FONDS *formes du verbe « fondre »* :
　　[fɔ̃]　　　　1. rendre fluide ; passer à l'état liquide.
　　　　　　　2. se précipiter sur.

● *Une première étoile parut sitôt le jour retiré, comme ces fleurs jaunes qu'on voit s'ouvrir dans l'herbe des pâturages à mesure que la neige fond.*
(C. F. RAMUZ, La grande peur dans la montagne, III.)

● *Il déplie son mouchoir... Il toussote et se racle la gorge... Il choisit lentement son endroit ; son nez tourne comme l'épervier, puis fond sur le centre du mouchoir.*　　(G. CESBRON, Notre prison est un royaume, II.)

FONDS *n. m.*　　　1. sol d'un domaine ; établissement com-
　　[fɔ̃]　　　　　　mercial.
　　　　　　　　　　2. ensemble des qualités d'un individu ;
　　　　　　　　　　ensemble des ressources propres à
　　　　　　　　　　quelqu'un ou à quelque chose.

● *Tout propriétaire a le droit d'user et de disposer des eaux pluviales qui tombent sur son fonds.*　　(Article 641 du Code civil.)

● *Le coiffeur qui lui cédait le fonds n'était installé que depuis deux ans.*
(A. DHÔTEL, Le plateau de Mazagran.)

● *Paul est un peu surmené, il travaille trop, c'est certain ; mais il a un fonds de santé qui me rassure.*　　(F. MAURIAC, Le désert de l'amour, III.)

● *C'est le fonds le plus ancien de la bibliothèque.*
(A. FRANCE, L'anneau d'améthyste, II.)

• *Ce **fonds** s'augmente de la portion disponible de nos revenus.*
(BALZAC, L'envers de l'histoire contemporaine, I.)

FONT   *forme du verbe « faire ».*
[fõ]

• *Strinberg s'adressait toujours à ses interlocuteurs en usant de leurs titres les plus pompeux, ainsi que **font,** aux deux extrêmes de la société, les souverains et les valets.*   (M. DRUON, La chute des corps, III, 3.)

• *Moi, j'ai un principe, c'est de ne pas m'inquiéter de ce que **font** mes amis.*
(A. FRANCE, Adrienne Buquet.)

FONTS *n. m. pl.*   bassin contenant l'eau du baptême.
[fõ]

• *On n'a pas coutume cependant d'enfouir les **fonts** baptismaux hors des églises.*
(FLAUBERT, Bouvard et Pécuchet, IV.)

---

195. FOR *n. m.*   jugement de la conscience.
[fɔr]

• *Je ne pipai mot, indigné en mon **for** de ce honteux trafic.*
(R. MERLE, En nos vertes années, II.)

• *Dans mon **for** intérieur, je le jugeais un peu simple.*
(J. GREEN, Le visionnaire, I, 1.)

FORE, FORES, FORENT *formes du verbe « forer » :*
[fɔr]   percer un trou.

• *Lorsqu'on **fore** un puits dévié destiné à « tuer » un puits endommagé, tous les calculs sont faits à partir de trois données impératives...*
(Yvonne REBEYROL, dans Le Monde, 21 juillet 1979, p. 10.)

FORS *prép.*   excepté, hormis.
[fɔr]

• *Ayant agi en état de légitime défense, ou presque, je n'avais rien à regretter. Mais c'est tout de même ennuyeux de se dire qu'on a causé la mort d'un homme, **fors** le cas où c'est, paraît-il, une action très méritoire.*
(E. GUILLAUMIN, La vie d'un simple, 13.)

FORT *adj. m. et adv.*   1. robuste, vigoureux.
[fɔr]   2. très, extrêmement.

• *À treize ans, il était grand et **fort** pour son âge.*
(ARAGON, Les cloches de Bâle, III, 4.)

• *Christiane qui s'était couchée **fort** tard, se réveilla dès que le soleil jeta dans sa chambre un flot de clarté rouge.*   (MAUPASSANT, Mont-Oriol, I, 7.)

FORT *n. m.*   ouvrage de défense.
[fɔr]

● *Malte était debout avec ses **forts**, ses canons à fleur d'eau, ses longues murailles luisantes au soleil.*   (VIGNY, La canne de jonc, III.)

---

196. FORAIS, FORAIT, FORAIENT   *formes du verbe « forer » :*
[fɔrɛ]   percer un trou.

● *Des ouvriers **foraient** un puits.*

FORET *n. m.*   outil de perçage.
[fɔrɛ]

● *On dirait un **foret** qui n'en finit pas de percer une plaque d'acier.*
(Hervé BAZIN, La raine et le crapaud.)

● *Et les oreilles! ah! les oreilles! on tortillait un bout de serviette et on l'y entrait jusqu'au fond, comme on enfonce un **foret**, comme on plante un tire-bouchon.*
(Jules VALLÈS, L'enfant.)

FORÊT *n. f.*   grande étendue de terrain couverte d'arbres.
[fɔrɛ]

● *Avec plaisir nous voyons se rapprocher la lisière de la **forêt**, et nous nous plaisons à imaginer la fraîcheur qui doit régner sous ses frondaisons.*
(Norbert CASTERET, En rampant, I, 1.)

● *La grande **forêt** de châtaigniers qui en occupe une partie était bien plus étendue et les chemins bien plus étroits.*
(Charles NODIER, La combe de l'homme mort.)

---

197. FOURRÉ *n. m.*   partie touffue d'un bois.
[fure]

● *Un **fourré** très hérissé et très fauve entourait de toutes parts l'éminence au sommet de laquelle le marquis s'était placé en observation. Ce **fourré**... cachait, comme tous les halliers bretons, un réseau de ravins, de sentiers et de chemins creux.*   (Victor HUGO, Quatre vingt treize, IV, 5.)

FOURRER *v. tr.*   1. garnir de fourrure, mettre une chose
[fure]   dans une autre.

        2. enfermer, incarcérer.

● *Deux compagnons, pressés d'argent*
À leur voisin fourreur vendirent
La peau d'un ours encor vivant...
Elle garantirait des froids les plus cuisants :
*On en pourrait **fourrer** plutôt deux robes qu'une.*
(LA FONTAINE, L'ours et les deux compagnons.)

- *On commence par vous **fourrer** dans les caves, où vous attendez jusqu'à ce que le prévôt soit arrivé.*　　(M. VUILLAUME, Mes cahiers rouges.)

---

198. FRAI *n. m.*　　ponte des œufs, chez les poissons.
[frɛ]

- *Les lamproies qu'ils pêchaient étaient de celles qui redescendent vers la mer, après le **frai**.*　　(M. GENEVOIX, La boîte à pêche, VI.)

FRAIS *adj. m.*　　1. légèrement froid.
[frɛ]　　2. récent, nouveau.
　　3. sain, plein de santé, reposé.

- *Je donne à manger à ma fille... Je l'ai installée à l'ombre, à l'endroit le plus **frais**, sous les arbres du jardin.*　　(Chantal CHAWAF, Le soleil et la terre, I.)

- *De l'autre côté de la bétonneuse s'élevait le tapis roulant qui amenait le béton **frais** jusqu'au pont.*　　(R. MERLE, La mort est mon métier, 1922.)

- *Un de ces matins, je vous porterai une douzaine d'œufs **frais**.*
　　(H. BORDEAUX, La peur de vivre, I, 7.)

- *Mais quand il sortit du bain, **frais** et dispos, enveloppé dans un peignoir rose bonbon, Lucie dormait toujours.*　　(Elsa TRIOLET, Le cheval blanc, I, 8.)

FRAIS *n. m.*　　1. fraîcheur.
[frɛ]　　2. brise.

- *L'abbé, qui prenait le **frais** sur sa porte, les pria de lui faire l'honneur d'une visite.*　　(FLAUBERT, Bouvard et Pécuchet, IV.)

- *Un joli **frais** de Nord-Est ne tarda pas cependant à se faire sentir.*
　　(E. CORBIÈRE, Le négrier, I, 2.)

FRAIS *n. m. pl.*　　dépenses.
[frɛ]

- *À peu de **frais**, mes parents s'étaient procuré des lits, des chaises, des tables, des armoires.*　　(H. TROYAT, Un si long chemin.)

- *On y loge le père Ubu aux **frais** de l'État.*　　(A. JARRY, Ubu enchaîné, III.)

- *M. Pacaud est peut-être un industriel d'une probité maniaque et dont le fisc n'a jamais pu contester les **frais** généraux.*　　(Robert MERLE, Madrapour, III.)

---

199. FUMÉE *n. f.*　　produit gazeux se dégageant des corps en
[fyme]　　ignition.

- *Il a tiré sur sa pipe, qui avait un couvercle percé de trous, et une petite **fumée** bleue sortant par chacun de ces trous faisait comme des fils qui se réunissaient en se tordant plus haut dans l'air.*
　　(C. F. RAMUZ, La grande peur dans la montagne, V.)

- *Un souffle de vent passa par la cheminée, écrasa les flammes de l'âtre, rabattant la **fumée** dans la cuisine.* (Charles EXBRAYAT, Jules Matrat, I, 5.)

- *Lorsque partait le coup, il laissait dans les airs une longue traînée d'étincelles rougeâtres et beaucoup de **fumée**, qui sentait bon le salpêtre et le feu.* (Henri BOSCO, L'enfant et la rivière, Solitude de Pascalet.)

FUMER *v. tr. et intr.*
[fyme]

1. faire brûler du tabac.
2. exhaler de la vapeur.
3. soumettre une viande à l'action de la fumée pour la faire sécher.
4. amender une terre avec du fumier.

- *Personne ne lui contestait plus le droit d'exprimer librement son avis et de **fumer** incessamment le fort tabac en feuilles.* (Louis HÉMON, Maria Chapdelaine, II.)

- *Elle regardait une bande de poules piquant du bec et se chauffant les pattes sur cette large couche basse, que le refroidissement de l'air faisait **fumer**, d'une petite vapeur bleue.* (ZOLA, La terre, I, 1.)

- *Ils tâchèrent par économie de **fumer** des jambons.* (FLAUBERT, Bouvard et Pécuchet, II.)

- *Il faut savoir que le laboureur corse, pour s'épargner la peine de **fumer** son champ, met le feu à une certaine étendue de bois.* (MÉRIMÉE, Mateo Falcone.)

---

200. GAI, GAIE *adj.*   joyeux, souriant ; amusant, animé.
[ge]

- *Le peintre, en l'écoutant, se sentait **gai**, comme un oiseau, **gai** comme il ne l'avait jamais été.* (MAUPASSANT, Fort comme la mort, I, 3.)

- *Il tenait sa petite femme sous le bras ; elle était fraîche et **gaie** comme une enfant.* (VIGNY, Laurette ou le cachet rouge.)

- *Jamais dîner improvisé ne fut plus **gai** que celui-là.* (P. GAXOTTE, Le nouvel ingénu, X.)

- *On dit que les marchés normands, si **gais** et vifs à l'ordinaire, connurent un étrange silence, durant ce printemps-là.* (LA VARENDE, Le bouffon blanc.)

GUÉ *n. m.*   endroit d'une rivière où l'on peut passer à pied.
[ge]

- *Il faut encore chercher un **gué** qui permette de passer le petit bras du fleuve.* (B. CLAVEL, Le seigneur du fleuve, I.)

- *Nous arrivons à cinq heures après quelques difficultés de **gués** à traverser.* (V. HUGO, Choses vues, 1865.)

---

201. GALON *n. m.*
[galɔ̃]
ruban étroit de tissu; signe distinctif des grades dans l'armée.

● *On avait cousu, pour l'égayer, trois rangs de **galon** mohair au bord de la jupe et trois fois trois **galons** mohair sur les manches entre le poignet et l'épaule.*
(COLETTE, Gigi.)

● *C'est ainsi que je devins chargée de mission de 2ᵉ classe et que, moralement, j'arborai mon second **galon** de lieutenant.*
(Brigitte FRIANG, Regarde-toi qui meurs, I, 1.)

GALLON *n. m.*
[galɔ̃]
mesure anglaise de capacité pour les liquides.

● *Cet appareil avait été si ingénieusement combiné qu'il ne pesait pas plus de sept cents livres, en y comprenant même vingt-cinq **gallons** d'eau contenus dans une caisse spéciale.* (Jules VERNE, Cinq semaines en ballon, VII.)

● *Goutte par goutte, litre par litre, **gallon** par **gallon**, baril par baril, nous pourrons ainsi attendre la venue de l'ère solaire.*
(Le Moniteur des Travaux Publics, nᵒ 24, p. 7.)

---

202. GAZ *n. m. invar.*
[gaz]
1. fluide, corps combustible.
2. au pluriel : mélange de vapeurs d'essence et d'air.

● *Elle versa les œufs battus dans la poêle chauffée qui commençait à grésiller sur le **gaz**.* (Christine de RIVOYRE, La Mandarine, I, 2.)

● *Il rentre même bizarrement, fit Neuville. Il a coupé trop tôt les **gaz**.*
(J. KESSEL, L'équipage, I, 4.)

GAZE *n. f.*
[gaz]
étoffe légère et transparente; tissu pour pansement.

● *À travers le rideau de **gaze** de la petite lucarne de la loge, j'entrevis les comédiens.* (VIGNY, La veillée de Vincennes, X.)

● *Mˡˡᵉ Raoux, beaucoup plus sûre d'elle, sortait des fioles, de la **gaze**, du coton hydrophile.* (Hervé BAZIN, Bouc émissaire.)

GAZE, GAZES, GAZENT *formes du verbe «gazer» :* aller vite.
[gaz]

● *C'est une quarante chevaux, ça **gaze**.* (Elsa TRIOLET, Le cheval blanc, I, 8.)

---

203. GEAI *n. m.*   oiseau passereau.

[ʒɛ]

● *L'été on trouvait des amis partout, des sûrs, pas des hommes inquiétants : les oiseaux, les pies saccadées, en satin noir et blanc, les **geais** hirsutes, aux airs fous, qu'on appelle des «Jacques».*   (LA VARENDE, Le centaure de Dieu.)

JAIS *n. m.*   variété de lignite, d'un noir luisant ; bijou.

[ʒɛ]

● *Un souffle égal et profond soulevait sa forte poitrine où brillait une croix de **jais**.*   (Julien GREEN, Le visionnaire, I., 6.)

● *Son teint d'une blancheur éblouissante, mais uniformément pâle, faisait ressortir ses cheveux d'un noir de **jais**.*
    (MÉRIMÉE, Chronique du règne de Charles IX, 9.)

JET *n. m.*   action de lancer ; jaillissement.

[ʒɛ]

● *Jean, ce matin-là, un semoir de toile bleue noué sur le ventre, en tenait la poche ouverte de la main gauche, et de la droite, tous les trois pas, il y prenait une poignée de blé, que d'un geste, à la volée, il jetait... à chaque **jet**, au milieu de la semence blonde toujours volante, on voyait luire les deux galons rouges d'une veste d'ordonnance, qu'il achevait d'user.*   (ZOLA, La terre, I, 1.)

● *Il se recroqueville comme un araignée prise sous le **jet** brûlant d'un robinet.*
    (Robert MERLE, Madrapour, V.)

● *Jean promène le **jet** de sa lampe de poche sur les visages endormis.*
    (Jean-Pierre CHABROL, Un homme de trop, I.)

---

204. GÈNE *n. m.*   «particule matérielle occupant sur un chromo-

[ʒɛn]   some (support essentiel de l'hérédité) un emplacement défini.»

● *Le **gène** des yeux bleus étant dominé par le **gène** des yeux noirs, nous sommes certains qu'un individu aux yeux bleus ne peut porter en lui le **gène** des yeux noirs.*   (Jean ROSTAND, L'homme, IV.)

● *L'amiral qui s'y connaît en **gènes** et en chromosomes m'a raconté qu'en Sicile, parmi une marmaille à peau brune, on trouve parfois un petit frère rougeaud, aux crins blonds, qui fait revivre quelque ancêtre normand ou germain.*
    (P. GAXOTTE, Le nouvel ingénu, XV.)

GÊNE *n. f.*   trouble, embarras ; besoin, pauvreté.

[ʒɛn]

● *Jean éprouva un sentiment de **gêne**. Tout lui paraissait faux et outré dans cette cérémonie.*   (P. GUIMARD, L'ironie du sort, II, 1.)

● *La **gêne** extrême les obligeait parfois à faire dans les boutiques des emplettes ridiculement réduites, un sou de carottes, deux sous de navets.*
    (J. GUÉHENNO, Changer la vie.)

GÊNE, GÊNES, GÊNENT *formes du verbe « gêner » :*
[ʒɛn] importuner, troubler.

● *Mon père travaille de l'autre côté et ne me **gêne** pas, excepté quand il se mouche avec trop de fracas.* (Jules VALLÈS, L'enfant.)

---

205. GENET *n. m.* cheval de race espagnole.
[ʒənɛ]

● *Il montait un grand **genet** d'Espagne de robe isabelle, dont la crinière était tressée de rubans roses.* (LA VARENDE, Je vous le donne.)

GENÊT *n. m.* arbrisseau à fleurs jaunes.
[ʒənɛ]

● *C'était au mois de mai, et les **genêts** étaient fleuris.*
(J. GUÉHENNO, Changer la vie.)

---

206. GOLF *n. m.* « jeu qui consiste à placer au moyen d'un club,
[gɔlf] une balle dans une série de trous disposés sur un terrain très étendu. »

● *Le but de notre promenade devait être le terrain de **golf** qui s'étend sur le revers des dunes.* (J. GRACQ, Un beau ténébreux.)

GOLFE *n. m.* partie de mer qui avance dans les terres.
[gɔlf]

● *Vous savez ce que c'est que le **golfe** de Gascogne, c'est un lieu redoutable, c'est une sorte de fond de cuve où s'accumulent, sous la pression colossale des vagues, tous les sables arrachés depuis le pôle au littoral européen.*
(V. HUGO, Discours à la Chambre des Pairs, 1ᵉʳ juillet 1846.)

---

207. GOÛTE, GOÛTES, GOÛTENT *formes du verbe « goûter » :*
[gut] apprécier la saveur d'un aliment ; estimer, priser.

● *Il **goûte** lentement, à petites gorgées de gourmet.*
(R. DORGELÈS, Les croix de bois, IV.)

● *À ce moment-là, toujours, mon père émet de petits rires pour bien montrer à Marcheret qu'il **goûte** cette repartie et le considère lui, Marcheret, comme l'homme le plus spirituel du monde.*
(Patrick MODIANO, Les boulevards de ceinture.)

GOUTTE *n. f.*   1. petite quantité de liquide.
[gut]   2. boisson alcoolique, eau-de-vie.
                 3. maladie des articulations.

● *Il pleuvait depuis quatre jours. Les* **gouttes** *massives tambourinaient en un trémolo monotone la toile incurvée de la tente.*
(A. MAUROIS, Les silences du colonel Bramble, 5.)

● *De grosses* **gouttes** *de sueur glissaient le long de sa tempe.*
(Patrick MODIANO, Les boulevards de ceinture.)

● *Nous lui offrons une* **goutte** *de cognac.* (GIRAUDOUX, Provinciales I.)

● *Pétrus Chazeloux commanda à la Maria, sa femme, de sortir la bouteille de* **goutte** *pour trinquer avec le futur soldat.* (Ch. EXBRAYAT, Jules Matrat, I, 2.)

● *Il était à peine âgé de cinquante-six ans; mais les accès de* **goutte** *dont il souffrait l'avaient vieilli de bonne heure.* (ZOLA, La joie de vivre, I.)

---

208. GRÂCE *n. f.*   1. aide surnaturelle; bienfait, faveur; pardon.
[grɑs]   2. charme, élégance.

● *Il était difficile qu'il pût être touché par la* **grâce** *dans ces conditions.*
(Elsa TRIOLET, Le cheval blanc, I, 4.)

● *Quant aux petites* **grâces** *qu'une supérieure est toujours libre d'accorder ou de refuser, je n'en demandais point.* (DIDEROT, La religieuse.)

● *Il demande au vainqueur une dernière* **grâce.**
(J. COCTEAU, La machine infernale, II.)

● *Qu'a-t-elle dit? A-t-elle longtemps imploré sa* **grâce?**
(SARTRE, Les Mouches, II.)

● *Il retrouvait une jeune fille réservée et fière, même avec ses camarades de jeux, et ne pouvait se tenir pourtant d'admirer sa* **grâce** *élancée et mince, mais vigoureuse.* (H. BORDEAUX, La peur de vivre, I, 4.)

● *Elle étala une serviette-éponge bleu marine, puis fit glisser sa robe, dans des mouvements d'une* **grâce** *légèrement provocante.*
(A. LANOUX, Quand la mer se retire, I, 7.)

● *Il s'était présenté lui-même avec beaucoup de* **grâce.**
(PROUST, Le côté de Germantes.)

GRASSE *adj. f. (masculin : gras)*   1. grassouillette, potelée, dodue,
[grɑs]
                                 2. visqueuse, huileuse.

● *Au deuxième rang, Robert est debout, au bras d'une demoiselle trop* **grasse.**
(P. GUIMARD, L'ironie du sort, IV, 1.)

● *C'étaient des mains petites et* **grasses** *qu'il croisait et décroisait sans cesse sur la table dans un geste machinal.* (R. MERLE, La mort est mon métier, 1929.)

• *Ces grandes terres **grasses**, toujours plates jusqu'à l'extrême de l'horizon, sans un bosquet, sans un toit de ferme, me remplissent de contentement.*
(Louis PAUWELS, Saint-Quelqu'un, I, 5.)

• *L'omelette était toute **grasse** et épaisse au plein de cette large assiette jaune.*
(J. GIONO, Le grand troupeau, III.)

---

209. GUAIS *adj. m.*   se dit du hareng sans laitance ni œufs.
[gɛ]

• *Le hareng qui a frayé est **guais**.*

GUET *n. m.*   surveillance pour surprendre quelqu'un.
[gɛ]

• *Je faisais le **guet**, mais je ne savais pas ce que je devais guetter puisque j'étais incapable de distinguer, dans ce monde nouveau, un bruit d'un autre.*
(Clara MALRAUX, Nos vingt ans, II.)

---

210. GUÈRE *adv.*   employé avec ne : pas beaucoup.
[gɛr]

• *Et pourtant ma situation n'était **guère** brillante.*   (CAMI, Le baron de Crac.)

• *Je trouve qu'on n'a **guère** le choix.*
(Charles VILDRAC, Le paquebot Tenacity, II, 1.)

GUERRE *n. f.*   conflit armé, bataille.
[gɛr]

• *Ils conviennent que la **guerre** est le pire fléau du monde.*
(GIRAUDOUX, La guerre de Troie n'aura pas lieu, II, 13.)

• *Nous avons consciencieusement, religieusement, fait la **guerre**, précisément parce que ce n'était pas notre métier de la faire.*
(BERNANOS, Les enfants humiliés.)

• *L'homme de paix est un plus grand conquérant que l'homme de **guerre**, et un conquérant meilleur.*
(Victor HUGO, Discours à la Chambre des Pairs, 13 janvier 1848.)

---

211. HAUTE   *adj. f. (masculin : haut)*   élevée, grande.
  ['ot]

- *Je restai seul dans la chambre, cette même chambre trop **haute** de plafond où j'avais été si malheureux à la première arrivée.*
  (PROUST, Sodome et Gomorrhe, II, 4.)
- *Sur sa droite, Philibert aperçut la masse noire, **haute** sur l'eau.*
  (B. CLAVEL, Le seigneur du fleuve, I.)
- *Vous devez reconnaître que vous êtes l'une des plus **hautes** autorités morales du pays.*   (Marcel PAGNOL, Les marchands de gloire, II, 1.)
- *La sagesse commande d'investir dans les secteurs à **haute** technologie.*
  (Le nouvel économiste, mai 1979, p. 9.)

HÔTE   *n. m.*   personne qui donne ou reçoit l'hospitalité.
  [ot]

- *Dès la fin du repas, Conrad s'approcha de ses **hôtes**, murmura quelques paroles à voix basse et prit rapidement congé.*
  (P. BOULLE, William Conrad, I, 1.)
- *Norton vit venir de loin l'insulaire à la rencontre des **hôtes** qui lui arrivaient.*
  (GOBINEAU, Akrivie Phrangopoulo.)

ÔTE, ÔTES, ÔTENT   *formes du verbe « ôter » :*   enlever.
  [ot]

- *Saint-Elme est évanescent, parle peu, **ôte** et remet trois fois son monocle avant d'opiner, pour se laisser le temps de la réflexion...*
  (É. HENRIOT, La rose de Bratislava, VII.)

---

212. HÉRAUT   *n. m.*   messager.
  ['ero]

- *Au milieu de la Grande Perspective, des joueurs de trompette et de timbales entouraient un **héraut** à cheval, tenant un rouleau de papier à la main... Le **héraut** lut sa proclamation d'une voix éraillée.*   (H. TROYAT, Grimbosq, 3.)

108

HÉROS *n. m.*   1. demi-dieu, dans la mythologie.

['ero]   2. personnage d'un courage extraordinaire.

3. personnage principal d'une œuvre littéraire.

4. principal acteur d'un fait divers, d'un événement.

- *La plus grande gloire de Glaucos, fils de Sisyphe, fut d'avoir donné le jour au plus grand **héros** que vit naître Corinthe, à Bellérophon.*
  (M. MEUNIER, La légende dorée des dieux et des héros, I, 17.)

- *Pour la sécurité des gouvernements, ce n'était pas assez qu'un citoyen quelconque se montrât capable de manifester tout à coup, avec la résistance physique du primitif ou du sauvage, la violence d'âme et la fermeté du **héros**. Il fallait que ce sauvage et ce **héros** redevînt à la paix un simple Français d'entre deux guerres, c'est-à-dire un citoyen quelconque.*
  (G. BERNANOS, Les enfants humiliés.)

- *Je rêve d'un roman dont ni le **héros** ni les péripéties ne me seront imposés par le respect de la vérité historique.* (H. TROYAT, Un si long chemin.)

- *Monsieur Guibert, ici présent, vous a battu. Nous l'applaudissons. Vous savez, c'est notre **héros**. Vous, n'est-ce pas, vous n'êtes pas un **héros**.*
  (H. BORDEAUX, La peur de vivre, I, 3.)

---

213. HEUR *n. m.*   chance.

[œr]

- *Siorac, je n'ai pas eu l'**heur** de connaître monsieur votre père.*
  (Robert MERLE, En nos vertes années, VI.)

- *Pourquoi n'aurais-je pas parlé de la lune ? Parce qu'un jour l'idée n'a pas eu l'**heur** de plaire à ce brave Constantin.*
  (Arthur ADAMOV, Le ping-pong, 8e tableau.)

HEURE *n. f.*   durée de soixante minutes ; moment précis.

[œr]

- *Tel fut le discours de Médéric. Tu entends de reste que je t'en donne ici un résumé succinct, car il dura six **heures** d'horloge, et les limites de ce conte ne me permettent point de le transcrire en entier.*
  (ZOLA, Aventures du grand Sidoine et du petit Médéric, V.)

- *La séance du Conseil Général, qui avait commencé à sept **heures** du soir, durait encore à dix **heures**.* (C. F. RAMUZ, La grande peur dans la montagne, I.)

- *Ma montre est arrêtée. Depuis combien de temps ? Je l'ignore et rien n'est pire, dans une nuit blanche, que de ne pas savoir l'**heure**.*
  (Paul GUIMARD, L'ironie du sort, IV, 1.)

HEURT *n. m.*   choc.

['œr]

- *Les infirmiers m'avaient portée de mon lit à l'ambulance dans une chaise, qu'ils posaient avec un **heurt** précautionneux et feutré comme celui d'un ascenseur de luxe.* (Albertine SARRAZIN, L'astragale, IV.)

- *Le train repartit sans **heurt** derrière mon dos, glissa sur les rails mouillés, n'ayant déposé en ce lieu que moi et des bicyclettes.*
(Christiane ROCHEFORT, Le repos du guerrier, I, 1.)

---

214. HOCKEY *n. m.*　　　jeu qui se pratique sur gazon ou sur glace.
['ɔkɛ]

- *Quelles que soient ses lointaines racines européennes, le **hockey** sur glace est d'origine canadienne.*　(Serge LANG, Le ski et autres sports d'hiver, XII.)

HOQUET *n. m.*　　　contraction spasmodique du diaphragme,
['ɔkɛ]　　　　　　　　produisant un bruit rauque.

- *Sa voisine avait le **hoquet**. Ce fut d'abord un **hoquet** discret, qui se contentait de soulever à coups réguliers sa poitrine.*
(GIRAUDOUX, Provinciales, La pharmacienne, VIII.)

---

215. HORS *prép.*　　　à l'extérieur de ; excepté, sauf.
['ɔr]

- *Une bûche s'effondra, des braises roulèrent **hors** du foyer.*
(VERCORS, Le silence de la mer.)

- *Mais tout cela est **hors** de question.*
(LA VARENDE, Comte Philippe de Meyerdorff.)

- *Elle reprit sa course, tourna dans la rue Thiers, et s'arrêta, **hors** d'haleine.*
(SARTRE, Les chemins de la liberté, Le sursis.)

- *Inès, je pouvais tout supporter, **hors** ce reproche !*　(BALZAC, Vautrin, II, 10.)

- ***Hors** Mariane, je lui laisse la liberté de choisir celle qu'il voudra.*
(MOLIÈRE, L'avare, IV, 4.)

OR *n. m.*　　　métal précieux ; couleur jaune.
[ɔr]

- *Le gobelet et le couvercle sont en **or** massif.*
(A. FRANCE, L'anneau d'améthyste, II.)

- *Pendant que Georges recevait la monnaie de la pièce d'**or** que j'avais jetée sur le comptoir, je continuai ma route.*　(NERVAL, Aurélia.)

- *Sur le marché de l'**or**, la flambée a continué, le cours de l'once battant tous ses précédents records.*　(Le Monde, 20 mai 1979, p. 22.)

- *Les rouges et les **ors** étincelaient au soleil.*　(A. CHAMSON, La Superbe, I, 1.)

OR *conj.*　　　marque une transition entre deux idées, entre
[ɔr]　　　　　　　deux moments d'un récit.

- *Mais, dès le second jour, il me fallut aller coucher à l'hôtel. Et je savais d'avance que fatalement j'allais y trouver la tristesse... **Or**, je m'étais trompé. Je n'eus pas le temps d'être triste, car je ne fus pas un instant seul.*
(PROUST, Le côté de Guermantes.)

ORES *adv.*
['ɔr]

dans l'expression « d'ores et déjà » : dès maintenant.

● *Toutefois, il aimait cette maison, dont les parents de Claire leur avaient donné la jouissance sans leur en céder la propriété, mais qui, un jour, tout de même serait à eux, et qu'ils considéraient d'**ores** et déjà comme telle.*
(J.-L. CURTIS, La quarantaine.)

---

216. HOUE *n. f.*
['u]

sorte de pioche pour le binage.

● *Il n'y avait plus de charrues pour ronger la lande... il n'y avait plus de bêches et de **houes**, de pioches et de herses.* (Jean GIONO, Le grand troupeau, II.)

HOUX *n. m.*
['u]

arbrisseau toujours vert à feuilles piquantes et à fruits rouges.

● *Tous deux s'élancèrent en droite ligne à travers la forêt, évitant les troncs, tournant les buissons de ronces et de **houx** impénétrables.*
(BALZAC, Les paysans, II, 7.)

OU *conj.*
[u]

marque l'alternative.

● *Nous pensons que ces sociétés, petites **ou** grandes, ramifiées **ou** non, connexes **ou** pas, sont les manifestations, plus **ou** moins importantes, d'un autre monde que celui dans lequel nous vivons.* (Louis PAUWELS et Jacques BERGIER, Le matin des magiciens, II, 5.)

OÙ *adv. ou pron. adverbial.*
[u]

marque le lieu.

● *Julien la regarda froidement avec des yeux **où** se peignait le plus souverain mépris.* (STENDHAL, Le rouge et le noir, I, 9.)

● *Mais Lulu ne voyait toujours pas **où** l'autre voulait en venir.*
(M. DRUON, Les grandes familles, IV, 7.)

● *L'essentiel est de savoir **où** nous en sommes.*
(R. ROLLAND, Colas Breugnon, X.)

● *Où sont nos bagages ?* (E. LABICHE, Le voyage de Monsieur Perrichon, I, 2.)

AOÛT *n. m.*
[u]

huitième mois de l'année.

● *Dans deux ou trois siècles, Paris se transformera en désert, du mois d'**août** au mois d'octobre.* (ZOLA, Les Parisiens en villégiature.)

---

217. HOUP! *interj.*   sert à appeler, à exciter.
['up]

- *Houp! fit Sepp, en tirant Superniel à lui. Nous sommes arrivés.*
              (Antoine BLONDIN, L'Europe buissonnière, II, 2.)

    HOUPPE *n. f.*   touffe de duvet, de fils de soie, de laine...
    ['up]

- *Elle maniait les poudres, les pâtes, les crayons, les **houppes** et les brosses qui lui refaisaient une beauté de plâtre, quotidiennement fragile.*
              (MAUPASSANT, Fort comme la mort, II, 5.)

---

218. HUNE *n. f.*   plate-forme fixée sur un mât.
['yn]

- *Et moi, de grimper dans la **hune** qu'ébranlaient les rudes secousses produites par l'affreuse combinaison du roulis et du tangage.*
              (Édouard CORBIÈRE, Le négrier, I, 1.)

    UNE *féminin de « un » :*   adjectif numéral et indéfini.
    [yn]

- *À **une** ruine se rattachent quelques souvenirs d'**une** irréfragable authenticité.*
              (BALZAC, Autre étude de femme.)

- ***Une** à **une** les bouches se sont tues et toutes les figures, sans en avoir l'air, écoutent.*   (Henri BARBUSSE, L'enfer, II.)

---

219. HURE *n. f.*   tête de sanglier, de cochon
['yr]

- *On n'entendait plus que le souffle rauque de ces **hures** souillées de terre.*
              (Henri BOSCO, Le mas Théotime, VIII.)

- *... un panier de boudins au bras et la **hure** dans un autre.*
              (M. JOUHANDEAU, Galande, VIII.)

    EURENT *forme du verbe « avoir » :*   troisième personne du
    [yr]   pluriel du passé simple.

- *En rentrant chez eux, Bouvard et Pécuchet **eurent** les oreilles frappées par des voix de femmes.*   (FLAUBERT, Bouvard et Pécuchet, VI.)

- *Ils **eurent** peur d'être surpris, en restant si près de la Blancarde.*
              (ZOLA, Naïs Micoulin, III.)

I J

220. IL, ILS *pron. pers. masc. de la troisième personne.*
[il]

- *Si bien qu'avec un I majuscule,* **Il**, *c'est lui.* (E. ROSTAND, L'Aiglon, I, 10.)

- *Bénin rêva simplement qu'il dormait, et que l'heure du réveil était venue.* **Il** *rêva qu'il entendait la sonnerie ; il rêva qu'il se réveillait, frottait une allumette, allumait sa bougie, sautait à terre, et courait pieds nus vers la fontaine. Alors* **il** *se réveilla pour de bon ; et* **il** *se mit à faire réellement ce qu'il avait rêvé.*
  (J. ROMAINS, Les copains, II.)

- *Gilbert resta deux mois sans venir chez M*me *de Marsan, et pendant ces deux mois* **ils** *perdirent l'un et l'autre l'appétit et le sommeil.* (MUSSET, Emmeline.)

ÎLE *n. f.* étendue de terre entourée d'eau.
[il]

- *L'*île *n'est séparée de la côte africaine que par un canal dont la plus grande largeur n'excède pas trente milles.* (J. VERNE, Cinq semaines en ballon, XI.)

- *Robinson consacra les semaines qui suivirent à l'exploration méthodique de l'*île *et au recensement de ses ressources.*
  (M. TOURNIER, Vendredi ou les limbes du Pacifique, III.)

---

221. IMAGINAIRE *adj.* irréel, fictif.
[imaʒinɛr]

- *Je suis avare de rêveries, je conçois comme si j'exécutais. Jamais plus dans l'espace informe de mon âme je ne contemple de ces édifices* **imaginaires**, *qui sont aux édifices réels ce que les chimères et les gorgones sont aux véritables animaux.* (P. VALÉRY, Eupalinos ou l'architecte.)

IMAGINÈRENT *troisième personne du pluriel du passé simple du verbe « imaginer » :* inventer, concevoir.
[imaʒinɛr]

- *Au bout de la semaine, ils* **imaginèrent** *de fondre ces deux sujets en un seul.*
  (FLAUBERT, Bouvard et Pécuchet, V.)

113

222. INVENTAIRE *n. m.*   état détaillé, dénombrement.
[ɛ̃vɑ̃tɛr]

- *Dans le cas de liquidation des biens, l'**inventaire** terminé, les marchandises, les espèces, les valeurs mobilières, les effets de commerce et titres de créances, les livres et papiers, meubles et effets du débiteur, sont remis au syndic qui en prend charge au bas dudit **inventaire**.*
(Article 38 du décret du 22 décembre 1967 sur le règlement judiciaire.)

INVENTÈRENT   *troisième personne du pluriel du passé simple*
[ɛ̃vɑ̃tɛr]   *du verbe «inventer» :*
concevoir, imaginer.

- *Les frères Wright **inventèrent** le pilotage par gauchissement des ailes.*
(Encyclopédie de l'aviation, p. 41.)

---

223. JARRE *n. f.*   grand vase de terre cuite.
[ʒar]

- *Des **jarres** brunes, alignées sur des claires-voies, étaient pleines de lait jusqu'aux bords.* (FLAUBERT, Bouvard et Pécuchet, II.)

- *On y avait relégué de grandes **jarres** de terre, pleines d'objets hétéroclites, pour la plupart inutiles.* (M. AYMÉ, Uranus, 1.)

JARS *n. m.*   mâle de l'oie.
[ʒar]

- *Depuis longtemps le coq de la Marie-Baptiste et le **jars** de la Lanlire se cherchaient. Ce soir, ils se rencontrent ; lentes approches, les ailes servant de boucliers dont on se gifle, quand sournois le **jars** a saisi le cou du coq entre les palettes de son bec...* (M. JOUHANDEAU, Galande, IV.)

---

224. JETÉE *n. f.*   chaussée qui s'avance dans la mer pour proté-
[ʒəte]   ger l'entrée d'un port.

- *Il regarda vers la fenêtre... Au-delà des **jetées,** la baie créait le plus paisible des royaumes.* (H. QUEFFÉLEC, Laissez venir la mer, III, 1.)

JETER *v. tr.*   lancer.
[ʒəte]

- *Je l'ai vu **jeter** à la tête d'un maître d'hôtel un excellent poulet.*
(BAUDELAIRE, Le spleen de Paris, Le crépuscule du soir.)

- *Le chien Dick ne franchit presque jamais les portes de notre jardin... Si je le priais de sortir, il sortirait volontiers, au moins une demi-seconde, pour **jeter** un léger coup d'œil sur les espaces infinis de l'univers.*
(G. DUHAMEL, Fables de mon jardin, Cas de force majeure.)

---

225. JOUE *n. f.*   partie latérale du visage.
        [ʒu]

- *Il la saisit par les épaules et l'embrassa, moitié sur la bouche, moitié sur la*
  joue, *car il était trop ému pour viser.*
                              (G. SIMENON, Les demoiselles de Concarneau, V.)

- *La Maréchale, fraîche comme au sortir d'un bain, avait les* ***joues*** *roses, les*
  yeux brillants.   (FLAUBERT, L'éducation sentimentale, II, 1.)

JOUE, JOUES, JOUENT *formes du verbe «jouer»* :
        [ʒu]   s'amuser, se distraire.

- *Ceux qui* ***jouent*** *aux quilles sont en bras de chemise.*
                              (C. F. RAMUZ, Le domestique de campagne.)

JOUG *n. m.*   pièce de bois qui sert à atteler les bœufs;
        [ʒu]   contrainte, esclavage.

- *Sur la route de Barcelos, nous croisons des attelages de bœufs, qui nous*
  arrêtent par leur magnificence. Les bêtes, pourvues de cornes immenses qui
  leur donnent un air de préhistoire, portent sur l'encolure un ***joug*** *pareil au*
  pupitre d'un lutrin, long de toute la largeur du couple bovin et haut de soixante
  à soixante-dix centimètres.   (T'SERSTEVENS, L'itinéraire portugais, 18.)

- *Tandis que la majorité de la population acceptait le* ***joug*** *de l'occupant, une*
  poignée d'hommes de l'armée défaite, réfugiée dans la montagne, commençait
  contre les envahisseurs une lutte...   (MONTHERLANT, Le maître de Santiago, I, 4.)

---

226. LA art. fém. sing. et pron. pers. fém. sing.
[la]

● *D'un ouvrier à un artiste, **la** distance est infinie, comme celle de **la** nuit au jour.*　　　　　　　　　　　(H. TAINE, Voyage en Italie, La peinture florentine.)

● *Elle avait environ vingt-cinq ans, mais il fallait **la** considérer avec beaucoup d'attention pour ne pas **la** croire plus âgée.*　　　(MÉRIMÉE, Arsène Guillot, I.)

LA *n. m.*　　　note de la gamme.
[la]

● *Pour s'accorder, les musiciens donnent ou reçoivent le **la**.*　(LITTRÉ.)

LÀ *adv.*　　　marque le lieu.
[la]

● *Tous leurs efforts se tournaient de ce côté, comme s'ils devinaient que **là** était le péril.*
(V. HUGO, Réponse au discours de Sainte-Beuve, Académie Française, 27 février 1845.)

● *Bon gré, mal gré, il avait bien fallu en passer par **là**.*　(H. BAZIN, La hotte.)

---

227. LABEL *n. m.*　　　marque déposée, étiquette.
[labɛl]

● *Un tout nouveau **label** de qualité pour l'emmental traditionnel « grand cru ».*
(Les Échos, n° 12 793, p. 15.)

LABELLE *n. m.*　　　pétale de certaines fleurs.
[labɛl]

● *Il détache, à la base de l'épi, la fleur la plus ouverte, grosse comme un frelon, le casque rose, le **labelle** d'un brun presque noir.*　(R. VAILLAND, La fête, 1.)

---

228. LAC *n. m.*   étendue d'eau.

[lak]

● *La ville de Genève est située à la pointe occidentale du **lac** auquel elle a donné ou doit son nom.*   (Jules VERNE, Maître Zacharius, 1.)

● *Nous nous arrêtions dans de petits hôtels fleuris, au bord des rivières et des **lacs**.*   (A. MAUROIS, Climats, I, 5.)

LAQUE *n. m. et f.*   1. vernis, objet d'art enduit de vernis.

[lak]   2. substance résineuse, produit capillaire.

● *Cadre magnifique. Meubles de **laque** incrustés de nacre, sur lesquels volent des oiseaux d'or aux grandes ailes couleur de ciel.*
      (Maxime VUILLAUME, Mes cahiers rouges, Dîner chez Rachel.)

● *Le coiffeur... dut s'évertuer, pendant dix minutes, avec de la **laque**, à défaire une partie de son travail, à réduire en mèches plaquées sur le front les vagues qu'il avait ondulées.*   (R. VERCEL, Été indien, I.)

---

229. LACS *n. m.*   nœud coulant, piège.

[lɑ]

● *Des moineaux, plumes gonflées, sautillent à la recherche des miettes ou des graines éparses. Nous avons essayé d'en prendre avec des **lacs**.*
      (M. GENEVOIX, Les Éparges, II.)

LAS *adj. m.*   épuisé ; dégoûté.

[lɑ]

● *Il se sentit **las** comme après un long effort.*
      (Ph. HÉRIAT, Famille Boussardel, XIII.)

● *Bouvard en fut **las** le premier.*   (FLAUBERT, Bouvard et Pécuchet, V.)

---

230. LAI, E *adj.*   laïque ; « frère lai » : frère servant.

[lɛ]

● *L'étouffe-chrétien était une spécialité culinaire du lieutenant Cavatini, popotier du groupe, frère **lai** de cette collectivité théâtrale.*
      (A. LANOUX, Le commandant Watrin, III, 1.)

LAI *n. m.*   petit poème.

[lɛ]

● *Le **lai** de Marie de France, Eliduc, est peut-être l'illustration la plus réussie de ce thème de l'amour altruiste et désintéressé.*
      (Jean MARKALE, La femme celte, III, 4.)

LAID *adj. m.*   difforme, vilain ; bas, ignoble.
[lɛ]

- *Elle s'était promis de lui faire croire qu'il était disgracieux, **laid,** mal fait.*
(BALZAC, Béatrix, II, 1, 25.)

- *Tout cela était bête et **laid.*** (J. GUÉHENNO, Changer la vie.)

LAIE *n. f.*   femelle du sanglier.
[lɛ]

- *La maison du Gué-de-la-Chaîne, proche de la forêt, connut un jour de gloire lorsqu'une **laie** traversa la prairie poursuivie par les chiens des fermiers.*
(Françoise MALLET-JORIS, La maison de papier, p. 38.)

LAIT *n. m.*   liquide nourricier.
[lɛ]

- *Je ne me nourrissais que du **lait** de vaches dont nous savions le nom.*
(Jean GIRAUDOUX, Provinciales, I, 1.)

- *Maker lui prépare un jaune d'œuf battu dans du **lait** chaud sucré.*
(H. TROYAT, Grimbosq, 1.)

LES   *art. déf. plur. et pron. pers. plur.*
[lɛ] ou [le]

- *Il se targuait de connaître **les** hommes et se prétendait philosophe.*
(H. de RÉGNIER, La double maîtresse, II, 1.)

- *«* **Les** *médecins* **les** *plus célèbres, Messieurs, sont des hommes comme nous, qui ont des faiblesses comme nous. Je ne veux pas dire qu'on pourrait* **les** *corrompre. La réputation des illustres maîtres dont nous avons besoin* **les** *met à l'abri de tout soupçon de vénalité. Mais quel est l'homme qu'on ne peut gagner, en s'y prenant bien ? Il est aussi des femmes qu'on ne saurait acheter ! Celles-là, il faut* **les** *séduire. »* (MAUPASSANT, Mont-Oriol, I, 8.)

231. LARD *n. m.*   graisse de porc.
[lar]

- *Il plongeait la fourchette dans la marmite pour en retirer le morceau de **lard** gras un peu rance qui parfumait la soupe aux choux.*
(Ch. EXBRAYAT, Jules Matrat, I, 6.)

LARE *n. m.*   divinité protectrice du foyer, chez les Romains ;
[lar]   au pluriel : la maison familiale.

- *On invoque aussi le **lare,** dieu de la famille, les pénates, dieux pourvoyeurs de la nourriture quotidienne, et les mânes, âmes des ancêtres.*
(L. LAURAND, Institutions romaines, XI.)

- *Tout le peuple du faubourg, abandonnant ses **lares,** reflua vers la ville, à l'abri des murailles.* (R. ROLLAND, Colas Breugnon, II.)

232. LEST *n. m.*
[lɛst]
matières lourdes qui assurent la stabilité d'un navire, sacs de sable emportés par les aéronautes ; au figuré, «jeter du lest» : faire un sacrifice, une concession pour rétablir une situation compromise.

● *Le trois-mâts du capitaine Le Gac devait, d'Iquique, se rendre sur **lest** à San Francisco.* (R. VERCEL, Ceux de la Galatée, IX.)

● *Les deux cents livres de **lest** furent réparties dans cinquante sacs placés au fond de la nacelle, mais cependant à portée de la main.* (Jules VERNE, Cinq semaines en ballon, XI.)

● *Ce qui nous met dedans, ce sont nos prix. L'acheteur ne peut plus nous suivre ; à nous de jeter du **lest**.* (Arthur ADAMOV, Le ping-pong, 9e tableau.)

LESTE *adj.*
[lɛst]
agile, alerte ; grivois, licencieux.

● *Jean se souvenait d'avoir joué autrefois, dans cette cour même, avec une enfant d'une gaieté exubérante, plus vive et **leste** qu'un garçon.* (H. BORDEAUX, La peur de vivre, I, 4.)

● *Il y aura une gravure **leste** au mur, une bergère troussée, une servante basculée sur le lit qu'elle était en train de faire.* (Benoîte et Flora GROULT, Le féminin pluriel.)

LESTE, LESTES, LESTENT *formes du verbe «lester» :*
[lɛst]
charger, remplir.

● *Un roman a deux utilités... L'utilité matérielle, ce sont d'abord les quelque mille francs qui entrent dans la poche de l'auteur et le **lestent** de façon que le diable ou le vent ne l'emportent... L'utilité spirituelle est que, pendant qu'on lit des romans, on dort...* (Th. GAUTIER, Mademoiselle de Maupin, Préface.)

---

233. LEUR *pronom personnel et adjectif possessif (leur, leurs).*
[lœr]

● *Ils furent bien aises d'apprendre que **leur**, pronom, s'emploie pour les personnes, mais aussi pour les choses.* (FLAUBERT, Bouvard et Pécuchet, V.)

● ***Leur** prodigalité coutumière **leur** nuit aussi.* (C. FARRÈRE, Thomas l'Agnelet, II, 5.)

● *Les Français connaissent **leurs** champions, **leurs** vedettes, **leurs** assassins, mais pas **leurs** saints ; c'est le progrès.* (G. CESBRON, Ce siècle appelle au secours, Le calepin de l'Anglais.)

LEUR (le ou la), LEURS (les) *pronom possessif.*
[lœr]

● *Ma maison est plus luxueuse que la **leur**.* (F. MAURIAC, Le désert de l'amour, V.)

● *Quant aux trois autres, sous le prétexte de m'apprendre mon métier, ils se débarrassaient sur moi de toutes les corvées du **leur**.*
(J. GUÉHENNO, Changer la vie.)

LEURRE *n. m.*   appât factice, piège.
[lœr]

● *Une mouche artificielle, ce n'est qu'une petite touffe de poils brillants, huilée un peu pour qu'elle flotte; cela n'a pas de goût, on appelle ça un **leurre** : le chevesne l'a tôt recrachée; et vous pouvez tirer, il n'y est plus.*
(M. GENEVOIX, La boîte à pêche, III.)

● *Il sait que sa célébrité est un **leurre**.* (Valéry LARBAUD, Fermina Marquez, XVII.)

LEURRE, LEURRES, LEURRENT *formes du verbe « leurrer »* :
[lœr]   tromper, duper.

● *L'espérance anime le sage, et **leurre** le présomptueux et l'indolent, qui se reposent inconsidérablement sur ses promesses.*
(VAUVENARGUES, Réflexions et maximes, XIV.)

---

234. LICE *n. f.*   femelle d'un chien de chasse; champ clos;
[lis]   bordure d'une piste d'athlétisme.

● *La **lice** cette fois montre les dents.*
vers 11.)   (LA FONTAINE, La lice et sa compagne, II, 7.

● *Les juments suitées entraient en **lice** au rythme solennel de la pavane tandis que leurs jeunes poulains préféraient la cadence à trois temps.*
(Nicole AVRIL, Monsieur de Lyon, 8.)

● *Il assura tout de suite sa foulée, la développa le long du virage, penché vers la **lice**.*
(Y. GIBEAU, La ligne droite, XI.)

LIS ou LYS *n. m.*   fleur; emblème de la royauté en France.
[lis]

● *Renée avait assisté à mes fiançailles et avait envoyé à Odile ce jour-là une admirable corbeille de **lis** blancs.* (A. MAUROIS, Climats, I, 8.)

● *Dans un coin, au milieu d'un lot de vieilles armes, un sabre dont la coquille dorée porte un écusson fleurdelysé. Maître le saisit, tire la lame où, encadrée de nouvelles fleurs de **lys**, resplendit l'inscription : « Vive le Roi ! »*
(Maxime VUILLAUME, Mes cahiers rouges, Le bataillon du père Duchêne.)

LISSE *adj.*   qui ne présente aucune aspérité; uni, poli,
[lis]   doux.

● *Je me laisse glisser le long d'une corde **lisse** déroulée dans le puits.*
(Norbert CASTERET, En rampant, I, 1.)

● *Comme le temps n'est pas au beau fixe, Jean Rédélé a décidé de chausser les Alpine de pneus qui ne sont pas absolument **lisses**, mais ne sont pas non plus de vrais pneus de pluie.* (B. CLAVEL, Victoire au Mans, I, 11.)

● *La mer est **lisse** comme une jatte d'huile.*   (VIGNY, Laurette ou le cachet rouge.)

● *Sur toutes les photos, la jeune femme offre un visage **lisse**, illisible.*
(P. GUIMARD, L'ironie du sort, IV, 1.)

LISSE *n. f.*   rambarde.
[lis]

● *D'un seul coup d'épaule, le matelot, au passage, l'envoya rouler contre la* **lisse**.   (R. VERCEL, Ceux de la Galatée, II.)

LISSE, LISSES, LISSENT *formes du verbe « lisser » :*
[lis]   lustrer, unir.

● *Il **lisse** une moustache rousse qu'achèvent, héroïques, deux pointes gominées.*
(Brigitte FRIANG, Regarde-toi qui meurs, II, 4.)

---

235. LIE *n. f.*   dépôt, résidu.
[li]

● *Et, serrant dans sa main le verre où le vin nouveau avait laissé une doublure de **lie** mauve, il raconta sa visite au notaire.*
(G. BONHEUR, La croix de ma mère, I, 6.)

LIE, LIES, LIENT *formes du verbe « lier » :*
[li]   unir, associer, attacher.

● *Mais aucune parole ne nous **lie** au maître de ce bord.*
(J. VERNE, 20 000 lieues sous les mers, I, 10.)

LIS, LIT *formes du verbes « lire » :*
[li]   parcourir des yeux ce qui est écrit.

● *Si on s'imagine que je ne **lis** pas mes notes de téléphone, on se trompe !*
(Françoise MALLET-JORIS, La maison de papier, p. 162.)

● *Il est impossible de devenir très instruit, si on ne **lit** que ce qui plaît.*
(JOUBERT, Pensées.)

LIT *n. m.*   1. meuble sur lequel on s'étend.
[li]   2. chenal d'un cours d'eau.

● *Brisé de fatigue, je rentrai chez moi et je me jetai sur mon **lit**.*
(NERVAL, Aurélia.)

● *On va d'abord à plat sur la rive gauche du torrent coulant dans un **lit** très encaissé.*   (C. F. RAMUZ, La grande peur dans la montagne, II.)

---

236. LIEU *n. m.*   1. endroit, emplacement, place.
[ljø]   2. poisson.

- *Il y a des **lieux** qui tirent l'âme de sa léthargie, des **lieux** enveloppés, baignés de mystère, élus de toute éternité pour être le siège de l'émotion religieuse.*
(M. BARRÈS, La colline inspirée.)

- *Un banc de lançons, poursuivi par des **lieus** que poursuivaient des bélugas, se réfugiait dans les eaux du bord et se dissimulait dans le sable.*
(H. QUEFFÉLEC, Tempête sur Douarnenez, II, 4.)

- N. B. Lieux est le pluriel de lieu (endroit), lieus celui de lieu (poisson).

    LIEUE *n. f.*   mesure de distance.
    [ljø]

- *C'était une vieille chaumière isolée, à moins de deux **lieues** de la ville.*
(J. GUÉHENNO, Changer la vie.)

---

237. LIRE *v. tr.*   parcourir des yeux ce qui est écrit, prendre
[lir]   connaissance d'un livre, énoncer à haute voix.

- *Incapable de **lire** l'article jusqu'au dernier mot, Étienne froissa le journal en boule et... il le jeta par-dessus bord.*
(H. QUEFFÉLEC, Tempête sur Douarnenez, IV, 5.)

    LIRE *n. f.*   unité monétaire italienne.
    [lir]

- *Depuis le début de l'année, la Banque d'Italie a pesé de tout son poids sur les marchés des changes pour contrôler la montée de la **lire**.*
(Forum international, n° 33, p. 2.)

    LYRE *n. f.*   instrument de musique.
    [lir]

- *Alors, pour clore victorieusement le débat, Apollon se mit à chanter en s'accompagnant de la **lyre**.*
(M. MEUNIER, La légende dorée des dieux et des héros, I, 5.)

---

238. LISSER *v. tr.*   aplanir, lustrer.
[lise]

- *Il resta de longues minutes à s'admirer, à **lisser** le duvet blanc de ses tempes.*
(M. DRUON, Les grandes familles, V, 5.)

    LYCÉE *n. m.*   établissement d'enseignement secondaire.
    [lise]

- *Il était dans une vaste cour carrée qui lui rappela la cour du **lycée**.*
(Boris VIAN, L'herbe rouge, XXIII.)

---

239. LOCH *n. m.*   appareil qui mesure la vitesse d'un navire.
[lɔk]

● *Puis la brise fraîchit légèrement et le **loch** indiqua bientôt quatre nœuds et demi.*   (J.-Y. LE TOUMELIN, Kurun autour du monde, IV.)

LOQUE *n. f.*   vieux vêtement, guenille, lambeau ; personne molle.
[lɔk]

● *Les gardes amenèrent un homme égaré, hors de lui, tremblant, balbutiant, en **loques**.*   (ARAGON, La semaine sainte, XVI.)

● *Quand il rentre, haletant, fier de lui, dans la chaleur et la lumière, il lui semble qu'il échange des **loques** pesantes de boue et de pluie contre un vêtement neuf et léger.*   (Jules RENARD, Poil de carotte.)

● *Devant cette **loque** qu'était devenu son fils, le vieux Hafez se tut un instant pour réfléchir.*   (A. COSSERY, Les fainéants dans la vallée fertile, 15.)

---

240. LUI *pronom personnel de la 3ᵉ personne.*
[lɥi]

● *Quant à **lui**, il était résolu à ne point se marier.*
        (GOBINEAU, Akrivie Phrangopoulo.)

● *Chaque parole semblait **lui** coûter un effort pénible et user ce qui **lui** restait de forces.*   (MÉRIMÉE, Arsène Guillot, III.)

LUI, LUIS, LUIT *formes lu verbe « luire » :*   briller.
[lɥi]

● *La maison, sous sa devanture de marbre, **luit** dans l'air libre.*
        (H. TAINE, Voyage en Italie, Florence.)

---

241. LUT *n. m.*   enduit, mastic.
[lyt]

● *Boucher un vase avec du **lut**.*

LUTH *n. m.*   instrument de musique.
[lyt]

● *Cela représentait une femme assise sur un rocher, tenant à la main un **luth**.*   (Elsa TRIOLET, Le cheval blanc, I, 4.)

LUTTE *n. f.*   combat, affrontement.
[lyt]

- Il y eut un cri étouffé, le bruit d'une **lutte** rapide, d'un corps à corps. Puis, une lourde chute.   (J.-L. CURTIS, Les forêts de la nuit, III.)

- Le froid était de plus en plus vif et Joé proposa à ses partenaires un jeu de **lutte** à mains nues.   (Jean CAYROL, Histoire d'une prairie.)

LUTTE, LUTTES, LUTTENT *formes du verbe « lutter » :*
[lyt]   combattre.

- Ceux qui vivent, ce sont ceux qui **luttent**   (V. HUGO, Les châtiments, IV, 9.)

---

242. LUTER *v. tr.*   boucher.
[lyte]

- La vieille coque du cargo avait été en plusieurs endroits **lutée** avec du ciment.   (E. ROBLÈS, La croisière, XII.)

LUTTER *v. intr.*   combattre ; se débattre.
[lyte]

- Je n'en peux plus de **lutter** toute seule.   (ANOUILH, L'Alouette.)

- Fabien eut l'impression de **lutter** comme un homme qui veut remonter à la surface d'un fleuve où il est tombé.   (Julien GREEN, Si j'étais vous, I, 4.)

M N

243. MAI *n. m.*   cinquième mois de l'année.
[mɛ]

- *On était dans la première quinzaine du mois de* **mai** *1871, qui fut bien le plus beau mois de* **mai** *que la nature eût inventé.*
(M. VUILLAUME, Mes cahiers rouges, Dîner chez Rachel.)

MAIE *n. f.*   grand coffre à pieds.
[mɛ]

- *Sur la* **maie,** *Victoire et Clémentine préparaient le petit ballot du conscrit, quelques effets, quelques victuailles.*   (E. GUILLAUMIN, La vie d'un simple, 37.)

MAIS *adv. et conj.*   1. adv. joint au verbe « pouvoir » signi-
[mɛ]   fie : « plus, davantage ».
                                2. conj. exprime une restriction, une objection.

- *Pour se donner une contenance, Paillard secouait le mors de son bidet, qui n'en pouvait* **mais.**   (R. ROLLAND, Colas Breugnon, VII.)

- *Cela est noir sur blanc, cela est l'évidence,* **mais** *vous ne voulez pas le voir.*
(MONTHERLANT, Brocéliande, I, 2.)

MES   *adj. poss.*   pluriel de « mon, ma ».
[mɛ] ou [me]

- *Je passai dans ma chambre, enlevai* **mes** *chaussures et me jetai sur le divan.*
(G. DUHAMEL, Confession de minuit, VI.)

MET, METS *formes du verbe « mettre » :*   placer.
[mɛ]

- *Il a une habitude bien gênante aussi : il fait « chut » dès que vous voulez parler et vous* **met** *le doigt sur la bouche.*   (J. VALLÈS, Le bachelier, Les écoles.)

- *Allons, ma fille,* **mets** *cette redingote sur tes pieds.*
(VIGNY, Laurette ou le cachet rouge.)

METS *n. m.*   aliment, nourriture.
[mɛ]

- *Ce* **mets,** *cette croustade conçue avec tant de sagesse, nous offre un aliment d'où rayonne la vie.*   (H. BOSCO, Malicroix, Dromiols.)

125

- *Deux fois par jour, de chaque côté d'une table chargée de **mets,** une tradition familiale réunit ces diverses personnes.* (G. COURTELINE, La gourde, I.)

---

244. MAIL *n. m.*   promenade publique.
[maj]

- *Les mécréants, assis sur le mur du **mail** en face de l'église, regardent passer les dévots.* (M. JOUHANDEAU, Galande, II.)

- *...la longue et belle esplanade des fortifications qui semblent achevées d'hier avait été convertie en un **mail** ombragé d'ormes sous lesquels se plaisent les habitants.* (BALZAC, Béatrix, I, 1.)

MAILLE *n. f.*   1. nœud de tricot, de filet ; ouverture entre
[mαj]   plusieurs nœuds.

2. Ancienne monnaie de petite valeur ; « avoir maille à partir » : avoir un différend.

- *Ils marchaient comme on tricote, point à point, **maille** à **maille,** rangée à rangée.* (A. LANOUX, Quand la mer se retire, III, 7.)

- *Le grand carrelet à **mailles** prohibées est monté.* (B. CLAVEL, Pirates du Rhône, 3.)

- *Si vous aviez l'imprudence de suivre ce conseil, vous auriez rapidement **maille** à partir avec le conseil de l'ordre des médecins.* (Claudie BERT, dans Psychologie, n° 108, p. 17.)
N. B. L'homonymie n'est pas parfaite entre MAIL [maj] et MAILLE [mαj].

---

245. MAIN *n. f.*   partie du corps humain à l'extrémité du bras.
[mɛ̃]

- *Il se lève et vient à nous, la **main** en avant, le dos voûté.* (A. MALRAUX, Les conquérants, II.)

- *Je suis d'une grande maladresse manuelle et le déplore. Je serais meilleur si mes **mains** savaient travailler.* (Louis PAUWELS et Jacques BERGIER, Le matin des magiciens, Préface.)

MAINT *adj.*   au sing. : plus d'un ; au plur. : plusieurs.
[mɛ̃]

- *Une autre trahison des clercs est, depuis une vingtaine d'années, la position de **maint** d'entre eux à l'égard des changements successifs du monde, singulièrement de ses changements économiques.* (Julien BENDA, La trahison des clercs, Préface.)

- *Il arrivait, souvent après **maints** tâtonnements, à trouver le qualificatif juste.* (E. PEISSON, Le pilote, I.)

---

246. MAIRE *n. m.*　　magistrat élu par le conseil municipal pour
　[mɛr]　　　　　　　diriger une commune et la représenter.

● *Le **maire** présenta les clefs de la ville sur un plateau d'argent couvert de
lauriers.*　　　　　　　　(A. MAUROIS, Les silences du colonel Bramble, 21.)

● *Depuis le premier jour de la mobilisation, Jean-Pierre Chènereilles, **maire** de
Chervagne, ne quittait plus son écharpe.*　　(Ch. EXBRAYAT, Jules Matrat, I, 3.)

　　MER *n. f.*　　　vaste étendue d'eau salée.
　　[mɛr]

● *O'Fagerty longeait toujours, à quelques pas de distance, la **mer** tonnante, la
mer écumeuse et friable, couleur lait de vache et verre en fusion.*
　　　　　　　　　　　　　(H. QUEFFÉLEC, Laissez venir la mer, II, 2.)

● *Aucune différence avec les autres jours, sinon que c'était une marée de 115
et que la **mer** allait se retirer très loin, au-delà des bouchots.*
　　　　　　　　　　　　　(G. SIMENON, Le coup de vague, I.)

　　MÈRE *n. f.*　　　femme qui a eu un enfant.
　　[mɛr]

● *La nuit des temps est pleine de **mères** admirables, inconnues, ignorées,
entièrement inconscientes de leur grandeur, comme le fut ma **mère.***
　　　　　　　　　　　　　(Romain GARY, La nuit sera calme.)

● *À t'entendre, on croirait extraordinaire d'avoir une **mère.***
　　　　　　　　　　　　　(ARAGON, Les cloches de Bâle, 1.)

---

247. MAÎTRE *n. m.*　　celui qui commande, qui possède, qui
　[mɛtr]　　　　　　　enseigne.

● *Mais je n'aime pas qu'on se moque de moi. Je suis le **maître** ici.*
　　　　　　　　　　　　　(ANOUILH, L'Alouette.)

● *À quatre heures du matin, la voix du **maître** du château, appelant le valet de
chambre à l'entrée des voûtes séculaires, se faisait entendre comme la voix
du dernier fantôme de la nuit.*　　(CHATEAUBRIAND, Mémoires d'outre-tombe, III.)

● *Tant que le monde sera monde, voyez-vous, disait-elle, il y aura des **maîtres**
pour nous faire trotter et des domestiques pour faire leurs caprices.*
　　　　　　　　　　　　　(PROUST, Le côté de Guermantes.)

● *Mais c'est surtout par le caractère que je suis resté essentiellement l'élève de
mes anciens **maîtres.***　　(E. RENAN, Souvenirs d'enfance et de jeunesse, VI, 3.)

● *Les seuls **maîtres** auxquels Ferdinand se montrât docile, et même attaché,
étaient son **maître** d'armes et son **maître** de manège.*
　　　　　　　　　　　　　(Ph. HÉRIAT, Famille Boussardel, X.)

　　MÈTRE *n. m.*　　　unité de longueur.
　　[mɛtr]

● *Ils parcoururent ainsi une centaine de **mètres,** en courant tous les deux.*
　　　　　　　　　　　　　(SARTRE, Les chemins de la liberté, Le sursis.)

● *La falaise, au bout de ce vallon, dominait la mer de quatre-vingts **mètres**.*
(MAUPASSANT, Pierre et Jean, VI.)

METTRE *v. tr.*   placer.
[mɛtr]

● *— Alors que vas-tu faire de tes deux sous ?*
*— Les **mettre** dans ma tirelire jusqu'à ce qu'il y en ait assez pour prendre un livret de caisse d'Épargne.* (A. MAUROIS, Les silences du colonel Bramble, 11.)

---

248. MAKI *n. m.*   singe lémurien.
[maki]

● *Les **makis** qui approchent assez des singes à longue queue, qui, comme eux, ont des mains, mais dont le museau est beaucoup plus allongé et plus pointu...*
(BUFFON, cité dans LITTRÉ.)

MAQUIS *n. m.*   1. fourré, taillis ; au figuré : complication
[maki]   inextricable.

2. refuge de résistants pendant la Seconde Guerre mondiale ; ensemble de réfractaires.

● *Ils sortent d'un taillis qu'ils nomment **maquis**, armés jusqu'aux dents.*
(MÉRIMÉE, Colomba, I.)

● *Dans le **maquis** du droit français, nous nous mettons à la recherche d'une procédure.* (Que choisir ? n° 138, p. 10.)

● *Je me retourne et je reconnais le capitaine Giraud, chef d'un **maquis** de la forêt de Tronçais.* (RÉMY, La ligne de démarcation, XIV, 10.)

● *Il paraît que le **maquis** des Ginestes a intercepté un troupeau qui partait à la réquisition.* (J.-P. CHABROL, Un homme de trop, 3.)

---

249. MAL *n. m.*   1. ce qui est contraire au bien, à la vertu.
[mal]   2. maladie, douleur, souffrance.
3. calomnie, méchanceté.

● *La société ne peut pas se passer de la théorie du Bien et du **Mal**.*
(P. BOURGET, Le disciple, II.)

● *On ne guérit pas en cinq minutes un **mal** qu'on traîne depuis quarante ans.*
(J. ROMAINS, Knock, II, 4.)

● *Je suis bien, je ne sens même plus mon **mal**.*
(Albertine SARRAZIN, L'astragale, IV.)

● *On dit beaucoup de **mal** de lui, et pourtant...*
(M. PAGNOL, Les marchands de gloire, II, 2.)

MALLE *n. f.*   coffre, caisse.
[mal]

- *Je disais alors à Françoise de faire mes **malles**, puis aussitôt après de les défaire.*   (PROUST, Le côté de Guermantes.)

- *Les jours de pluie étaient des jours heureux... Je montais au grenier, je fouillais dans les grandes **malles** et je me déguisais avec des vieilles chemises de nuit aux cols de dentelle déchirée.*   (Régine DEFORGES, Blanche et Lucie.)

---

250. MANTE *n. f.*   manteau sans manche.
[mɑ̃t]

- *Bien qu'il fît beau soleil, elle gardait sur le tout sa lourde **mante** de drap noire, à capuche froncée.*   (M. VAN DER MEERSCH, Maria fille de Flandre, III.)

MENTE, MENTES, MENTENT *formes du verbe « mentir » :*
[mɑ̃t]   dire le contraire de la vérité.

- *Si les adultes pouvaient se mettre dans la tête qu'il est très bien que les enfants ne **mentent** pas, mais qu'il est sage de ne pas les questionner trop.*   (MONTHERLANT, Carnets, XXI.)

MENTHE *n. f.*   plante aromatique.
[mɑ̃t]

- *Nous en sommes au troisième verre de thé. Une poignée de **menthe** sauvage le parfume délicieusement.*   (R. FRISON-ROCHE, L'appel du Hoggar, 2.)

---

251. MARC *n. m.*   résidu de fruits pressés, de substances que
[mar]   l'on a fait bouillir ou infuser ; eau-de-vie.

- *C'était Bouvard qui fouettait le cheval et Pécuchet, monté dans l'auge, retournait le **marc** avec une pelle.*   (FLAUBERT, Bouvard et Pécuchet, II.)

- *Tout d'un coup le café qui se mit à couler bruyamment lui fit lever la tête. C'était ce louchon d'Augustine qui venait de pratiquer un trou au milieu du **marc**, en enfonçant une cuiller dans le filtre.*   (ZOLA, L'assommoir, 6.)

- *Une gourde de vin et une fiole de **marc** complétaient les provisions de route.*   (H. TROYAT, La neige en deuil, 5.)

MARE *n. f.*   petite nappe d'eau ; flaque.
[mar]

- *Dans une **mare**, des grenouilles en chœur coassaient un hymne au printemps.*   (M. GENEVOIX, Le jardin dans l'île, III, 3.)

- *Dans le parc, je courus de toutes mes forces, tantôt sur la pelouse humide, tantôt le long des allées où la pluie avait formé des **mares**.*   (Julien GREEN, Le visionnaire, II.)

MARRE *adv.*   dans l'expression « en avoir marre » : en avoir
[mar]   assez, être excédé.

● *Mais, tu n'en a pas **marre,** toi, depuis quinze ou vingt ans que tu trimes pour
rien !*   (Jean CARRIÈRE, L'épervier de Maheux, II.)

---

252. MARCHAND *n. m.*   commerçant, détaillant, boutiquier.
[marʃɑ̃]

● *La nouveauté pour Patrice ce sont les magasins de style campagne —
marchands de graines, de herses, de licols et de fouets — devant lesquels
s'arrêtent des tacots crottés.*   (F. NOURISSIER, Une histoire française.)

● *Jérôme Crainquebille, **marchand** des quatre-saisons, allait par la ville, poussant sa petite voiture et criant : des choux, des navets, des carottes !*
                                           (A. FRANCE, Crainquebille, II.)

MARCHANT *participe présent du verbe « marcher » :* se
[marʃɑ̃]   mouvoir.

● *La marche a quelque chose qui anime et avive mes idées... La vue de la
campagne, la succession des aspects agréables, le grand air, le grand appétit,
la bonne santé que je gagne en **marchant...** tout cela dégage mon âme.*
                                     (J.-J. ROUSSEAU, Les Confessions, IV.)

---

253. MARCHÉ *n. m.*   lieu où l'on achète ou vend des marchan-
[marʃe]   dises ; convention, contrat, achat, vente.

● *Pourtant, dehors, au lieu de gagner directement, par la rue du Temple, le
marché des bestiaux, qui se tenait sur la place Saint-Georges, le garçon et les
deux filles s'arrêtèrent, flânèrent le long de la rue Grande, parmi les mar-
chandes de légumes et de fruits, installées aux deux bords.*
                                           (ZOLA, La terre, II, 6.)

● *Les faits font voir, par mille exemples, que les **marchés** ne se font point du
tout selon la justice, mais toujours selon la force ; que le débat sur le prix est
comme une guerre, où chacun cherche à tromper l'autre.*
                                     (ALAIN, Propos d'un Normand, III, 70.)

● *Le **marché** des loisirs et du plein air est en forte croissance.*
                                     (Forum international, n° 33, p. 4.)

● *La tension des taux sur le **marché** monétaire ne laisse pas présager un arrêt
de la baisse.*   (La lettre recommandée, n° 70, p. 5.)

MARCHER *v. intr.*   aller d'un lieu à un autre, se mouvoir.
[marʃe]

● *Je l'entendis **marcher** de long en large pendant des heures.*
                                     (Patrick MODIANO, Les boulevards de ceinture.)

● *On n'a jamais employé tant d'esprit à vouloir nous rendre bêtes. Il prend envie
de **marcher** à quatre pattes quand on lit votre ouvrage.*
                                     (VOLTAIRE, Lettre à Rousseau.)

---

254. MARI *n. m.*   époux, conjoint.
[mari]

● — «*Vous bâillez*» *disait une femme à son* **mari.** — *Ma chère amie, lui dit celui-ci, le* **mari** *et la femme ne sont qu'un, et quand je suis seul, je m'ennuie.*
(CHAMFORT, Produits de la civilisation perfectionnée, 4.)

MARIE, MARIES, MARIENT *formes du verbe* «*marier*» :
[mari]   unir un homme et une femme par le lien conjugal ; associer.

● *Je sais, il y a des femmes qui se* **marient** *tard, à trente ans et plus.*
(M. AYMÉ, En attendant.)

● *Le style (de la maison des Picolet)* **marie** *la religion de la pointe (aigu du toit), de l'ornement (frises de céramique, pignons, décrochements artistiques) et du fer (persiennes, marquise, grilles).*   (F. NOURISSIER, Une histoire française.)

MARRI, E *adj.*   attristé, contrarié.
[mari]

● *J'en suis bien* **marri,** *Monsieur, dis-je et lui faisant un petit salut, je tournai les talons et quittai la place, assez navré de ces dures paroles.*
(R. MERLE, En nos vertes années, XII.)

● *Elle se moque de vous, Tournez-lui les talons et partez, tous les deux. Elle en sera bien* **marrie.**   (R. ROLLAND, Colas Breugnon, V.)

---

255. MARK *n. m.*   unité monétaire allemande.
[mark]

● *Mais le dollar restera-t-il fort contre le* **mark ?**   (Forum international, n° 33, p.2.)

MARQUE *n. f.*   empreinte, signe ; label.
[mark]

● *Il a fait ce soir la maudite* **marque** *blanche à la petite porte du jardin.*
(BALZAC, Vautrin, V, 1.)

● *Assurément, elle trouvait choquant de voir affichée, comme une* **marque** *de soutien-gorge, cette vie spirituelle...*   (R. VERCEL, Été indien, VI.)

MARQUE, MARQUES, MARQUENT *formes du verbe* «*mar-*
[mark]   *quer*» :
                                        faire ou laisser une trace ; inscrire ; montrer.

● *Il se méfiait des terres meubles, où le pied* **marque,** *suivait les talus herbeux.*
(M. GENEVOIX, Raboliot, I, 3.)

● *Il faut que nous ayons un témoin de notre force : quelqu'un qui* **marque** *les coups, qui compte les points.*   (F. MAURIAC, Le nœud de vipères, I, 6.)

● *Avant d'entrer, il **marque** un temps d'hésitation.*
(P. MODIANO, Les boulevards de ceinture.)

---

256. MAROCAIN *adj. et n. m.*   du Maroc.
[marɔkɛ̃]

● *Les 180 participants ont été particulièrement choyés par leurs hôtes **marocains**.* (L'Écho touristique, 29 janvier 1979, p. 9.)

MAROQUIN *n. m.*   peau de chèvre tannée.
[marɔkɛ̃]

● *M. Lerond tira à lui successivement plusieurs volumes, des in-octavo, des in-quarto, des in-folio, reliés en veau marbre, en veau racine, en veau granit, en parchemin, en **maroquin** rouge ou bleu.* (A. FRANCE, L'anneau d'améthyste, II.)

---

257. MARTYR, E *n. et adj.*   personne qui souffre ou qui meurt
[martir]   pour une religion, une cause, une idée.

● *Le nom d'Antoine Desvrières, émergeant du lot des **martyrs** anonymes, devint le symbole même de la Résistance.* (P. GUIMARD, L'ironie du sort, II, 1.)

● *Ce rôle de **martyr**, Toussaint l'accepta, mieux, alla au-devant de lui.* (Aimé CÉSAIRE, Toussaint Louverture, III, 15.)

MARTYRE *n. m.*   supplice; grande douleur physique ou
[martir]   morale.

● *L'électro-choc, un **martyre**, Monsieur. C'est pire que le **martyre**.* (M. JOUHANDEAU, Galande, XI.)

● *En voilà une qui a souffert! Quelle dignité dans son **martyre**!* (F. MAURIAC, Le désert de l'amour, VI.)

---

258. MAURE *adj. et n. m.*   du nord de l'Afrique.
[mɔr]

● *Ce qu'on appelle le café **maure** est comme le salon de réception des châtelains arabes.* (A. DAUDET, Contes du Lundi, un décoré du 15 août.)

MORD, MORDS *formes du verbe «mordre»:*
[mɔr]   serrer, en entamant, avec les dents.

● *Un grand chien saute vers moi en aboyant... l'animal me poursuit, il bondit et me **mord** la cuisse.* (Michel MOHRT, La maison du père, p. 31.)

*Sa femme et sa fille me bourraient de larges tartines de pain beurré et de café au lait. C'est à cause d'elles... que je **mords** encore de façon si consternante dans de grandes tartines, le matin.* (Brigitte FRIANG, Regarde-toi qui meurs, I, 1.)

MORS *n. m.*
[mɔr]

1. pièce de fer mise dans la bouche d'un cheval et reliée aux guides.
2. partie d'un étau, d'un mandrin.

*Puis, avec leurs crissements de cuir et leurs **mors** baveux, leurs éperons, leurs mousquetons en bandoulière, leurs sabres, leurs sangles blanches, passèrent les escadrons.* (M. DRUON, Les grandes familles, III, 8.)

*Le serrage des pièces peut être obtenu par déplacement radial de deux, trois ou quatre **mors**.* (A. CAMPA, Le tournage.)

MORT
[mɔr]

1. *n. f.* décès, disparition.
2. *n. m.* défunt.
3. *adj.* être qui a cessé de vivre;
chose dépourvue de vie.

*Par deux fois il avait échappé miraculeusement à la **mort**.* (L. GUILLOUX, Le sang noir, p. 255.)

*Mais l'idée du péril, de la **mort**, ne l'effleurait même point.* (J. KESSEL, L'équipage, II.)

*L'adieu à un **mort** est une chose inimaginable si on ne l'a pas vécu, rien ne peut en rendre compte.* (Anne PHILIPE, Le temps d'un soupir, XI.)

*Heureux ceux qui sont **morts** d'une **mort** solennelle.* (Charles PÉGUY, Ève.)

*Hier, il a charrié un gros tas de bois **mort**, tronc par tronc, sur son dos.* (B. CLAVEL, Pirates du Rhône, 19.)

---

259. MESS *n. m.*
[mɛs]

salle où les officiers ou sous-officiers se réunissent pour prendre leurs repas.

*La maison qui abritait notre **mess** faisait face à la mienne, par-delà une étroite ruelle caillouteuse.* (VERCORS, Le silence de la mer, Préface.)

MESSE *n. f.*
[mɛs]

office religieux.

*Les dimanches, quand il faisait beau, j'allais à la **messe** à Assens à deux lieues de Lausanne.* (J.-J. ROUSSEAU, Les confessions, IV.)

*On avait constaté sa présence à la **messe** de minuit, la nuit de Noël.* (M. JOUHANDEAU, Galande, IX.)

---

260. MI *adj. et adv.*   demi, à moitié.
[mi]

● *Les paupières **mi**-closes, il demeurait là, incapable d'un geste.*
(B. CLAVEL, Le seigneur du fleuve, II.)

● *Boussardel, **mi**-rieur, **mi**-sérieux, entre ses deux fils, gardait les lèvres closes.*
(Ph. HÉRIAT, Famille Boussardel, XIV.)

MI *n. m.*   note de musique.
[mi]

● *Lui aussi en est à Chopin, et le concerto en **mi** bémol.*
(F. NOURISSIER, Le maître de maison.)

MIE *n. f.*   1. partie intérieure du pain.
[mi]   2. femme aimée.

● *Mme de la Monnerie préleva dans le cœur du pain une boule de **mie**, la pétrit longuement.*
(M. DRUON, Les grandes familles, III, 6.)

● *Quand la charpente fut montée, Le Lorrain y planta un gros bouquet de coquelicots avec des rubans comme pour un palais; et puis il épousa sa **mie**.*
(LA VARENDE, Un meurtrier.)

MIS, MIT, MÎT *formes du verbe « mettre » :*   placer.
[mi]

● *Julien s'accroupit dans l'herbe, **mit** sa figure dans ses mains.*
(J. CARRIÈRE, Les aires de Comeizas, p. 229.)

● *Sa blessure le **mit** longtemps dans un très grand danger; il guérit enfin.*
(Madame de TENCIN, Mémoires du comte de Comminges.)

---

261. MIRE *n. f.*   but, cible; action de viser.
[mir]

● *En quelque endroit que vous soyez à la campagne, et quand vous vous y croyez seul, vous êtes le point de **mire** de deux yeux couverts d'un bonnet de coton; un ouvrier quitte sa houe, un vigneron relève son dos voûté, une petite gardeuse de chèvres, de vaches ou de moutons grimpe dans un saule pour vous espionner.* (BALZAC, Les paysans, I, 1.)

MIRENT *troisième personne du pluriel du passé simple du* [mir] *verbe « mettre ».*

● *Les idées de Mme de Fombert et de Mme Destrées furent bientôt connues et **mirent** les deux femmes en opposition : chacune décriait les intentions de l'autre. La ville fut divisée en deux partis.* (J. de LACRETELLE, La Bonifas, II, 6.)

MIRE, MIRES, MIRENT *formes du verbe « mirer » :*
[mir]   regarder avec attention.

● *Ce qui est beau, c'est de chasser le mulet. Tu t'agenouilles sur le sable, tu* **mires** *bien le rouleau qui s'abat, les mulets aiment à y faire du surf.*
(H. QUEFFÉLEC, Laissez venir la mer, II, 3.)

MYRRHE *n. f.*   gomme-résine aromatique.
[mir]

● *La commémoration des trois voyageurs du désert, porteurs de l'or, de l'encens, de la* **myrrhe,** *est une vraie fête.*   (G. BONHEUR, La croix de ma mère, II, 9.)

---

262. MITE *n. f.*   larve des teignes qui ronge les étoffes.
[mit]

● *Évidemment, les* **mites** *avaient eu le temps de le dévorer, son pardessus marron.*   (H. BAZIN, Souvenirs d'un amnésique.)

MYTHE *n. m.*   récit fabuleux, création imaginaire ; image
[mit]   amplifiée d'un personnage, d'un événement.

● *Les* **mythes** *transcendent la réalité et deviennent l'expression la plus pure des structures idéales de la pensée d'un peuple.*
(Jean MARKALE, La femme celte, Introduction.)

● *Gandhi est un* **mythe,** *voilà la vérité.*   (A. MALRAUX, Les conquérants, I.)

---

263. MOI *pronom personnel de la 1re personne du singulier.*
[mwa]

● *Mes affaires ne regardent que* **moi.**   (M. PAGNOL, La femme du boulanger.)

MOIS *n. m.*   une des douze divisions de l'année.
[mwa]

● *J'ai suivi les événements pendant dix ans,* **mois** *par* **mois***, en observant l'évolution des faits.*   (A. SAUVY, L'expansion, n° 126, p. 129.)

---

264. MON *adjectif possessif de la 1re personne du singulier.*
[mɔ̃]

● **Mon** *père avait hérité d'une affaire prospère que* **mon** *grand-père avait fondée et qui lui avait rapporté quelque bien.* (Michel MOHRT, La maison du père, p. 20.)

MONT *n. m.*   hauteur, montagne.
[mɔ̃]

- *À la sortie du village, au débouché du vallon, s'élevait en effet une haute butte, presque un **mont**, qu'ils gravirent sous un ardent soleil en suivant un petit sentier entre les vignes.*   (MAUPASSANT, Mont-Oriol, I, 2.)

---

265. MOT *n. m.*   terme d'une langue ; parole.
[mo]

- *Mais le dictionnaire seul peut avoir raison pour ce qui concerne l'usage des **mots** qu'il est permis d'employer.*   (Édouard CORBIÈRE, Le négrier, I, 3.)

- *Il fit son travail comme d'habitude, corrigeant quelques erreurs, remplaçant certains **mots** par d'autres plus suggestifs.*   (P. BOULLE, William Conrad, III, 2.)

- *Il sentit qu'elle attendait tout naturellement quelques **mots** d'explication.*   (J. ROMAINS, Les travaux et les joies, IV.)

MAUX *n. m.*   pluriel de « mal ».
[mo]

- *Elle avait une grosse fièvre et d'affreux **maux** de tête.*   (Simone de BEAUVOIR, Mémoires d'une jeune fille rangée, IV.)

- *Et l'important, bien sûr, ce n'est pas tellement les **maux** dont nous souffrons, c'est l'imagination que nous en avons.*   (R. MERLE, Madrapour, XIV.)

---

266. MOU *adj. m.*   tendre ; assourdi ; indolent, nonchalant, faible.
[mu]

- *Le ministre prit dans un tiroir de son bureau une boîte de caramels **mous**, et la tendit à la ronde.*   (A. MALRAUX, La condition humaine, VII.)

- *Une drague fonctionnait à trois cents mètres de la côte, ramenant du sable qui retombait avec un bruit **mou** dans les chalands.*   (G. SIMENON, Les demoiselles de Concarneau, II.)

- *Il était si **mou**, si indulgent.*   (A. BILLY, L'approbaniste, VII.)

MOU *n. m.*   1. poumon des animaux de boucherie.
[mu]   2. souplesse (d'une corde).

- *Brave bête de chatte... et si déchaînée sur le **mou** qu'elle engouffrait sa livre en trois coups de dents.*   (H. BAZIN, Mansarde à louer.)

- *Les drisses, les cargues avaient pris du **mou** et battaient le long des mâts.*   (R. VERCEL, Ceux de la Galatée, VI.)

136

MOUD, MOUDS *formes du verbe «moudre»* :
[mu]   broyer, réduire en poudre.

● *Renoul reçoit tous les mois, de sa mère, des provisions de moka en grain qu'on*
moud *à tour de rôle.*   (Jules VALLÈS, Le bachelier, La maison Renoul.)

MOUE *n. f.*   grimace.
[mu]

● *Il attendit vainement un cri de colère, une protestation, ou même une* **moue**
de dépit.   (G. BERNANOS, Sous le soleil de Satan, Histoire de Mouchette, IV.)

MOÛT *n. m.*   jus non fermenté de certains fruits (raisin,
[mu]   pomme, poire, etc.).

● *Il était devenu violet comme un* **moût** *de cassis.*
(H. VINCENOT, Le pape des escargots, I, 4.)

● *Les bouteilles de Chablis, coupées de* **moût,** *éclatèrent d'elles-mêmes.*
(FLAUBERT, Bouvard et Pécuchet, II.)

---

267. MUR *n. m.*   ouvrage de maçonnerie.
[myr]

● *Va prendre des briques sous la remise et apportes-en assez pour murer la*
porte de ce cabinet ; tu te serviras du plâtre qui me reste pour enduire le **mur.**
(BALZAC, Autre étude de femme.)

● *Les* **murs** *étaient tendus d'un papier peint aux dominantes roses, imitation des*
toiles de Jouy.   (Patrick MODIANO, Les boulevards de ceinture.)

● *Les deux amis s'assirent sur un* **mur** *bas, au soleil*
(Charles EXBRAYAT, Jules Matrat, I, 3.)

MÛR, E *adj.*   1. parvenu à maturité ; qui a atteint son plein
[myr]   développement.
        2. «mûre réflexion» : examen long et minu-
        tieux.

● *Une guêpe insistait, attirée par une odeur de fruits* **mûrs.**
(A. LANOUX, Quand la mer se retire, I, 3.)

● *Ses cheveux étaient fins, couleur de mirabelle à peine* **mûre.**
(Clara MALRAUX, Nos vingt ans, I.)

● *Un peu plus tôt, un peu plus tard, le moment vient toujours où l'homme* **mûr**
réinvente sa vie.   (M. GENEVOIX, Images pour un jardin sans murs, II.)

● *Caroline épousera monsieur Louis Guérin ; je ne me suis pas décidé sans de*
mûres *réflexions sur le choix de mon gendre.*
(BALZAC, L'école des ménages, II, 5.)

MÛRE *n. f.*   fruit du mûrier, de la ronce.
[myr]

● *Il y avait dans les buissons des* **mûres** *que je cueillis au passage.*
(P. BENOÎT, Boissière, III.)

- *Je ne connais pas de besogne plus philosophique que celle de manger des mûres le long des sentiers. C'est là tout un apprentissage de la vie.*
  (ZOLA, Aventures du grand Sidoine et du petit Médéric, VI.)

---

268. MUSÉE *n. m.*   lieu public où sont exposées des œuvres
[myze]   d'art.

- *Il y a dans le monde, et même dans le monde des artistes, des gens qui vont au **musée** du Louvre, passent rapidement, et sans leur accorder un regard devant une foule de tableaux très intéressants, quoique de second ordre, et se plantent rêveurs devant un Titien ou un Raphaël... puis sortent satisfaits, plus d'un se disant : « Je connais mon **musée.** »*
  (BAUDELAIRE, Curiosités esthétiques.)

  MUSER *v. intr.*   s'attarder, perdre son temps.
  [myze]

- *Peu occupé par sa charge, il passait son temps à **muser** dans les rues, à la poste, à la maison commune, en parlant à tout le monde de n'importe quoi.*
  (P.-H. SIMON, Les hommes ne veulent pas mourir, Prologue.)

---

269. NÉ, E *adj.*   venu(e) au monde.
[ne]

- *Il était **né** et croyait tous les hommes **nés** pour le bonheur.*
  (J. GUÉHENNO, Changer la vie.)

  NEZ *n. m.*   organe de l'odorat, partie saillante du visage.
  [ne]

- *Peut-on raisonner de même façon, lorsqu'on a le **nez** petit et retroussé, ou un grand **nez** bourbonien ?*   (M. TOESCA, Simone ou le bonheur conjugal, I, 2.)

---

270. NI *conjonction de coordination à valeur négative.*
[ni]

- *De la puissance, il ne souhaitait **ni** argent, **ni** considération, **ni** respect : rien qu'elle-même.*   (A. MALRAUX, Les conquérants, I.)

- *Mais il n'y avait **ni** enfants, **ni** femmes, **ni** hommes, **ni** bruit de voix, **ni** bruit de scie, **ni** cris de poule.*   (C. F. RAMUZ, La grande peur dans la montagne, VII.)

138

NID *n. m.*
[ni]
endroit où les oiseaux déposent leurs œufs, les couvent et élèvent leurs petits ; abri, demeure.

● *C'était tout seul, au fond d'un vaste **nid**, un moineau abandonné.*
(GIRAUDOUX, Provinciales, Le petit duc, I.)

● *Des passereaux dans leurs **nids** pépiaient sous le toit du moulin.*
(M. GENEVOIX, Le jardin dans l'île, III, 3.)

NIE, NIES, NIENT *formes du verbe «nier»* :
[ni]
contester, démentir.

● *Ils me pressent de questions et comme je **nie** toujours, ils appellent deux nouveaux membres de la Gestapo.* (Gilles PERRAULT, La longue traque, p. 569.)

● *Grotius **nie** que tout pouvoir humain soit établi en faveur de ceux qui sont gouvernés.* (J.-J. ROUSSEAU, Le contrat social, II.)

---

271. NOM *n. m.*
[nõ]
mot qui désigne une personne ou une chose.

● *Je vais tout à l'heure donner un faux **nom**. Comment vais-je m'appeler ? Un **nom** bien bourgeois qui n'éveille aucun soupçon. Et je songe au **nom** d'un camarade de collège, qui se présente à mon esprit : Langlois.*
(Maxime VUILLAUME, Mes cahiers rouges, Une journée à la Cour martiale du Luxembourg, II.)

NON *adverbe de négation.*
[nõ]

● *Ne me faites pas dire ce que je ne dis pas. **Non**, monsieur, **non**, vous n'avez pas absolument une tête de scélérat. **Non**.*
(M. PAGNOL, La femme du boulanger.)

● *Elle répondait à peine, seulement par oui ou **non**, et le plus souvent par un signe.* (LA VARENDE, Marie-Bourgogne.)

---

272. NOUE *n. f.*
[nu]
terrain frais ou marécageux.

● *Une **noue** marneuse où dormait une nappe d'eau immobile s'achevait par une saignée de sable blond que couvrait un velours de graminées.*
(M. TOURNIER, Vendredi ou les limbes du Pacifique, VIII.)

NOUE, NOUES, NOUENT *formes du verbe «nouer»* :
[nu]
attacher, lier.

● *Elle **noue**, sous le col de mes costumes marins, le foulard de soie noire en forme de cravate.* (Michel MOHRT, La maison du père, p. 22.)

NOUS *pronom personnel de la première personne du pluriel.*
[nu]

- *Nous sommes en relation magique avec l'univers, mais nous l'avons oublié.*
  (Louis PAUWELS et Jacques BERGIER, Le matin des magiciens, II, 7.)

- *Il y a un moment, dans les séparations, où la personne aimée n'est déjà plus avec nous.*
  (FLAUBERT, L'éducation sentimentale, III, 6.)

---

273. NU, E *adj.*   dévêtu, peu vêtu ; aride, austère.
[ny]

- *Même en hiver, elle avait les pieds nus dans des sandales de cuir trop larges.*
  (Valéry LARBAUD, Rachel Frutiger.)

- *Elle allait, gorge nue et bras nus, gaillardement troussée.*
  (R. ROLLAND, Colas Breugnon, IV.)

- *Les arbres, les arbrisseaux, les plantes sont la parure et le vêtement de la terre. Rien n'est si triste que l'aspect d'une campagne nue et pelée qui n'étale aux yeux que des pierres, du limon et des sables.*
  (J.-J. ROUSSEAU, Les rêveries du promeneur solitaire, Septième promenade.)

NUE *n. f.*   1. nuage ; ciel, firmament.
[ny]   2. « porter aux nues » : louer extrêmement.

- *Les nues grises et violacées pendent lourdement sur le ciel.*
  (H. TAINE, Voyage en Italie, I.)

- *Des platanes élèvent dans la nue leur ramure encore dépouillée.*
  (M. GENEVOIX, La boîte à pêche, XII.)

- *En 1868, il exposa sa « Cléopâtre » et fut en quelques jours porté aux nues par la critique et le public.* (MAUPASSANT, Fort comme la mort, I, 1.)

---

274. NUI, NUIS, NUIT *formes du verbe « nuire » :*   faire du tort.
[nɥi]

- *Ainsi ce qui nous a servi d'un côté nous a extrêmement nui de l'autre.*
  (VOLTAIRE, Lettre à M. Damilaville.)

NUIT *n. f.*   espace de temps entre le coucher et le lever du
[nɥi]   soleil, obscurité.

- *Il vaut mieux que je parte avant la nuit.*
  (A. MAUROIS, Les silences du colonel Bramble, 7.)

- *Il est neuf heures et nuit close quand nous arrivons aux carrières de la Limoise.* (Pierre LOTI, Journal intime.)

- *Puis venait l'heure du coucher, où l'on se quittait, heureux, réchauffé par la présence, l'amitié des autres qui faisaient paraître la nuit moins noire et la perspective du lendemain moins dure.* (Régine DEFORGES, Blanche et Lucie.)

275. OCCIDENT *n. m.*
[ɔksidɑ̃]
côté de l'horizon où le soleil se couche ; partie ouest de l'Europe ; ensemble des États du pacte de l'Atlantique Nord.

- *Amis, partageons-nous. Qu'Ismaël en sa garde*
  Prenne tout le côté que l'orient regarde ;
  Vous, le côté de l'ourse ; et vous, de l'occident ;
  Vous, le midi. (RACINE, Athalie, IV, 5.)

- *La notion du « sage » n'existe plus aujourd'hui en **Occident**.*
  (MONTHERLANT, Carnets, XXXIII.)

- *Les chefs d'État des sept principaux pays de l'**Occident** examinent les conséquences de la forte hausse des prix du pétrole décidée à Genève.*
  (Le Monde, 29 juin 1979, p. 1.)

OXYDANT *adj. et n. m.*
[ɔksidɑ̃]
qui transforme en oxyde.

- *Certaines oxydo-réductions consistent dans un transfert d'électrons du réducteur sur l'**oxydant**... Dans ces réactions, le réducteur s'oxyde en cédant des électrons ; l'**oxydant** est réduit du fait qu'il accepte les électrons cédés par le réducteur.* (CESSAC et TRÉHERNE, Chimie, Les réactions d'oxydo-réductions.)

---

276. ON *pronom personnel indéfini.*
[ɔ̃]

- *Tant qu'**on** a des projets, tant qu'**on** prend plaisir à ce qu'**on** fait, **on** est jeune.*
  (Jean-Louis CURTIS, La quarantaine.)

- ***On** ne fait pas ce qu'**on** veut, quand **on** n'est pas riches.*
  (C. F. RAMUZ, La grande peur dans la montagne, III.)

ONT *forme du verbe « avoir ».*
[ɔ̃]

- *Il y a des hommes qui, la première fois en une année qu'ils **ont** une détente, qu'ils prennent un moment de repos et d'insouciance, **ont** l'impression dramatique qu'ils **ont** lâché les commandes, que tout est perdu.*
  (MONTHERLANT, Carnets, XIX.)

- *Les garçons **ont** fini par me traîner jusqu'à la baignoire. Malgré les supplications d'Alison, ils **ont** fait couler de l'eau froide, et ils m'**ont** jeté dedans, tout habillé.* (Christine de RIVOYRE, Le voyage à l'envers, II.)

---

277. OUBLI *n. m.*   amnésie, perte du souvenir; omission.
[ubli]

- *Je ne me représentais vraiment pas ainsi le temple de l'**oubli**.*
(GIRAUDOUX, Siegfried, II, 1.)

- *Et puis, notre exil allait être de si courte durée. Le temps d'oublier. En y repensant, il me semble bien que moi, du moins, j'étais sur la route d'un **oubli**, seulement voilà, il ne s'agissait pas du tout de celui qu'il fallait.*
(Marie-Thérèse HUMBERT, À l'autre bout de moi, 11.)

- *Si Napoléon, en ce moment-là même, eût songé à son infanterie, il eût gagné la bataille. Cet **oubli** fut sa grande faute fatale.*
(Victor HUGO, Les misérables, II, 1.)

OUBLIE *n. f.*   sorte de pâtisserie.
[ubli]

- *Je vis que les petites filles convoitaient fort les **oublies**.*
(J.-J. ROUSSEAU, Les rêveries du promeneur solitaire, Neuvième promenade.)

OUBLIE, OUBLIES, OUBLIENT *formes du verbe « oublier »* :
[ubli]   perdre le souvenir.

- *Ah! je suis bavard comme un professeur, et j'**oublie** l'essentiel.*
(BALZAC, L'envers de l'histoire contemporaine, II.)

- *Tu **oublies** qu'il y a eu la guerre.*
(ANOUILH, Le voyageur sans bagage, troisième tableau.)

---

278. OUI *adv. et n. m. invar.*   · marque l'affirmation.
[wi]

- *Les Français d'autrefois disaient **oui** quand ils voulaient dire « non »; ceux d'aujourd'hui disent « non » et cela signifie **oui**.*
(MONTHERLANT, Brocéliande, I, 2.)

- *Je me regardai dans la glace, et je me demandai si **oui** ou non je ressemblais à mon grand-père.* (R. MERLE, La mort est mon métier, 1913.)

OUÏ, E *formes du verbe « ouïr »* :   entendre.
[wi]

- *J'ai **ouï** raconter qu'une fois...* (R. ROLLAND, Colas Breugnon, II.)

OUÏE *n. f.*   sens par lequel on perçoit les sons.
[wi]

● *Je ne soupçonne l'agent Matra d'aucune mauvaise pensée. Mais il accomplit, comme nous l'avons dit, une tâche pénible. Il est parfois fatigué, excédé, surmené. Dans ces conditions, il peut avoir été la victime d'une sorte d'hallucination de l'ouïe.*   (A. FRANCE, Crainquebille, III.)

● *Vers une heure du matin, un guetteur à l'ouïe plus fine que ses camarades entendit un léger froissement de branches ne devant rien au souffle du vent.*
(Roger DELPEY, Soldats de la boue, XII.)

OUÏES *n. f. pl.*   organe de la respiration chez les poissons.
[wi]

● *Il prononçait ces mots d'un air tragique, les narines palpitantes comme des ouïes de poisson, et Gérard se laissait convaincre.*
(R. DORGELÈS, Le château des brouillards, II.)

● *Elle palpe, elle caresse le chevesne immobile, avant de le pincer aux ouïes et de le jeter dans la musette à coulisse qui ne la quitte jamais.*
(H. BAZIN, La raine et le crapaud.)

---

279. PAIE *n. f.*   salaire, traitement.
[pɛ]

● *Parce qu'ils ramènent leur paie intacte, des hommes comme Adrien croient que ça suffit pour nourrir quatre personnes.*   (H. BAZIN, Mansarde à louer.)

N.B. On dit aussi « paye » [pɛj]

PAIE, PAIES, PAIENT *formes du verbe « payer »* :
[pɛ]   rémunérer, régler.

● *Elle pensa que si Mme Éloi Bergeret, qui était pauvre, ne donnait pas grand-chose à Putois, elle-même, qui était riche, lui donnerait moins encore, puisque c'est l'usage que les riches paient moins cher que les pauvres.*
(A. FRANCE, Putois, II.)

N.B. On dit aussi « paye, payes, payent » [pɛj]

PAIS, PAÎT *formes du verbe « paître »* :   brouter l'herbe.
[pɛ]

● *Les genêts sont en fleur, l'agneau paît les prés verts.*
(V. HUGO, Les châtiments, VI, 5.)

PAIX *n. f.*   situation d'un pays qui n'est pas en guerre ;
[pɛ]   concorde ; tranquillité.

● *On ne fait la guerre en ce monde que pour avoir la paix !*
(MAUPASSANT, Fort comme la mort, I, 2.)

143

- *Depuis le début des difficultés que nous traversons, je n'ai pas cessé de travailler de toutes mes forces à la sauvegarde de la **paix**.*
  (SARTRE, Les chemins de la liberté, II, Le Sursis.)

- *Il pouvait vraiment se croire dans la **paix** d'une oasis ou d'un couvent.*
  (G. SIMENON, Le coup de vague, V.)

---

280. PAIN *n. m.*   aliment à base de farine, cuit au four.
[pɛ̃]

- *C'est un fait que le **pain** du nouveau boulanger est extraordinaire.*
  (M. PAGNOL, La femme du boulanger.)

- *Un peuple ne vit pas que de **pain**.*   (P. CLAUDEL, Le pain dur, I, 3.)

- *On ne travaille que pour mettre du beurre sur son **pain**.*
  (J. GUÉHENNO, Changer la vie.)

PEINS, PEINT *formes du verbe « peindre » :*
[pɛ̃]   dessiner ; décrire.

- *Je ne **peins** plus guère, je ne dessine que rarement, mais j'ai gardé la nostalgie du dessin et de la peinture.*   (H. TROYAT, Un si long chemin.)

- *L'expression de la détresse dans un regard — parfaite grâce au génie de l'artiste dont je sais, comme le disait Alain, qu'il est davantage présent dans sa toile que l'objet qu'il **peint** — me révèle cependant l'homme qui est derrière.*
  (B. CLAVEL, Écrit sur la neige, 4.)

- *Je me **peins** en ce moment plus sombre et plus calculatrice que je n'étais.*
  (A. MAUROIS, Climats, II, 13.)

PIN *n. m.*   conifère.
[pɛ̃]

- *Quand nous frôlions les basses branches d'un **pin**, un nuage de pollen jaillissait, flottait longtemps dans le soleil.*
  (M. GENEVOIX, Images pour un jardin sans murs, VI.)

- *Légers, très élevés, les nuages passaient au-dessus des **pins** sombres et se résorbaient peu à peu dans le ciel.*   (A. MALRAUX, La condition humaine, VII.)

- *Un grand feu de broussailles et de pommes de **pin** flambait dans la salle.*
  (FLAUBERT, Bouvard et Pécuchet, I.)

---

281. PAIR *n. m.*   1. membre d'une assemblée.
[pɛr]

2. personne de même condition, de même classe.

3. en Bourse, égalité de change.

4. « travailler au pair » : être logé et nourri pour son travail, mais sans salaire.

- *Mais sur ces entrefaites, la Chambre des **Pairs** rejeta le projet.*
  (Ph. HÉRIAT, Famille Boussardel, IX.)

- *Les messieurs de l'Ordre sont mes **pairs**, non mes amis.*
(MONTHERLANT, Le maître de Santiago, I, 3.)

- *Notre chef de police, dont chacun vante l'habileté hors **pair**...*
(H. QUEFFÉLEC, La faute de Monseigneur, I, 2.)

- *Je vous ferai tomber au-dessous du **pair**, si c'est nécessaire.*
(M. DRUON, Les grandes familles, IV, 12.)

- *Elle n'avait pas beaucoup de curiosité pour les pays étrangers, mais elle serait contente de retourner en Angleterre, dans la ville où elle avait passé un an au **pair**. Les gens chez qui elle était ne l'avaient pas exploitée, comme cela se fait souvent avec les jeunes filles au **pair**.* (J.-L. CURTIS, La quarantaine).

PAIR *adj. et n. m.*   nombre divisible par deux.
[pɛr]

- *Depuis son arrivée, pourtant, impair sortait plus souvent que **pair**, puisqu'il perdait... changer, jouer impair ?... il laissa la mise sur **pair**.*
(A. MALRAUX, La condition humaine, V.)

PAIRE *n. f.*   groupe de deux choses ; couple.
[pɛr]

- *Je remarquai qu'il n'avait pas ses bottes de sept lieues, mais une simple **paire** de pantoufles d'intérieur.* (CAMI, Le baron de Crac.)

- *Ils vont prendre dans la remise chacun une **paire** de rames, l'armature d'un filet et une longue perche.* (B. CLAVEL, Pirates du Rhône, 3.)

- *Il devrait bien comprendre que Marius et Fanny, c'est une jolie **paire**.*
(M. PAGNOL, Marius, III, 2.)

PERD, PERDS *formes du verbe « perdre » :*
[pɛr]   ne plus avoir, égarer, laisser échapper, gaspiller.

- *Pour ma part, je proscris la voiture le plus possible. On s'affaisse, on s'engourdit, on **perd** de son influx, on répugne petit à petit au moindre effort...*
(Y. GIBEAU, La ligne droite, XIII.)

- *Elle ajouta en plaisantant : « Maintenant, si tu désires être intime avec lui, tu **perds** une bien belle occasion. »*
(PROUST, Les plaisirs et les jours, Villégiature de Mme de Breyves, II.)

- *La pauvre femme est très malheureuse avec son mari : elle énumère toutes les vilenies de son époux... l'argent qu'il **perd** aux cartes...*
(ZOLA, La semaine d'une parisienne, IV.)

PÈRE *n. m.*   homme qui a engendré un ou plusieurs
[pɛr]   enfants.

- *Il est le **père** pour moi, tant que je suis son fils.*
(P. CLAUDEL, Le père humilié, I, 3.)

- *Personne n'imagine les nombreux soucis que trois filles à marier peuvent procurer à un **père**.* (ZOLA, Les Parisiens en villégiature, III.)

145

PERS *adj. m.*   d'une couleur entre le vert et le bleu.
[pɛr]

● *Le petit Polonais aux yeux **pers** renverse sa nuque de chaume argenté.*
(J.-P. CHABROL, Un homme de trop, II.)

---

282. PAL *n. m.*   pieu aiguisé, instrument de supplice.
[pal]

● *Le **pal** est de chêne et la potence de châtaignier.*   (P. CLAUDEL, L'otage, I, 1.)

PALE *n. f.*   partie plate d'un aviron, aile d'une hélice.
[pal]

● *Sur les berges de Marne, il jouissait du soleil, de l'air qui affluait dans sa poitrine étroite, des bateaux qui filaient sous la poussée des rames vernies, « plumant » l'eau de leurs **pales** avec un froissement frais.*
(M. GENEVOIX, La boîte à pêche, XV.)

---

283. PALAIS *n. m.*   1. édifice vaste et somptueux.
[palɛ]   2. partie supérieure de la cavité buccale.

● *Le soir brumeux de fin septembre tombait sur la Seine, enveloppait d'ouate le **palais** du Louvre et ses jardins.*   (M. DRUON, La chute des corps, II, 1.)

● *C'est qu'il restait du **palais** ancien un excédent de luxe, inutilisable dans un hôtel moderne.*   (PROUST, Le côté de Guermantes.)

● *Elle rit. Un rire vif, chaud, presque brutal qui découvrait par-delà les fortes dents bombées un **palais** rose cru de jeune animal.*
(Christine de RIVOYRE, La mandarine, I, 2.)

● *Un vin presque brun tant il est doré ; un vin qui est chaud sous le **palais** avec un goût râpeux, tandis que son parfum vous monte dans le nez en arrière de la bouche.*   (C. F. RAMUZ, Derborence, I, 6.)

PALET *n. m.*   disque plat et rond utilisé dans plusieurs jeux.
[palɛ]

● *Quelques enfants du village, couverts de brocarts d'or tout déchirés, jouaient au **palet** à l'entrée du bourg. Nos deux hommes de l'autre monde s'amusèrent à les regarder : leurs **palets** étaient d'assez larges pièces rondes, jaunes, rouges, vertes, qui jetaient un éclat singulier.*   (VOLTAIRE, Candide, XVII.)

● *Les boutiquiers causaient, discutaient entre eux en jouant au tonneau, et le mot argent sonnait sec dans ces voix aigres comme les **palets** qu'on heurtait.*
(A. DAUDET, Contes du Lundi, Maison à vendre.)

146

284. PALIER *n. m.*   plate-forme, partie horizontale ; échelon.
[palje]

- *Ivich monta l'escalier en courant et s'arrêta sur le* **palier** *du troisième, hors d'haleine.*   (SARTRE, Les chemins de la liberté, II, Le sursis.)

- *L'inquiétude l'emporta, le poussa de marche en marche, de* **palier** *en* **palier**.   (H. BAZIN, Souvenirs d'un amnésique.)

PALLIER *v. tr.*   atténuer les inconvénients de quelque chose.
[palje]

- *Mais il s'était bien gardé de conclure trop vite l'opération proposée par Strinberg, et qui devait aider la France à* **pallier** *ses difficultés budgétaires.*   (M. DRUON, La chute des corps, III, 10.)

---

285. PAN ! *interj.*   exprime une détonation, un coup.
[pɑ̃]

- *S'ils arrivent par ici,* **pan, pan** *!... Si, au contraire, ils montent par là,* **pan, pan** *!*   (A. DAUDET, Contes du Lundi, La défense de Tarascon.)

PAN *n. m.*   partie flottante et tombante d'un vêtement ;
[pɑ̃]   partie assez étendue d'un mur.

- *Les* **pans** *de mon burnous, comme d'immenses ailes, flottaient derrière moi, tendus horizontalement par la vitesse.*   (P. BENOÎT, La châtelaine du Liban, X.)

- *On ne voyait que des* **pans** *de murs à moitié construits, toute une architecture, à peine éclose.*   (A. COSSERY, Les fainéants dans la vallée fertile, II.)

PAON *n. m.*   oiseau gallinacé au plumage magnifique.
[pɑ̃]

- *Sous le toit en pagode d'une immense volière, lançant des cris aigus dans le feuillage, des* **paons,** *des faisans dorés battent des ailes et font la roue.*   (A. DAUDET, Contes du Lundi, La partie de billard.)

PEND, PENDS *formes du verbe « pendre » :*
[pɑ̃]   être suspendu ; fixer par le haut.

- *L'ampoule qui* **pend** *au milieu de ma cellule s'allume dans la nuit.*   (Brigitte FRIANG, Regarde-toi qui meurs, I, 2.)

---

286. PANNE *n. f.*   arrêt de fonctionnement, interruption.
[pan]

- *Un soir, une courte* **panne** *d'électricité l'ayant surpris dans le vestibule de son petit appartement de célibataire, il tâtonna un moment dans les ténèbres.*   (M. AYMÉ, Le passe-muraille.)

PAONNE *n. f.*   femelle du paon.
[pan]

● *Une mère* **paonne** *peut mener jusqu'à vingt-cinq petits paonneaux.*
(BUFFON, Histoire des oiseaux, IV, cité dans LITTRÉ.)

---

287. PANSE *n. f.*   première poche de l'estomac des ruminants ;
[pɑ̃s]   ventre.

● *Toutes les bêtes s'emplissaient la* **panse,** *viandaient dans la nuit de printemps.*
(M. GENEVOIX, La dernière harde, I, 5.)

● *Ce Monsieur qui passe est charmant ; regarde : quelle belle culotte de soie !*
quelles belles fleurs rouges sur son gilet ! Ses breloques de montre battent sur
sa **panse** *en opposition avec les basques de son habit, qui voltigent sur ses*
mollets.   (MUSSET, Fantasio, I, 2.)

PANSE, PANSES, PANSENT *formes du verbe « panser » :*
[pɑ̃s]   soigner.

● *Il* **panse** *aussi, convenablement, mes plaies ulcéreuses qui suppurent depuis*
le début de l'évacuation.   (Brigitte FRIANG, Regarde-toi qui meurs, I, 3.)

PENSE, PENSES, PENSENT *formes du verbe « penser » :*
[pɑ̃s]   réfléchir, raisonner, croire, ima-
        giner.

● *Je dis ce que je* **pense** *et comme je le* **pense.**
(H. QUEFFÉLEC, Laissez venir la mer, I, 1.)

● *Il n'y a que les esprits raisonnables qui* **pensent** *noblement.*
(VOLTAIRE, L'affaire Sirven.)

---

288. PANSER *v. tr.*   soigner une plaie ; étriller un cheval.
[pɑ̃se]

● *Elle défit son châle de coton pour* **panser** *la poitrine.*
(LA VARENDE, La finette.)

● *Les hussards, debout depuis l'aube pour* **panser** *les chevaux...*
(M. DRUON, Les grandes familles, III, 8.)

PENSÉE *n. f.*   1. idée, réflexion.
[pɑ̃se]   2. fleur.

● *Je suis mélancolique à la* **pensée** *que j'aurais pu être ministre.*
(M. PAGNOL, Les marchands de gloire, V, 3.)

● *Catherine, plus que tout, souffrait de se sentir absolument incapable, parce*
que c'était trop évident, d'objectiver sa **pensée,** *ses sentiments. Elle ne*
trouvait pas les mots.   (ARAGON, Les cloches de Bâle, II, 13.)

● *J'arrêtais mes yeux d'enfant sur ce paradis où tenaient un rosier nain et deux*
ou trois touffes de **pensées.**   (J. VALLÈS, La rue.)

PENSER *v. tr. et intr.*   réfléchir, raisonner; croire, imaginer.
[pɑ̃se]

● *Je l'ai fait sans y **penser**, par distraction.*
        (G. BERNANOS, Sous le soleil de Satan, Histoire de Mouchette, IV.)

● *Serag ne savait que **penser** de l'attitude de son frère.*
        (A. COSSERY, Les fainéants dans la vallée fertile, 5.)

---

289. PAR *prép.*   marque le moyen, la cause, la manière, etc.
[par]

● *Les ouvertures étaient seulement masquées **par** d'épais rideaux de reps.*
        (E. PEISSON, Le pilote, II.)

● *Il était prince **par** le génie, **par** la destinée et **par** les actions.*
        (V. HUGO, Discours de réception à l'Académie Française, 3 juin 1841.)

PARE, PARES, PARENT *formes du verbe «parer» :*
[par]   1. éviter.

        2. embellir; «se parer» : faire toilette.

● *À 16 h 10, j'appareille et **pare** de justesse le petit yacht à moteur...*
        (J.-Y. LE TOUMELIN, Kurun autour du monde, XVII.)

● *Une femme qui se regarde dans un miroir et se **pare**...*
        (Simone WEIL, La pesanteur et la grâce.)

PARS, PART *formes du verbe «partir» :*   s'en aller, s'éloigner.
[par]

● *Eh bien! je **pars** avec toi. Il faut que tu m'emmènes.*
        (ALAIN-FOURNIER, Le grand Meaulnes, I, 7.)

PART *n. f.*   portion d'un tout, morceau.
[par]

● *Il semblait avoir fait trois **parts** de son temps. Il en passait un bon tiers sous son platane, un autre dans son antre, la plus belle maison de Lorinse d'ailleurs, et un dernier tiers en tournées.*   (H. BAZIN, Bouc émissaire.)

---

290. PARC *n. m.*   grand terrain boisé; endroit clos pour l'élevage des animaux, bassin pour l'élevage des huîtres; lieu de stationnement de véhicules, ensemble de machines.
[park]

● *Georges se rappela une promenade avec Madeleine dans le **parc** de Versailles.*
        (E. ROBLÈS, La croisière, IX.)

- *De l'autre côté de l'allée des marronniers s'étendait la partie abandonnée du* **parc,** *un grand sous-bois envahi de mousse, de lierre et de bois mort.*
  (Anne PHILIPE, Le temps d'un soupir, III.)

- *Le premier* **parc** *à huîtres fut établi en 108 avant J.-C. dans une villa de Baïes au bord de la mer.* (Dictionnaire archéologique des techniques, article « Élevage ».)

- *En quinze ans, le* **parc** *des tracteurs a doublé.*
  (La vie française, 12 mars 1979, p. 16.)

PARQUE *n. f.* déesse de la vie et de la mort.
[park]

- *Elles avaient au moins double voile sur la figure ; c'étaient trois énigmes en deuil, trois* **Parques** *impénétrables.* (P. LOTI, Les désenchantées, VI.)

PARQUE, PARQUES, PARQUENT *formes du verbe « parquer » :*
[park]
mettre dans un endroit clos.

- *La fourmi ne tolère pas que des émissaires d'une colonie voisine viennent marauder sur ses terres ou dérober une goutte de la miellée que sécrètent les pucerons qu'elle élève, qu'elle* **parque,** *qu'elle stabule et qu'elle soigne.*
  (M. MAETERLINCK, La vie des fourmis, Les guerres, IX.)

---

291. PARI *n. m.* enjeu.
[pari]

- *Bref, pendant plusieurs jours, ils se donnèrent rendez-vous, soit au café, soit à bord, essayant toutes sortes de jeux, surtout le trictrac, et augmentant toujours leurs* **paris,** *si bien qu'ils en vinrent à jouer vingt-cinq napoléons la partie.* (MÉRIMÉE, La partie de trictrac.)

PARIE, PARIES, PARIENT *formes du verbe « parier » :*
[pari]
engager un enjeu ; supposer.

- *Je ne* **parie** *rien. Avec toi, je suis à peu près sûr de perdre.*
  (J.-L. CURTIS, La quarantaine.)

- *Je* **parie** *que vous rêviez d'une Ferrari ?* (Françoise SAGAN, La chamade, III.)

---

292. PARTI *n. m.*
[parti]
1. groupe de personnes ayant la même opinion, les mêmes buts ; mouvement, formation.

2. choix, décision, solution.

3. personne à marier.

- *Le* **parti** *des jeunes le soutenait ; mais il avait contre lui le* **parti** *des vieux.*
  (C. F. RAMUZ, La grande peur dans la montagne, I.)

- *Les états-majors des **partis** politiques se sont réunis pour arrêter leur position pour le second tour des élections du premier gouvernement jurassien.*
  (Journal de Genève, 21 nov. 1978, p. 11.)

- *Devant ces périls, il n'y avait plus qu'un **parti** à prendre : revenir à la solution qui avait toujours été celle de Barnave.*
  (Aimé CÉSAIRE, Toussaint Louverture, II, 6.)

- *Vous verrez quel **parti** j'ai essayé de tirer, moi aussi, de grandes surfaces blanches et de quelques meubles et objets anciens.*
  (J. ROMAINS, Les travaux et les joies, I.)

- *Sa mère, avec laquelle il vivait et qui cherchait à le marier, lui proposait les **partis** qu'elle jugeait les plus séduisants, mais il ne cessait de les refuser.*
  (J. de LACRETELLE, La Bonifas, II, 6.)

PARTIE *n. f.*
[parti]

1. élément d'un ensemble.
2. durée d'un jeu ; le jeu lui-même.
3. personne qui participe à un procès.

- *Le vieillard jeta les yeux sur son établi. Là se trouvaient toutes les **parties** d'une montre qu'il avait soigneusement démontée.*
  (J. VERNE, Maître Zacharius, I.)

- *La **partie** d'échecs était terminée. Ted l'avait emporté, mais de justesse.*
  (F. MARCEAU, Bergère légère, I, 1.)

- *Elle espère que bientôt les **parties** de tennis pourront être reprises.*
  (Valéry LARBAUD, Fermina Marquez, X.)

- *Pour se distraire de son chagrin, il se faisait à lui seul tout un Parlement ; il entendait les **parties,** ordonnait les enquêtes, cassait, renvoyait, enregistrait, entérinait, se chargeait des plaidoiries, des débats et des arrêts.*
  (H. de RÉGNIER, La double maîtresse, I, 9.)

PARTIS, PARTIT, PARTÎT, PARTI, E *formes du verbe «partir» :* s'en aller.
[parti]

- *Le jour n'était pas levé quand je **partis.*** (P. BENOÎT, Boissière, XI.)

- *Honoré, sentant que le mélange des vins lui avait un peu tourné la tête, **partit** sans dire adieu.* (PROUST, Les plaisirs et les jours, Un dîner en ville, II.)

- *Il y avait bientôt deux mois que Maurice était **parti.***
  (H. BAZIN, Qui j'ose aimer, XXVII.)

---

293. PAT *adj. invar.*
[pat]

aux échecs, se dit du roi qui est dans l'impossibilité de bouger.

- *Ça s'appelle **pat,** aux échecs. Tu as vraiment coincé mon roi, si j'ose dire.*
  (Romain GARY, La nuit sera calme.)

PATTE *n. f.*   pied et jambe des animaux.
[pat]

- *Au milieu du cercle, Alphonse était assis sur un tabouret; sans se presser, il fit d'abord sa toilette, et, le moment venu, passa plus de cinquante fois sa **patte** derrière l'oreille.* (M. AYMÉ, Les contes du chat perché, La patte du chat.)

- *Sur le trottoir de droite, deux chèvres sont dressées, les **pattes** de devant posées sur le grillage, et elles attrapent des feuilles de fusain.*
(L. PAUWELS, Saint-Quelqu'un, II, 7.)

---

294. PÂTÉ *n. m.*   1. hachis de viandes.
[pɑte]   2. sable tassé dans un seau et démoulé.
3. bloc de maisons.

- *La jeune femme sort du réfrigérateur un énorme morceau de **pâté** de campagne, du jambon et des fruits.* (B. CLAVEL, Victoire au Mans, I, 11.)

- *Même l'été, quand la ville était vide, le Luxembourg abandonné des jeunes gens et la proie des nourrices, des ménagères et des enfants qui font des **pâtés** de sable sans sable et sucent les cailloux, l'horizon de Catherine restait le même.* (ARAGON, Les cloches de Bâle, I, 4.)

- *Il fit, sept ou huit fois, le tour d'un **pâté** de maisons, et comme deux heures sonnaient, s'engagea dans la rue Littré.*
(G. DUHAMEL, Le club des Lyonnais, XIV.)

PÂTÉE *n. f.*   mélange d'aliments pour les animaux; mau-
[pɑte]   vaise nourriture.

- *Un soir d'hiver, au cours de la veillée, ils allèrent ensemble broyer les pommes de terre et préparer la **pâtée** des cochons dans le hangar-buanderie adossé au pignon de la grange.* (E. GUILLAUMIN, La vie d'un simple, 36.)

- *Ils s'étaient vite aperçus, eux qui étaient pourtant aguerris contre les pires **pâtées,** qu'ils n'avaient jamais mangé si exécrablement.*
(R. VERCEL, Au large de l'Éden, V.)

---

295. PAUSE *n. f.*   arrêt, suspension d'une activité; temps de
[poz]   repos.

- *À dix-sept heures, les discussions furent interrompues et une **pause** de quinze minutes annoncée.* (R. V. PILHES, La bête, 20.)

- *M. Pollin monte déjà, se hisse de marche en marche, de **pause** en **pause,** jusqu'au lointain palier du sixième où parviendront, harassés, cent huit kilos de graisse fondante.* (H. BAZIN, Monsieur le conseiller du cœur.)

- *On n'a guère respecté la **pause** fiscale en matière d'impôt sur le revenu.*
(Le nouvel économiste, n°171, p.72.)

POSE *n. f.*   mise en place; attitude.
[poz]

- *Il travaillait autrefois dans une maison de **pose** d'ascenseurs.*
(J. CAYROL, Histoire d'une prairie.)

- *Tu vas réclamer aussi la fourniture des meubles et la **pose** des rideaux ?*
(J. ROMAINS, Les travaux et les joies, I.)

- *Georges aperçut au balcon d'un premier étage une femme qui se peignait, assise dans une **pose** gracieuse, le buste rond et droit, la tête inclinée, ses cheveux pendant en crinière sur le côté.*   (E. ROBLÈS, La croisière, I.)

- *Debout devant les trois glaces de l'armoire, elle s'accorda un temps de **pose** complaisante.*   (Christine de RIVOYRE, La mandarine, I, 2.)

POSE, POSES, POSENT *formes du verbe « poser » :*
[poz]   placer, mettre ; formuler (une question).

- *Le secrétaire **pose** alors sur le bureau un énorme paquet de lettres.*
(ZOLA, Types d'ecclésiastiques français, V.)

- *Prends les choses comme elles viennent, et ne te **pose** pas de questions.*
(Françoise MALLET-JORIS, Le rempart des béguines.)

- *Au lieu de cela, ils me **posent** une question idiote.*
(P. J. HÉLIAS, Le cheval d'orgueil, II.)

---

296. PEAU *n. f.*   enveloppe extérieure du corps de l'homme et des animaux vertébrés ; enveloppe des fruits.
[po]

- *Sous la chemisette de linon, sa **peau** brune transparaît d'un grain serré et brillant.*   (COLETTE, La retraite sentimentale.)

- *Lucie faisait sécher les **peaux** de lapins en les retournant et en les emplissant de paille.*   (Régine DEFORGES, Blanche et Lucie.)

- *Il prenait également plaisir à voir la vieille femme soupeser les oranges et les citrons et presser du doigt la **peau** mûre et flasque des grosses figues.*
(H. de RÉGNIER, La double maîtresse, III, 2.)

POT *n. m.*   vase, récipient ; « pot d'échappement » : silencieux.
[po]

- *Le concierge avait sorti au soleil tous ses **pots** de fleurs.*
(H. QUEFFÉLEC, La faute de Monseigneur, I, 3.)

- *Il apporte, sur la longue table de chêne, du beurre, un **pot** de rillettes, un saucisson, du pain de campagne à la mie blanche.*
(Ch. PINEAU, La simple vérité, I, 5.)

- *La rue sera bruyante, voitures, motos et cyclomoteurs se poursuivront dans le tintamarre de leurs **pots** d'échappement trafiqués.*
(Christine de RIVOYRE, Le voyage à l'envers, II.)

---

297. PÉCHÉ *n. m.*   manquement à la loi religieuse, faute.
[peʃe]

● *Rien n'est un **péché** quand on obéit à un prêtre de l'Église romaine.*
(MUSSET, Lorenzaccio, I, 3.)

PÉCHER *v. intr.*   commettre une faute, une erreur.
[peʃe]

● *Si le livre m'a fait rêver ou rire, bâiller ou pleurer, je le dirai sans crainte de **pécher** par excès d'enthousiasme ou d'indifférence.*
(J. VALLÈS, dans Le Progrès de Lyon, 14 février 1864.)

N. B. PÉCHÉ et PÉCHER sont à distinguer de :

● *1. PÊCHER* [pɛʃe]*, arbre fruitier : On se serait cru dans un verger, au soleil levant, au milieu de **pêchers,** d'abricotiers, de grenadiers et de vignes.*
(A. CHAMSON, La superbe, I, 1.)

● *2. PÊCHER* [pɛʃe]*, prendre du poisson ou essayer d'en prendre : Quatre jeunes hommes, portant un carrelet et des lignes, partaient pour aller **pêcher** en contrebande dans l'étang.*
(René BAZIN, Le blé qui lève, VI.)

---

298. PEINE *n. f.*   1. sanction, condamnation.
[pɛn]   2. chagrin, douleur, souffrance.
                               3. effort, fatigue.

● *Je crois, dit-il de son air gourmé, qu'il est de mon devoir de vous avertir que le détournement d'un avion est puni de lourdes **peines**.*
(R. MERLE, Madrapour, V.)

● *Vous paraissez avoir de l'instruction, et devez savoir que les lois défendent, sous des **peines** graves, d'envahir une propriété close.*
(BALZAC, Autre étude de femme.)

● *Marie-Anne exhala en sanglots pressés toutes les **peines** ressassées au cours de la nuit blanche.*
(P. GUIMARD, L'ironie du sort, II, 3.)

● *Je regrette la **peine** que je vous fais en ce moment.*
(A. DAUDET, Jack, I, 1.)

● *Je fus payé de mes **peines**.*
(G. COURTELINE, Le pointeur de cloches.)

PEINE, PEINES, PEINENT *formes du verbe «peiner» :*
[pɛn]   se fatiguer, faire des efforts.

● *— Mais vous n'êtes pas obligée de rester tout le temps assise ?*
*— Non, mais alors, c'est la jambe qui **peine**.*
(ANOUILH, Colombe, I.)

● *L'auto de Marcel Kuhn est dans le fossé... Les deux mécaniciens **peinent**... Ils ne se laissent pas distraire.*
(G. DUHAMEL, Fables de mon jardin, Le spécialiste, le philosophe et le prophète.)

154

PÊNE *n. m.*   partie mobile d'une serrure.
[pɛn]

● *Aussitôt qu'elle fut sortie, Fleurissoire donna un tour de clef à la porte, sortit sa chemise de nuit de sa valise et se mit au lit. Mais apparemment le **pêne** de la serrure ne mordait pas, car il n'avait pas encore soufflé sa bougie que la tête de Carola reparut dans la porte entrebâillée.*
                        (A. GIDE, Les caves du Vatican, IV, 2.)

PENNE *n. f.*   plume longue des ailes et de la queue des
[pɛn]   oiseaux.

● *D'inlassables pluviers tournoient sur une aile, éternisent un concours de plongeons, se relèvent en fouettant à pleines **pennes** l'air et les roseaux éclaboussés d'humides étincelles.*   (H. BAZIN, La raine et le crapaud.)

---

299. PEINTE *adj. f. (masc. : peint)*   couverte de peinture,
[pɛ̃t]   colorée.

● *Sur la table de fer **peinte** en vert, qui en occupait le centre, une boîte à outils voisinait avec un vieux siphon.*   (M. AYMÉ, Uranus, V.)

PINTE *n. f.*   mesure de capacité ; récipient.
[pɛ̃t]

● *Même, par forfanterie, certains trouvaient moyen de se glisser dehors et d'aller boire une **pinte** dans une auberge proche.*   (R. ROLLAND, Colas Breugnon, VII.)

---

300. PÈLE, PÈLES, PÈLENT *formes du verbe «peler» :*
[pɛl]   ôter la peau ; perdre la peau.

● *Elle ôta d'abord ses souliers, puis retira ses bas, comme on **pèle** un fruit, d'un geste long et brusque...*   (R. MARTIN du GARD, Les Thibault, L'été 1914, LXVII.)

● *La langue me fait mal à force d'avoir parlé ; elle me brûle et me **pèle** à force d'avoir fumé.*   (J. VALLÈS, Le bachelier, Hôtel Lisbonne.)

PELLE *n. f.*   outil de terrassier, de jardinier, etc.
[pɛl]

● *Très vite, la **pelle** et le pic avaient rencontré une semelle de granit assez compacte qu'il avait fallu attaquer à la barre à mine.*
                        (J. CARRIÈRE, L'épervier de Maheux, II.)

---

301. PEU *adv. et n. m.*   1. pas beaucoup. 2. petite quantité.
     [pø]

- *Si elle dépensait* **peu,** *c'était qu'elle avait* **peu** *de besoins.*
         (J. de LACRETELLE, La Bonifas, III, 11.)

- *Je leur dois le* **peu** *que je suis.*   (J.-J. ROUSSEAU, Lettre à Voltaire, 10 sept. 1755.)

        PEUT, PEUX *formes du verbe «pouvoir» :*   être capable
         [pø]   de.

- *Aurait-il pu se modérer ? «Non, je ne le* **peux** *pas. Je ne* **peux** *pas souffler, je ne* **peux** *pas ralentir, je ne* **peux** *pas m'arrêter ; tout le drame de mon être tient dans ces quatre mots : je ne* **peux** *pas. »*   (P. MORAND, L'homme pressé, II, 22.)

---

302. PIC *n. m.*   1. outil pointu.
     [pik]   2. sommet pointu d'une montagne.
                   3. oiseau.

- *Le lendemain dès l'aube, avec une pioche et un* **pic,** *ils attaquèrent leur fossile dont l'enveloppe éclata.*   (FLAUBERT, Bouvard et Pécuchet, III.)

- *Des crampons, des* **pics** *et des piolets pendaient du plafond.*
         (A. BLONDIN, L'Europe buissonnière, II, 2.)

- *Les deux voyageurs suivaient maintenant un étroit chemin de crête et tout le pays cévenol s'étendait sous leurs regards, énorme chaos de montagnes et d'abîmes, de* **pics** *usés et de profondes vallées.*
         (A. CHAMSON, La superbe, XIV.)

- *Quelquefois, par les belles matinées, on pouvait percevoir les* **pics** *gigantesques du mont Buet se dresser à l'horizon.*   (J. VERNE, Maître Zacharius, III.)

- *Et les oiseaux commencent à être nombreux... c'est des* **pics,** *c'est des geais, c'est les ramiers, c'est les petits oiseaux des haies.*
         (C. F. RAMUZ, Derborence, II, 2.)

        PIQUE *n. f.*   1. arme longue et pointue.
         [pik]   2. parole blessante.

- *S'ils tentaient de sauter par les fenêtres, ils tombaient dans les flammes, ou bien étaient reçus sur la pointe des* **piques.**
         (MÉRIMÉE, Chronique du règne de Charles IX, XXVI.)

- *À chacune de leurs rencontres, immanquablement, l'une envoyait une* **pique** *à l'autre.*   (Régine DEFORGES, Blanche et Lucie.)

- *Il s'agit donc, non pas de s'offrir des* **piques** *d'amour-propre, mais de confronter des points de vue.*   (J. ROMAINS, Les travaux et les joies, I.)

- *N.B. «à la* **pique** *du jour» : au lever du jour ; ex. : Ils sont rentrés juste à la* **pique** *du jour.*   (B. CLAVEL, Pirates du Rhône, 4.)

PIQUE *n. m.*   une des deux couleurs noires d'un jeu de
[pik]   cartes.

● *C'est le valet de **pique** ; vous avez perdu.*   (MUSSET, Un caprice, 8.)

PIQUE, PIQUES, PIQUENT *formes du verbe « piquer »* :
[pik]   percer légèrement, irriter.

● *D'un geste impatient, elle écarte les hautes herbes qui lui **piquent** les joues,
car elle est couchée sur le ventre, au bord de la mare.*
          (G. BERNANOS, La joie, I, 4.)

---

303. PIE *n. f.*   oiseau passereau.
[pi]

● *Deux **pies** se posèrent ensemble devant lui sur l'accotement.*
          (J. GRACQ, Un balcon en forêt.)

PIE *adj. f.*   pieuse.
[pi]

● *« Ils ne croyaient plus à la punition des crimes, ni à l'éternelle récompense des
œuvres **pies**. »*   (Fr. FUNCK-BRENTANO, Le Moyen Âge, IV.)

PIS *n. m.*   mamelle.
[pi]

● *C'est une berrichonne de petite race, aux **pis** allongés, aux côtes en relief, aux
sabots fourchus et qu'on devinait mous ; une bête superbe.*
          (G. COURTELINE, La vache.)

PIS   **1. *adv.*** plus mal.
[pi]   **2. *adj.*** plus mauvais, plus fâcheux.
         3. *n. m.* la chose la plus mauvaise.

● *À la guerre, les choses allaient de mal en **pis**.*
         (E. GUILLAUMIN, La vie d'un simple, 37.)

● *Tant **pis** ! je pense que ma solution est juste.*
         (J.-P. CHABROL, Un homme de trop, III.)

● *Ce fut bien **pis** lorsqu'elle décida de monter à cheval.*
         (J. de LACRETELLE, La Bonifas, II, 9.)

● *Ce mois de mars, je ne connais rien de **pis** pour les rhumatismes.*
         (ARAGON, La semaine sainte, II.)

---

304. PIEU *n. m.* piquet de bois.
[pjø]

- *La barque de Gilbert est attachée à un **pieu** solide qu'il avait planté tout exprès dans son jardin.* (B. CLAVEL, Pirates du Rhône, 18.)

- *Il se mit au travail, maniant la masse pour enfoncer les **pieux** dont certains se fendaient.* (G. SIMENON, Le coup de vague, I.)

PIEUX *adj. m.* dévot, édifiant.
[pjø]

- *Mon père était un homme **pieux**. Sa foi était profonde, nourrie par la lecture des Évangiles et de la Bible.* (M. MOHRT, La maison du père, p. 11.)

- *Julien ne fait paraître devant lui que des sentiments **pieux**.* (STENDHAL, Le rouge et le noir, I, 5.)

---

305. PITON *n. m.* 1. clou à tête en forme de crochet ou d'anneau.
[pitɔ̃]
2. pic de montagne.

- *Les **pitons** sont dans la boîte aux clous.* (A. FRANCE, La cravate.)

- *Je planterai des **pitons** pour passer le surplomb.* (H. TROYAT, La neige en deuil, 5.)

- *Il prit l'enfant par la main et, contournant les blocs, il commença à gravir la pente menant au sommet du **piton** rocheux qui dominait le chaos.* (M. TOURNIER, Vendredi ou les limbes du Pacifique, XII.)

PYTHON *n. m.* serpent.
[pitɔ̃]

- *Je sais parfaitement que la plupart des jeunes femmes aujourd'hui refuseraient de vivre en appartement avec un **python** de deux mètres vingt qui n'aime rien tant que de s'enrouler affectueusement autour de vous, des pieds à la tête.* (Émile AJAR, Gros-Câlin.)

---

306. PLAIE *n. f.* blessure.
[plɛ]

- *Son corps de la tête aux pieds n'était que **plaies** et meurtrissures.* (E. PEISSON, Le pilote, IV.)

PLAIS, PLAÎT *formes du verbe « plaire » :* être agréable.
[plɛ]

- *Tout bien considéré, peut-être une erreur qui **plaît** est-elle meilleure qu'une vérité qui blesse.* (BALZAC, L'école des ménages, II, 4.)

---

307. PLAIN *adj. m.*   dans la locution « de plain-pied » : au même
    [plɛ̃]   niveau.

● *La porte donne sur le jardin, de **plain**-pied.*   (VERCORS, Le silence de la mer.)

     PLEIN *adj. m.*   rempli, complet ; pénétré de, imbu.
     [plɛ̃]

● *Le train est **plein**, des voyageurs debout dans le couloir et jusque dans le
compartiment.*   (R. VAILLAND, La fête, 9.)

● *C'était Waldmetz avec son air faraud de petit sous-officier **plein** de zèle.*
                                         (A. BILLY, L'approbaniste, II.)

     PLAINS, PLAINT *formes du verbe « plaindre » :*
     [plɛ̃]   témoigner de la compassion ; « se plaindre » :
                       se lamenter, protester.

● *Je **plains** son frère autant que lui.*
                         (R. DORGELÈS, Le château des brouillards, XVII.)

● *Alors de quoi te **plains**-tu ?*   (A. ROUSSIN, La petite hutte, II.)

---

308. PLAINE *n. f.*   région plate ou très peu accidentée.
     [plɛn]

● *Très loin, au fond de cette **plaine** nue, vers l'ouest, l'horizon était marqué par
une muraille bleuâtre.*   (H. BOSCO, Malicroix, Mégremut.)

     PLEINE *adj. f.*   remplie, complète, entière.
     [plɛn]

● *Lazuli se redressa et regarda ses mains **pleines** d'huile.*
                         (Boris VIAN, L'herbe rouge, X.)

● *La source gargouillait, la citerne était presque **pleine**, le bassin ne tarderait
pas à l'être.*   (J. CARRIÈRE, L'épervier de Maheux, II.)

● *C'était toujours en **pleine** nuit qu'il revenait ou repartait.*
                       (G. BONHEUR, La croix de ma mère, III, 1.)

---

309. PLAINTE *n. f.*   1. gémissement, lamentation ; doléance,
     [plɛ̃t]   grief.
                       2. dénonciation en justice.

● *Le blessé, regardant de ses grands yeux fixes, me laissa faire sans proférer
une **plainte**.*   (J. VERNE, 20 000 lieues sous les mers, I, 24.)

● *Une fois de plus, Antoine fut touché de ne recevoir de Marie-Anne ni questions ni **plaintes**, alors que son comportement d'apparence incohérente eût justifié les unes et les autres.* (P. GUIMARD, L'ironie du sort, I, 2.)

● *Avant d'aller chez le médecin, il passa à la gendarmerie et déposa sa **plainte** en coups et blessures.* (LA VARENDE, Un meurtrier.)

PLINTHE *n. f.*
[plɛ̃t]
bande de bois ou d'une autre matière placée au bas d'un mur ou d'une cloison.

● *Sur la nappe blanche, deux flambeaux d'argent prêtaient un faux air de richesse à cette pièce pauvrement meublée où les derniers rayons du soleil couchant brillaient encore au bas d'une **plinthe**.* (J. GREEN, Moïra, I, 3.)

---

310. PLAN *n. m.*
[plɑ̃]
1. surface unie.

2. dessin, représentation graphique.

3. projet ordonné contenant les étapes d'une réalisation.

● *Elle vint se ranger au pied du **plan** incliné qui conduisait à la porte vitrée de la maisonnette.* (G. BONHEUR, La croix de ma mère, II, 8.)

● *Elle traçait elle-même les **plans** et discutait avec les entrepreneurs.* (H. TROYAT, Un si long chemin.)

● *Il en avait pour des mois à lever des **plans**, à tracer des épures.* (A. DAUDET, Jack, II, 2.)

● *Il lui remet un **plan** où sont notés en rouge les lieux où se trouvaient les patrouilles.* (A. MALRAUX, Les conquérants, II.)

● *Le **plan** de son roman n'est qu'une série de combinaisons ingénieuses conduisant avec adresse au dénouement.* (MAUPASSANT, Pierre et Jean, Préface.)

● *Dans la pratique, les **plans** de financement sont établis en procédant, exercice par exercice, à l'évaluation des besoins et des ressources prévisionnels.* (La revue du Financier, mars 1979, p. 60.)

PLANT *n. m.*
[plɑ̃]
ensemble de végétaux de même espèce poussant sur un même terrain ; jeune arbre.

● *Nous regardions les **plants** de carottes, de salades, de fraisiers, les bordures de thym, les massifs de pivoines.* (Anne PHILIPE, Le temps d'un soupir, III.)

● *Ils cherchèrent dans les livres une nomenclature de **plants** à acheter et, ayant choisi des noms qui leur paraissaient merveilleux, ils s'adressèrent à un pépiniériste de Falaise.* (FLAUBERT, Bouvard et Pécuchet, II.)

---

311. PLASTIC *n. m.*
[plastik]
explosif.

● *C'est dans les premières heures du 16 janvier, entre une heure et deux heures du matin, qu'explosèrent les charges de **plastic**.* (G. BONHEUR, La croix de ma mère, III, 1.)

PLASTIQUE *adj. et n. m. ou f.*
[plastik]

1. malléable ; relatif aux formes.

2. matière synthétique.

3. formes d'une personne.

- *Les feuillages étaient en matière **plastique**.*   (J. CAYROL, Histoire d'une prairie.)

- *Meubles et objets très librement rassemblés, je veux dire bien moins en raison de leur parenté d'origine que de leurs affinités **plastiques.***
  (J. ROMAINS, Les travaux et les joies, I.)

- *Après le déclin dû à l'avènement du **plastique**, le jouet en bois reconquiert ses lettres de noblesse.*   (Les Échos, n° 12793, p. 16.)

- *Un autre grand malheur est que les personnes qui s'exhibent le plus volontiers sans vêtement sur les plages et même dans la rue sont loin d'être celles dont la **plastique** réjouirait les yeux.*   (P. GAXOTTE, Le nouvel Ingénu, IX.)

---

312. PLI *n. m.*
[pli]

1. marque d'un pliage ; ondulation d'un tissu flottant.

2. mouvement de terrain.

3. lettre.

4. ride.

5. levée, au jeu de cartes.

- *Ses moindres gestes, et même les **plis** de sa robe, avaient de la grâce.*
  (H. BAZIN, Lève-toi et marche, VIII.)

- *Les rideaux de la scène sont tirés, leurs **plis** agités silencieusement.*
  (J. E. HALLIER, Les aventures d'une jeune fille, I, 4.)

- *Je pouvais voir la double silhouette, à grandes enjambées, disparaître à l'horizon, derrière un **pli** de terrain rouge.*   (P. BENOÎT, L'Atlantide, II.)

- *Le **pli** cacheté que le notaire me renvoya contenait le journal d'Alissa.*
  (A. GIDE, La porte étroite, VIII.)

- *Salavin demeurait absorbé dans ses pensées, les muscles crispés, le visage parcouru de **plis** soucieux.*   (G. DUHAMEL, Le club des Lyonnais, XIII.)

- *Chuinard, cependant, à travers les **plis** de la manille, suivait sa pensée.*
  (R. VERCEL, Au large de l'Éden, I.)

PLIE *n. f.*   poisson plat.
[pli]

- *Elle parle encore de se faire opérer, annonça Hortense en lui passant un plat de **plies**.*   (G. SIMENON, Le coup de vague, V.)

PLIE, PLIES, PLIENT *formes du verbe « plier » :*
[pli]   mettre en double ; courber.

- *Cette lettre, l'homme la tend à Fourcaud qui la relit, la **plie**, la met dans sa poche et m'appelle.* (RÉMY, Mémoires d'un agent secret, I, 6.)

- *Voilà des jours qu'il tousse, avec un point de côté qui le **plie** en deux.* (P. MORAND, L'homme pressé, I, 3.)

---

313. POÊLE *n. m.*
[pwal]
1. drap recouvrant le cercueil.
2. appareil de chauffage.

- *Les autres, faute de famille ou d'amis, s'emparèrent des cordons du **poêle**.* (H. BAZIN, Chapeau bas.)

- *Dans la classe, la chaleur était lourde, auprès du **poêle** rougi.* (ALAIN-FOURNIER, Le grand Meaulnes, I, 6.)

POÊLE *n. f.*
[pwal]
ustensile de cuisine.

- *Cependant la tante venait de verser dans un plat le contenu de la **poêle**, une tranche de lard frite avec des œufs.* (NERVAL, Les filles du feu, Sylvie.)

POIL *n. m.*
[pwal]
filament qui pousse sur la peau ; partie velue d'une étoffe.

- *À dix-huit ans, comme le **poil** lui poussait au menton, il fut remarqué par une dame d'honneur de la reine.* (ZOLA, Contes à Ninon, Simplice.)

- *Ses **poils** avaient blanchi comme sous le froid de l'hiver.* (A. CHAMSON, La superbe, IV, 21.)

- *J'ai alors aperçu un petit être de 1,20 m de haut, qui m'a semblé être vêtu d'une houppelande à longs **poils**.* (GARREAU et LAVIER, Face aux extra-terrestres, I, 5.)

---

314. POIDS *n. m.*
[pwa]
1. objet pesant, masse, fardeau.
2. importance, force.

- *Klein arrive et se laisse aussitôt tomber d'un coup, les mains sur les genoux, dans un fauteuil dont le rotin grince sous son **poids**.* (A. MALRAUX, Les conquérants, I.)

- *À la fin du jour, ils haletaient sous le **poids** de leurs échantillons.* (FLAUBERT, Bouvard et Pécuchet, III.)

- *Quand un Parisien tombe à la campagne, il s'y trouve sevré de toutes ses habitudes, et sent bientôt le **poids** des heures.* (BALZAC, Les paysans, I, 2.)

- *Je porte le **poids** de ma responsabilité.* (M. PAGNOL, La femme du boulanger.)

POIS *n. m.*
[pwa]
1. légume.
2. petit cercle, pastille sur une étoffe.

- *Reine était en train d'écosser des **pois** dans son tablier.* (J. de LACRETELLE, La Bonifas, I, 2.)

- *Norine a noué autour de sa tête un foulard marron à **pois** rouges.* (B. CLAVEL, Pirates du Rhône, 7.)

162

POIX *n. f.*   substance résineuse, visqueuse.
[pwa]

- *Jusque sur le trottoir de la rue, l'odeur de **poix,** de cuir frais et de ficelle, vient tirer le nez des gens.*   (J.-L. BORY, Mon village à l'heure allemande, 10.)

---

315. POING *n. m.*   main fermée.
[pwɛ̃]

- *La porte n'ayant ni sonnette, ni marteau, il donna de grands coups de **poing,** il appela, cria.*   (FLAUBERT, L'éducation sentimentale, II, 1.)

- *Un élan l'emporta, le fit bondir à la gorge du misérable, et marteler sa figure d'un **poing** vengeur.*   (P. BOULLE, William Conrad, I, 3.)

POINT *n. m.*   1. intersection de deux droites.
[pwɛ̃]   2. petite marque ronde, signe de ponctuation.
3. portion de l'espace.
4. unité de mesure et d'appréciation.
5. partie d'un discours, d'un débat.
6. façon de coudre, piqûre d'aiguille.

- *De toutes les sciences la plus absurde, à mon avis, et celle qui est la plus capable d'étouffer toute espèce de génie, c'est la géométrie. Cette science ridicule a pour objet des surfaces, des lignes et des **points,** qui n'existent pas dans la nature.*   (VOLTAIRE, Jeannot et Colin.)

- *Je le sais bien que c'est moi ! Tu n'as pas besoin de mettre les **points** sur les i !*   (A. ROUSSIN, Lorsque l'enfant paraît, I.)

- *On envoya des escortes aux quatre **points** cardinaux...*   (LA VARENDE, Le bouffon blanc.)

- *Son erreur fut de vouloir marquer un **point** à tout prix, alors qu'un discernement plus profond l'eût mené à être un peu plus large avec l'adversaire, à se laisser battre un peu.*   (MONTHERLANT, Carnets, XXVII.)

- *Je désire attirer votre attention sur deux **points.***   (A. MALRAUX, La condition humaine, VII.)

- *La baronne apprit à sa fille tous les **points** possibles de la tapisserie.*   (BALZAC, Albert Savarus.)

POINT *adv.*   pas (avec la négation « ne »).
[pwɛ̃]

- *Je ne manquerai **point** de maris et je ne veux **point** d'un homme qui ne sait pas apprécier ce que je vaux.*   (BALZAC, La vieille fille.)

---

316. POOL *n. m.*   groupement, association.
[pul]

● *C'est ici que se cachent les bureaux du* **Pool** *français des risques atomiques.*
(Le Nouvel Économiste, n° 12, p. 59.)
N. B. « **Groupe** est préférable à **Pool** (*J. O. du 24.09.1977, p. 6078.*)

POULE *n. f.*   femelle du coq.
[pul]

● *Le silence n'était rompu que par le pacifique caquetage des* **poules** *qui commençaient à se percher.* (P. BENOÎT, Boissière, III.)

---

317. PORC *n. m.*   animal domestiqué, engraissé pour sa viande.
[pɔr]

● *Il faut venir chez vous pour manger de vrais rillons de* **porc.**
(P. GUIMARD, L'ironie du sort, II, 2.)

PORE *n. m.*   orifice de la peau.
[pɔr]

● *À travers la souple et floconneuse étoffe de son complet, il respirait le bien-être par tous ses* **pores.** (A. GIDE, Les caves du Vatican, V, 1.)

PORT *n. m.*   1. abri pour les bateaux.
[pɔr]   2. le fait d'avoir sur soi, de porter.
     3. maintien, allure.

● *La mer était démontée et aucun navire ne pouvait quitter le* **port.**
(CAMI, Le baron de Crac.)

● *Ce qui m'avait choqué, au lycée Molière, c'était d'abord le* **port** *obligatoire d'un tablier beige.* (Brigitte FRIANG, Regarde-toi qui meurs, I, 1.)

● *L'Ingénu admire son* **port** *de tête, le galbe de ses jambes, la grâce de ses mouvements.* (P. GAXOTTE, Le nouvel ingénu, V.)

---

318. POU *n. m.*   insecte parasite.
[pu]

● *Il était si particulier, ce sentiment du* **pou,** *que l'on pouvait savoir qu'un prisonnier cherchait ses* **poux** *sans voir autre chose de lui que son visage; il avait alors l'expression du pouilleux.* (A. LANOUX, Le commandant Watrin, III, 6.)

POULS *n. m.*   battement des artères.
[pu]

● *Alors il se pencha sur l'enfant, chercha une fois encore les battements du* **pouls** *qui était extrêmement faible.*
(R. MARTIN DU GARD, Les Thibault, La consultation, XII.)

---

319. POUCE *n. m.*　　le plus gros doigt de la main.
[pus]

● *Clara ouvre son sac, en extrait un paquet de cigarettes, elle appuie sur la molette de son briquet d'un **pouce** ferme, aspire une bouffée, chasse la fumée avec lenteur.*　　(Christine de RIVOYRE, Le voyage à l'envers, II.)

● *Il posa ses deux mains à plat sur son manteau de cuir et glissa ses deux **pouces** dans sa ceinture.*　　(R. MERLE, La mort est mon métier.)

　　POUSSE *n. f.*　　bourgeon, jeune plante, jeune arbre, petite
　　[pus]　　branche.

● *Il arrivait que des **pousses** d'orties, sournoises autant que virulentes, me brûlaient âcrement les doigts sous la fraîcheur des perce-neige.*
　　(M. GENEVOIX, Images pour un jardin sans murs, V.)

● *Les **pousses** blondes des arbres frissonnaient au soleil.*
　　(R. ROLLAND, Jean-Christophe, Le matin.)

　　POUSSE *n. m.*　　en Extrême-Orient, voiture légère à deux
　　[pus]　　roues (pousse-pousse).

● *Les deux coureurs tonkinois avancèrent le **pousse**, un **pousse** très élégant, laqué et argenté.*　　(C. FARRÈRE, Les civilisés, I.)

　　POUSSE, POUSSES, POUSSENT　　*formes du verbe «pous-*
　　[pus]　　*ser» :* croître ; faire avan-
　　　　cer, conduire ; émettre un
　　　　son.

● *«Et surtout, donnez-moi quelque chose qui **pousse** vite», crie Pierre à M. Priapet quand il se rend au «Bon cultivateur», quai de la Mégisserie, pour faire ses commandes horticoles.*　　(P. MORAND, L'homme pressé, II, 16.)

● *Au milieu du hangar, on voit une scie qui monte et descend, tandis qu'un mécanisme fort simple **pousse** contre cette scie une pièce de bois.*
　　(STENDHAL, Le rouge et le noir, I, 4.)

● *Dès qu'il entend la cloche, le vieux Dick sort de son refuge. Il **pousse** les aboiements d'usage.*
　　(G. DUHAMEL, Fables de mon jardin, Dick ou le sentiment du devoir.)

───────────────

320. PRÉMICES *n. f. pl.*　　premiers fruits ; début.
[premis]

● *Il apportait tout de suite au château les **prémices** de la forêt. Les premières anémones, les premiers muguets.*　　(LA VARENDE, Vieille dame.)

　　PRÉMISSE *n. f.*　　chacune des deux propositions d'un syllo-
　　[premis]　　gisme dont on déduit la conclusion.

● *Le syllogisme apprend à déduire d'une manière rigoureuse la conséquence, mais sans garantir la vérité extrinsèque de cette conséquence, puisque, par lui-même, il ne garantit pas la vérité des **prémisses**.*
　　(PROUDHON, Système des contradictions économiques.)

- *Il ne faut pas mettre terme avant **prémisses**!*
  (H. VINCENOT, Le pape des escargots, I, 4.)

---

321 PRÈS *adv.*
[prɛ]

à une petite distance ; « près de », loc. prép. : proche de.

- *Un fauteuil était là offert, tout **près**.*   (VERCORS, Le silence de la mer.)

- *Il travaillait à la douane, **près** du bassin de radoub.*
  (D. BOULANGER, Le chemin des caracoles.)

PRÊT *adj. m.*
[prɛ]

préparé ; « prêt à » : disposé à.

- *Je viendrai te réveiller quand le déjeuner sera **prêt**.*   (R. VAILLAND, La fête, 5.)

- *Je suis un homme comme les autres, toujours tristement **prêt** à s'éblouir de la première femme venue.*   (H. BARBUSSE, L'enfer, III.)

PRÊT *n. m.*
[prɛ]

somme avancée ; action de prêter.

- *Lequel d'entre vous peut affirmer que ses actionnaires approuveraient un **prêt** qui n'est destiné qu'à maintenir un établissement chancelant ?*
  (A. MALRAUX, La condition humaine, VII.)

- *Maxime s'occupait de la vente et du **prêt** des livres.*
  (A. DHÔTEL, Le plateau de Mazagran.)

---

322. PRIX *n. m.*
[pri]

1. valeur d'une chose, coût.
2. récompense.

- *Bernard m'a dit un jour que sa paie de l'année ne s'élevait pas au **prix** d'une voiture neuve.*   (L. OURY, Les prolos, 2.)

- *Le matin, elle allait bien un peu dans le quartier, les jours de marché, pour voir les **prix** et surveiller sa cuisinière.*   (ARAGON, Les cloches de Bâle, I, 5.)

- *Delphine eut le **prix** d'excellence et Marinette le **prix** d'honneur.*
  (M. AYMÉ, Les contes du chat perché, Les bœufs.)

PRIE, PRIES, PRIENT *formes du verbe « prier » :*
[pri]

s'adresser à Dieu ; demander avec déférence, supplier.

- *Soyez-en sûr, Hortense **prie** toujours pour tous les pécheurs, fit en riant Gilles.*
  (P. VIALAR, Les invités de la chasse.)

- *Elle était très fatiguée, elle vous **prie** de l'excuser.*
  (J.-L. CURTIS, La quarantaine.)

PRIS, PRIT, PRÎT *formes du verbe «prendre» :* mettre en sa
    [pri]   main, emporter, utiliser, choisir, etc.

● *Il s'approcha d'un des paniers, **prit** une poignée de pois chiches, les porta
goulûment à sa bouche.*   (A. COSSERY, Les fainéants dans la vallée fertile, II.)

● *Comme elle ne pouvait marcher, je la **pris** entre mes bras.*
         (Madame de TENCIN, Mémoires du comte de Comminges.)

● *Un peu étonné qu'elle **prît** tant de précautions pour lui faire admettre une
chose qui semblait aller de soi, Théorème avait accepté de la meilleure grâce
du monde.*   (M. AYMÉ, Les Sabines.)

---

323. PROU *adv.*   beaucoup, dans l'expression «peu ou prou».
    [pru]

● *Je ne pus supporter qu'il pâtit, peu ou **prou,** de mon fait.*
         (R. MERLE, En nos vertes années, I.)

    PROUE *n. f.*   partie avant d'un navire.
    [pru]

● *«La Superbe» voguait lentement, dans la nuit, la **proue** tournée vers le point
de l'horizon où se trouve le port de Marseille.*
         (A. CHAMSON, La Superbe, IV, 24.)

---

324. PUIS *adv.*   ensuite, après.
    [pɥi]

● *Les techniciens de la cybernétique ont mis au point des machines électro-
niques qui fonctionnent d'abord arithmétiquement, **puis** analogiquement.*
         (L. PAUWELS et J. BERGIER, Le matin des magiciens, III, 4.)

● *Elle se levait tôt, **puis** plus tôt, **puis** encore plus tôt.*
         (COLETTE, La naissance du jour.)

    PUIS *forme du verbe «pouvoir» :*   je peux ou je puis.
    [pɥi]

● *Sans doute ne **puis**-je faire que je ne voie les choses sous une certaine
optique, un peu fausse peut-être.*   (J. -L. CURTIS, L'échelle de soie, I, 1.)

● *Ce que je **puis** dire, c'est qu'ici rien ne m'a encore choquée.*
         (R. VERCEL, Été indien, V.)

● N. B. À la tournure interrogative, on dit : **puis**-je?

    PUITS *n. m.*   trou foré pour atteindre une nappe d'eau
    [pɥi]   souterraine, pour extraire du pétrole, du char-
                    bon ; gouffre.

● *Le dernier kilomètre, nous l'achevâmes en courant. On voyait déjà le trou,
l'orifice du **puits**. Enfin nous l'atteignîmes. Il était vide.*
         (P. BENOÎT, L'Atlantide, 19.)

- *L'argent tombait du ciel par la poste, venait du lointain, du problématique M. Simonidzé, qui avait des **puits** de pétrole.*

  (ARAGON, Les cloches de Bâle, I, 4.)

- *La pente d'éboulis où j'atterris est faite de gros cailloux que des générations de bergers ont précipités dans le **puits**, par désœuvrement, comme cela se pratique dans tous les gouffres.* (N. CASTERET, En rampant, I, 1.)

PUY *n. m.*
[pɥi]   montagne.

- *Aussi plus d'un cône de la chaîne des **Puys**, en Auvergne, a conservé des formes aussi fraîches que si le volcan était éteint depuis un siècle à peine.*

  (E. de MARTONNE, Traité de géographie physique, IV, 8.)

---

325. QUEUE *n. f.*
[kø]
1. appendice qui prolonge la colonne vertébrale.

2. file de personnes ; derniers rangs d'un défilé ; arrière, extrémité ; poignée de certains objets.

- *Des lapins trottinaient devant eux, montraient leur **queue** blanche sous la lune.*

  (M. GENEVOIX, La dernière harde, I, 5.)

- *Il y avait à Montmartre, à la porte d'une épicerie de la rue Caulaincourt, une **queue** de quatorze personnes.* (M. AYMÉ, En attendant.)

- *La **queue** du cortège en était encore au carrefour.* (H. BAZIN, Chapeau bas.)

- *Angélique tenait la poêle dont, pour ne pas se brûler les doigts, elle avait emmailloté la **queue** dans un mouchoir de dentelle.*

  (P. MORAND, L'homme pressé, I, 5.)

QUEUX *n. m.*
[kø]   cuisinier.

- *La conversation s'établit entre tous, de table à table, tous unis, tous amis, tous frères : le curé, le **queux**, le notaire...* (R. ROLLAND, Colas Breugnon, IV.)

168

R

326. RAI *n. m.*   rayon de lumière.
[rɛ]

● *Il éteignit et tira la porte, ne laissant filtrer qu'un **rai** de lumière.*
(Albertine SARRAZIN, L'astragale, II.)

● *De longs **rais** de soleil se glissaient entre les branches.*
(M. GENEVOIX, Images pour un jardin sans murs, VI.)

RAIE *n. f.*   1. ligne, bande mince et longue ; séparation des
[rɛ]   cheveux.
  2. poisson.

● *Elle portait une jupe de lainage écossais, à **raies** sombres.*
(R. VAILLAND, La fête, 4.)

● *Il avait une grande **raie** qui séparait ses cheveux jusque sur sa nuque.*
(M. DRUON, Les grandes familles, III, 6.)

● *Au milieu de ces poissons à l'œil vif, dont les ouïes saignaient encore, s'étalait
une grande **raie,** rougeâtre.* (ZOLA, Le ventre de Paris, III.)

RETS *n. m.*   filet, piège.
[rɛ]

● *Duc était tombé dans les **rets** d'une jolie Américaine.*
(Brigitte FRIANG, La mousson de la liberté, II.)

---

327. RAID *n. m.*   opération de reconnaissance, coup de main,
[rɛd]   incursion ; longue épreuve d'endurance.

● *En définitive, ce que Habib lui proposait, c'était un **raid** en profondeur dans
le territoire français.* (R. GARY, Les racines du ciel, III, 33.)

● *Au cours de l'été 1938, je participai à un **raid** en montagne avec la section
d'éclaireurs-skieurs.* (M. MOHRT, La maison du père, p. 28.)

RAIDE *adj.*   rigide ; abrupt.
[rɛd]

- *Il considéra ce costume dont l'étoffe un peu **raide** ne portait pas encore la trace d'un seul pli.*   (J. GREEN, Moïra, II, 2.)

- *On ne pouvait se défendre de quelque émotion à le voir haletant et s'arrêtant sur chaque marche, se hisser à la force des bras le long du **raide** escalier qui menait au bureau présidentiel.*   (M. DRUON, La chute des corps, III, 13.)

---

328. RAINETTE *n. f.*   grenouille.
[rɛnɛt]

- *Une petite grenouille bleue se mit à sauter devant elle. Une **rainette** sans pigment complémentaire.*   (Boris VIAN, L'herbe rouge, VIII.)

REINETTE *n. f.*   variété de pomme.
[rɛnɛt]

- *En pommes, il y avait les « Gibelins » à la forme tourmentée, très dures sous la dent, rouge vif d'un côté, jaunes de l'autre ; enfin, toutes les variétés de **reinettes**.*   (M. SCIPION, Le clos du roi, Le pré du chai.)

---

329. RANG *n. m.*   disposition en ligne de personnes ou de choses ; place occupée dans la hiérarchie sociale, dans un classement, etc.
[rɑ̃]

- *À huit heures et demie, à l'instant où M. Seurel allait donner le signal d'entrer, nous arrivâmes tout essoufflés pour nous mettre sur les **rangs**.*   (ALAIN-FOURNIER, Le Grand Meaulnes, II, 3.)

- *Une foule prodigieuse de personnes de tout **rang** attendait dans la galerie du château la décision du conseil.*   (VOLTAIRE, Traité sur la tolérance, XXV.)

REND, RENDS *formes du verbe « rendre » :*
[rɑ̃]   restituer, donner en retour ; faire devenir, etc.

- *Est-ce que tu **rends** la balle ?*
    (M. AYMÉ, Les contes du chat perché, Le mauvais jars.)

- *Je n'en ai pas rencontré, dans toute ma carrière, plus de cinq ou six cas, le plus souvent sous une forme incomplète qui **rend** le diagnostic malaisé.*
    (H. BAZIN, Qui j'ose aimer, X.)

170

330. RAS *adj. m.*   très court ; « à ras... » : au niveau de.
     [rɑ]

- *Vous le connaissez peut-être et vous savez que c'est un homme un peu fort, de haute taille, avec les cheveux **ras**, la moustache en brosse et une barbiche rude.*   (G. DUHAMEL, Confession de minuit, I.)

- *Il vient de rapporter de Paris une mallette pleine à **ras** bord de devises étrangères.*   (P. MODIANO, Les boulevards de ceinture.)

- *Et des mouettes volaient, blanches aussi, au **ras** des vagues.*   (M. VAN DER MEERSCH, L'empreinte du Dieu, I, 4.)

     RAZ *n. m.*   courant violent.
      [rɑ]

- *La violence des courants de marée est impressionnante dans les détroits du **raz** de Sein, du Four, du Fromveur d'Ouessant où ils peuvent atteindre huit nœuds.*   (DIVILLE et GUILCHER, Bretagne et Normandie, I, 1.)

- *Lorsque la houle du large arrivait en rade, grossie par un de ces **raz** de marée que le Pacifique éructe si souvent, la barre d'Iquique devenait dangereuse.*   (R. VERCEL, Ceux de la Galatée, IX.)

N.B. RAT, rongeur, se prononce [ra].

---

331. REINE *n. f.*   souveraine, épouse d'un roi ; celle qui est la
      [rɛn]   première, la plus belle.

- *Je suis l'enfant unique du roi Polybe et de la **reine** Mérope.*   (J. COCTEAU, La machine infernale, III.)

- *Madame est aussi bien notre **reine** par l'intelligence que par la beauté.*   (BALZAC, Les paysans, II, 2.)

     RÊNE *n. f.*   chacune des deux courroies tenues en main et
      [rɛn]   qui servent à guider un cheval.

- *Son cheval était tout proche du mien, et je vis ses longues mains brunes trembler sur les **rênes**.*   (R. MERLE, La mort est mon métier, 1916.)

     RENNE *n. m.*   mammifère ruminant des régions glaciales.
      [rɛn]

- *Confondant leur pelage blanc ou gris de l'hiver à la masse blanchâtre ou grise de la montagne, les milliers de **rennes** dressaient en bosquets les ramures de leurs bois enchevêtrés, si semblables aux branches fines et défeuillées des bouleaux nains que l'ensemble ne formait qu'une seule masse grisâtre intimement mêlée à la taïga, comme si le flanc de la colline était couvert d'une forêt de **rennes** et d'un troupeau de bouleaux !*   (R. FRISON-ROCHE, Le rapt, I, 11.)

---

332. REPAIRE *n. m.*   refuge de bêtes sauvages, de brigands, de
[rəpɛr]   malfaiteurs.

- *Ce vieux temple est le **repaire** d'une bande de guérilleros.*
                                    (L. BODARD, L'enlisement, II.)

       REPÈRE *n. m.*   marque distinctive, jalon, indice.
       [rəpɛr]

- *Gilbert le vit mesurer l'ombre du bâton, planter des **repères** et se livrer à un
calcul très bizarre.*   (H. VINCENOT, Le pape des escargots, I, 4.)
- *J'ai griffonné un croquis sur mes genoux, avec points de **repère** et renseigne-
ments fournis par le pilote.*   (P. MORAND, L'homme pressé, I, 2.)

    REPÈRE, REPÈRES, REPÈRENT *formes du verbe « repé-*
        [rəpɛr]   *rer » :* marquer avec un
                                   jalon ; reconnaître, dé-
                                   couvrir.

- *Il vaut mieux que la concierge ne me **repère** pas.*
                      (Brigitte FRIANG, Regarde-toi qui meurs, I, 1.)
- *Ils **repèrent** inexplicablement tous les pièges invisibles que les Kataï tendent
dans les forêts et sur les pistes.*   (L. BODARD, L'enlisement, I.)

---

333. RIS *n. m.*   1. rire.
    [ri]   2. partie d'une voile.
                3. thymus du veau, de l'agneau.

- *Bien que le jour fût beau, il n'y eut point de **ris,** ni de chansons dans notre
troupe.*   (R. MERLE, En nos vertes années, II.)
- *Au-dessus du lit, un voile de tulle retombait en brouillard exactement de trois
côtés ; de petits cordonnets, semblables aux **ris** d'une voile, le relevaient par-
devant dans une courbe gracieuse.*   (A. GIDE, Les caves du Vatican, IV, 1.)
- *M. Gaugain, en cuisine, et madame vous proposeront le **ris** de veau au
Château-Châlon et le coq au vin d'Arbois.*   (Le Monde, 5 mai 1979, p. 25.)

   RIS, RIT, RIE, RIES, RIENT, RÎT, RI *formes du verbe « rire » :*
        [ri]   se réjouir, exprimer sa
                                   gaieté.

- *Des rires à présent succèdent aux voix et dans sa tanière Kristina **rit** aussi,
mais comme on **rit** lorsqu'on vient d'échapper à un grave danger ; elle **rit**
nerveusement.*   (R. FRISON-ROCHE, Le rapt, II, 19.)
- *Et pourquoi donc avait-elle **ri** ?* (J. GREEN, Moïra, I, 2.)

RIZ *n. m.*   graminée; grain de cette plante.
[ri]

● *Mais la culture du **riz** de marécage implique la possibilité de noyer et d'assécher à volonté les rizières.*
(M. TOURNIER, Vendredi ou les limbes du Pacifique, V.)

● *D'un cabas de toile cirée noire, il déballait ses provisions : piments, **riz,** épices, viande de mouton, saindoux, fruits confits, semoule.*
(P. MODIANO, Les boulevards de ceinture.)

---

334. ROB *n. m.*   terme de jeu de bridge ou de whist.
[rɔb]

● *Le **rob** se compose de deux parties liées; les joueurs qui en gagnent deux, gagnent le **rob**.*   (LITTRÉ).

ROBE *n. f.*   vêtement.
[rɔb]

● *Elle est vêtue d'une **robe** fendue, qui découvre ses longues jambes finement galbées.*   (J. E. HALLIER, Les aventures d'une jeune fille, I, 4.)

---

335. ROMAN *n. m.*   œuvre d'imagination; histoire dénuée de
[rɔmɑ̃]   vraisemblance.

● *Je ne savais même pas quelle serait la longueur approximative du **roman** ni à combien de personnages je ferais appel pour l'animer.*
(H. TROYAT, Un si long chemin.)

● *Il se rendait compte soudain que c'était tout un **roman** qu'on avait manigancé dans son dos.*   (G. BONHEUR, La croix de ma mère, III.)

ROMAN *adj. m.*   relatif à l'art qui a précédé le gothique.
[rɔmɑ̃]

● *Le style **roman** a eu son berceau dans le centre de la France et en Aquitaine, en Auvergne, dans la vallée de la Saône et du Rhône, où il atteignit à sa perfection dans la seconde moitié du XIᵉ siècle.*
(Fr. FUNCK-BRENTANO, Le Moyen Âge, XI.)

ROMAND *adj. m.*   se dit de la partie de la Suisse où l'on
[rɔmɑ̃]   parle le français.

● *De toute façon, la grande majorité des téléspectateurs suisses **romands** peuvent suivre sur leurs écrans les émissions de la deuxième chaîne française.*
(Le Monde, 24 février 1979, p. 25.)

---

336. ROMPS, ROMPT *formes du verbe « rompre »* : briser ;
  [rɔ̃] faire cesser.

- *Il paraissait si éloigné de cet absurde fanatisme qui* **rompt** *tous les liens de la société qu'il approuva la conversion de son fils Louis Calas.*
  (VOLTAIRE, Traité sur la tolérance, I.)

- *Et puisque je suis ici ce matin, contre mon gré, j'en profite pour vous dire que je* **romps** *notre association et que je m'installe à mon compte.*
  (P. MORAND, L'homme pressé, I, 9.)

  ROND *adj. m.* de forme circulaire ; en forme d'arc.
  [rɔ̃]

- *Un chiot à poil ras,* **rond** *comme une boule, fit irruption dans la varangue, par une porte à gauche.* (Marie-Thérèse HUMBERT, À l'autre bout de moi, 8.)

- *Elle a des genoux* **ronds,** *polis.* (Christine de RIVOYRE, Le voyage à l'envers, I.)

  ROND *n. m.* cercle ; anneau, objet de forme circulaire.
  [rɔ̃]

- *Ils burent ; des gouttes tombaient de leurs moustaches et de leur barbe, faisant des* **ronds** *noirs sur les pierres.*
  (C. F. RAMUZ, La grande peur dans la montagne, XII.)

- *Les repas étaient pour Catherine un insupportable supplice. Elle souffrait des taches sur la nappe, des* **ronds** *de serviette, de la conversation.*
  (ARAGON, Les cloches de Bâle, I, 4.)

---

337. RÔTI *n. m. et adj.* morceau de viande cuit au four.
  [roti]

- *En outre, on ne mangeait pas de* **rôti** *ce soir-là.* (Boris VIAN, L'herbe rouge, III.)

- *Le déjeuner fut excellent, et d'une simplicité de vrai gourmet : salade de tomates, œufs à la Béchamel, poulet* **rôti,** *asperges en branches.*
  (M. VAN DER MEERSCH, Maria fille de Flandre, V.)

  RÔTIE *n. f.* tranche de pain grillée.
  [roti]

- *Mme Courtecuisse, qui jadis se permettait de temps en temps une bouteille de vin cuit et des* **rôties,** *ne buvait plus que de l'eau.*
  (BALZAC, Les paysans, I, 12.)

---

338. ROUE *n. f.* organe circulaire tournant autour d'un axe
  [ru] central ; supplice.

- *Les* **roues** *de la voiture étaient entrées dans la boue jusqu'aux moyeux.*
  (ZOLA, Le ventre de Paris, I.)

- *Avec ces gens, je ne connais que la corde, la barre de fer et la **roue,** ou la torche et le fagot.* (A. CHAMSON, La superbe, IV, 21.)

ROUX *adj. et n. m.*
[ru]
d'une couleur entre l'orange et le rouge.

- *Mais je tenais de ma mère ces cheveux presque **roux** qui me désolaient.* (Françoise MALLET-JORIS, Le rempart des béguines.)

- *De la bande un homme se détacha, un grand **roux** aux yeux rieurs et mobiles.* (René BAZIN, Le blé qui lève, I.)

---

339. RU *n. m.*
[ry]
petit ruisseau.

- *Dans l'après-midi, Céleste s'en fut laver au **ru**.* (Hervé BAZIN, La poison.)

RUE *n. f.*
[ry]
voie de circulation.

- *Ce que j'aime par-dessus tout, c'est flâner dans les vieilles **rues**.* (A. MAUROIS, Climats, I, 4.)

- *Il s'agissait d'aller de **rue** en **rue**, presque de porte en porte.* (G. SIMENON, Les mémoires de Maigret, 5.)

RUE, RUES, RUENT *formes du verbe « ruer » :* lancer vivement
[ry]
les pieds de derrière, en parlant d'un cheval, d'un âne, etc.; « se ruer » : se précipiter, se jeter.

- *Sans attendre une réponse dont je me moque, je me **rue** vers l'entrée du jardin.* (Brigitte FRIANG, Regarde-toi qui meurs, I, 1.)

- *En 1856, plus de 600 navires franchissent la baie; ils déversent des foules sans cesse renouvelées qui se **ruent** aussitôt à l'assaut de l'or.* (B. CENDRARS, L'or, VIII.)

---

340. SACRISTI ! *interj.*   juron familier.
[sakristi]

- *Sacristi, non ! il ne craignait pas la concurrence.*   (ZOLA, L'Assommoir, 6.)

   SACRISTIE *n. f.*   annexe d'une église.
   [sakristi]

- *Le moment approchait d'aller à la **sacristie** préparer ce qu'il fallait pour la messe.*   (A. BILLY, L'Approbaniste, V.)

---

341. SAIN *adj. m.*   1. en bonne santé.
[sɛ̃]   2. bon, qui n'est pas gâté.

- *Il a le corps **sain**, les membres agiles, l'esprit juste et sans préjugés, le cœur libre et sans passions.*   (J. -J. ROUSSEAU, L'Émile, III.)

- *Quand on voit sur une table des mets légers, **sains** et bien préparés, on est fort aise que la cuisine soit devenue une science.*
                            (CHAMFORT, Produits de la civilisation perfectionnée, 3.)

   CEINS, CEINT *formes du verbe « ceindre » :* entourer ; mettre
   [sɛ̃]   autour de son corps.

- *Ainsi une chose qui me plairait serait de me promener par les rues le front **ceint** d'un double laurier, cependant que sur mon passage s'élèverait un murmure louangeur.*   (G. COURTELINE, Lauriers coupés, II.)

- *Cournet **ceint** son écharpe rouge, veut parler. On couvre sa voix, on le menace.*   (M. VUILLAUME, Mes cahiers rouges, La rue Haxo.)

   SAINT *n. m.*   1. personne qui a été reconnue par l'Église
   [sɛ̃]   comme parfaite et digne d'un culte.
                    2. personne d'une grande vertu.

- *Ne mêle pas les **saints** du paradis à ces histoires-là.*   (ANOUILH, L'Alouette.)

176

● *Votre père est un **saint**, ou peu s'en faut. Toutefois, je commence à comprendre que les **saints** devaient être un peu agaçants pour leur entourage.*
(MONTHERLANT, Le Maître de Santiago, II, 3.)

SAINT *adj. m.*
[sɛ̃]
qui mène une vie irréprochable ; qui a un caractère sacré.

● *Mais eux, méprisant les exhortations du **saint** homme, redoublèrent, en leurs propos, d'indécence et d'impiété.* (A. FRANCE, L'anneau d'améthyste, III.)

SEIN *n. m.*
[sɛ̃]
partie antérieure de la poitrine ; intérieur, milieu.

● *Un coup terrible fut porté au pays quand ses gars commencèrent à penser que ses filles n'avaient pas forcément les plus beaux **seins** du monde.*
(G. CESBRON, Ce siècle appelle au secours.)

● *On devine ses **seins** parfaits sous l'étoffe d'un bleu très pâle.*
(Christine de RIVOYRE, Le voyage à l'envers, II.)

● *Nulle part, disait-il, elle ne pouvait se trouver plus en sûreté qu'au fond de la province et dans le **sein** de sa famille, à Langeais.*
(Ph. HÉRIAT, Famille Boussardel, II.)

● *M. de Balansun avait une notion fort nébuleuse de la réalité tragique au **sein** de laquelle ses contemporains et lui-même vivaient et se débattaient.*
(J. -L. CURTIS, Les forêts de la nuit, I, 5.)

SEING *n. m.*
[sɛ̃]
signature.

● *Je suis ici à titre privé, car vous passez un simple acte sous **seing** privé, et non un acte notarié.* (P. MORAND, L'homme pressé, I, 3.)

---

342. SAINTE *n. f. et adj. f.*
[sɛ̃t]
1. personne qui a été reconnue par l'Église comme parfaite et digne d'un culte ; personne d'une grande vertu.

2. qui a un caractère sacré.

● *Et si les mots de **sainte** et d'extase ont un sens, vous étiez cette **sainte** en extase.* (G. BERNANOS, La joie, I, 1.)

● *C'est de foi et de conviction que sont faites en morale les choses **saintes** et en poésie les idées sublimes.*
(V. HUGO, Réponse au discours de Sainte-Beuve, Académie Française, 27 février 1845.)

CEINTE *part. pass. fém. du verbe « ceindre » :*
[sɛ̃t]
entourer.

● *Il avait le buste nu et la taille **ceinte** d'une sorte de pagne en lambeaux.*
(A. COSSERY, Les fainéants dans la vallée fertile, 4.)

---

343. SALE *adj.*   1. malpropre, crasseux.
[sal]   2. mauvais, méchant.

• *Je me trouvais dans une large soupente encombrée d'objets divers : un balai, des sacs de linge* **sale,** *un tas de petit bois.*   (R. V. PILHES, La bête, 10.)

• *Il faut dire que Clara avait un* **sale** *caractère.*   (R. IKOR, Les eaux mêlées, I.)

SALE, SALES, SALENT *formes du verbe « saler » :*
[sal]   assaisonner avec du sel.

• *C'était un peu avant Noël, au moment où l'on* **sale** *le lard.*
(Le Roman de Renard, La pêche d'Ysengrin.)

SALLE *n. f.*   grande pièce dans un appartement ; vaste local
[sal]   dans un lieu public.

• *La* **salle** *à manger de l'hôtel Schoudler était somptueuse et sinistre.*
(M. DRUON, La chute des corps, I, 10.)

• *Dès huit heures moins le quart, Joseph se trouva dans une grande* **salle** *dont les fenêtres ouvertes regardaient vers la campagne.*   (J. GREEN, Moïra, I, 7.)

---

344. SATIRE *n. f.*   pamphlet, critique.
[satir]

• *J'ai beaucoup insisté sur cette œuvre de forte* **satire** *parce que j'y vois les caractères du beau.*   (ALAIN, Préliminaires à l'esthétique, XXXIX, Ubu roi.)

• *J'en ai connu quelques-uns qui versaient tranquillement dans la* **satire** *quand ils étaient en action, alors qu'ils se montraient humbles et pusillanimes dans l'ordinaire de la vie.*   (P. J. HÉLIAS, Le pays bigouden.)

SATYRE *n. m.*   1. divinité mythologique.
[satir]   2. homme obscène, vicieux.

• *Sanglant et furieux, le* **Satyre** *alors, en criant sa vengeance, se mit à poursuivre la Nymphe.*
(M. MEUNIER, La Légende dorée des Dieux et des Héros, I, 11.)

• *Il ne manquait plus que ça : les patrons me prennent pour un ivrogne et les bonnes pour un* **satyre** *!*   (A. BLONDIN, Un singe en hiver, III.)

---

345. SAUT *n. m.*   bond ; déplacement rapide.
[so]

• *Sans une hésitation, il bondit d'un* **saut** *au milieu du courant, et finit par saisir l'enfant.*   (LA VARENDE, Le bouffon blanc.)

• *Si vous le permettez, je vais en profiter pour faire un* **saut** *chez moi.*
(H. BAZIN, Bouc émissaire.)

SCEAU *n. m.*
[so]
cachet officiel; empreinte pour authentifier une pièce; marque qui rend inviolable.

● *Ceux qui auront contrefait le **sceau** de l'État ou fait usage du **sceau** contrefait seront punis de la réclusion criminelle à perpétuité.*
(Article 139 du Code pénal.)

● *Bien entendu, dit M. Desvrières, je vous confie tout cela sous le **sceau** du secret.* (P. GUIMARD, L'ironie du sort, II, 2.)

SEAU *n. m.*
[so]
récipient cylindrique muni d'une anse.

● *En ouvrant, ce matin-là, la porte de la chambre, de son grand geste habituel, il reçut en plein sur la tête le contenu d'un **seau** de dix litres.*
(R. VERCEL, Ceux de la Galatée, VI.)

● *Il y avait un lit, deux chaises, une table, et au milieu un poêle et un **seau** à charbon.* (R. MERLE, La mort est mon métier, 1945.)

SOT *n. m. et adj. m.*
[so]
imbécile; ridicule.

● *Je subirai, s'il le faut, avec patience, les dédains du monde, les ricanements des **sots**.* (Valéry LARBAUD, Fermina Marquez, XVII.)

● *Nous nous sommes trouvés aussi **sots** l'un que l'autre.*
(BALZAC, Béatrix, II, 1, 2.)

---

346. SCELLER *v. tr.*
[sele]
appliquer un sceau, faire un scellement; confirmer solennellement.

● *Nous creusons la tombe, et des polypes se chargent d'y **sceller** nos morts pour l'éternité.* (J. VERNE, 20 000 lieues sous les mers, I, 24.)

● *Il paraît aussi, ajoutaient certains en baissant la voix, qu'ils avaient marqué des pièces d'argent avec une croix qu'ils gravaient sur les fleurs de lis, et qu'ils les mettaient dans leurs souliers, la croix en dessous, pour **sceller** leur engagement avec Lucifer.* (A. CHAMSON, La Superbe, II, 11.)

SELLER *v. tr.*
[sele]
attacher la selle sur le dos d'un cheval, d'un mulet, etc.

● *Au fond, **seller** un chameau est encore moins difficile que **seller** un cheval.* (R. FRISON-ROCHE, L'appel du Hoggar, 2.)

● *Sylvie appela un petit garçon et lui fit **seller** un âne.*
(NERVAL, Les filles du feu, Sylvie.)

---

347. SCEPTIQUE *adj. et n.*
[sɛptik]
incrédule.

● *Vous êtes, comme tous les Français, un **sceptique**, un monsieur qui doute de tout.* (É. HENRIOT, La rose de Bratislava, VI.)

- *Mon métier était de leur enseigner la France, la pensée française, c'est-à-dire une chose qui, si **sceptique** que je puisse être à l'égard de l'Histoire, me semblait aussi solide que les Alpes ou les Pyrénées.*
(J. GUÉHENNO, Journal des années noires.)

SEPTIQUE *adj.*   qui peut produire une infection.
[sɛptik]

- *Le plateau bactérien est une zone de drainage qui récupère les eaux usées provenant de la fosse **septique** et des bacs dégraisseurs.*
(Maison individuelle, n° 39, p. 99.)

---

348. SCIE *n. f.*   1. outil à couper.
[si]   2. rengaine.

- *Des chantiers s'ouvraient à gauche, à droite, entourés d'un joyeux vacarme de coups de marteaux et de grincements de **scies**.*   (H. TROYAT, Grimbosq, 1.)

- *Dans tous ses travaux, Robinson souffrait cruellement de ne pas posséder de **scie**. Cet outil lui aurait épargné des mois de travail à la hache et au couteau.*
(M. TOURNIER, Vendredi ou les limbes du Pacifique, II.)

- *... les deux ou trois **scies** à la mode dans les cafés-concerts.*
(P. BENOÎT, L'Atlantide, I.)

SI *conj., n. m. invar., adv.*   1. marque une condition ou une
[si]   supposition.

2. indique une hypothèse.

3. tellement.

- *Si cela se passait ainsi, **si** la vitesse de classement, de comparaison, de déduction se trouvait formidablement accélérée, **si** notre intelligence se trouvait dans certains cas, comme la particule dans le cyclotron, nous aurions l'explication de toute magie.*
(L. PAUWELS et J. BERGIER, Le matin des magiciens, III, 4.)

- *La plupart des amitiés sont hérissées de **si** et de mais, et aboutissent à de simples liaisons qui subsistent à force de sous-entendus.*
(CHAMFORT, Produit de la civilisation perfectionnée, 4.)

- *Elle est **si** bonne, **si** indulgente ! et **si** gracieuse et **si** belle ! pas une femme ne lui est comparable.*   (MUSSET, On ne saurait penser à tout, IX.)

SI *n. m. invar.*   note de musique.
[si]

- *Le second mouvement « Scène au ruisseau », un très calme andante en **si** bémol, porte le même caractère.*   (J. CHANTAVOINE, Beethoven.)

SIS *adj. m.*   situé.
[si]

- *Les plus belles heures de la journée s'écoulaient pour lui dans un petit bureau sombre, **sis** à proximité d'une gare.*   (J. GREEN, Si j'étais vous, I, 3.)

---

349. SCIEUR *n. m.*   ouvrier qui utilise une scie.
    [sjœr]

● *Je veux absolument prendre chez moi Sorel, le fils du* **scieur** *de planches.*
                                            (STENDHAL, Le rouge et le noir, I, 3.)

SIEUR *n. m.*   monsieur.
    [sjœr]

● *Ce que vous a appris le* **sieur** *Bonnet, dit de la Bonnetière, et tous ces livres
que vous avez achetés depuis, vous ont tourné la tête.*
                                            (MONTHERLANT, Brocéliande, II, 6.)

---

350. SÈCHE *adj. f.*   qui a perdu son humidité ; qui n'est plus
    [sɛʃ]   verte ; qui n'est pas accompagnée de
                                 ciment ; dure, autoritaire, cassante.

● *Ta chemise n'est pas encore* **sèche ?**   (A. ROUSSIN, La petite hutte, II.)

● *Le sentier devenait à chaque pas plus vague, et parfois on perdait sa trace
sous les feuilles* **sèches.**   (H. BOSCO, Malicroix, Mégremut.)

● *Nous faisons le tour du mur en pierres* **sèches** *qui cerne l'enclos.*
                                            (P. J. HÉLIAS, Le cheval d'orgueil, III.)

● *Il serra soudain les lèvres et poursuivit d'une voix plus* **sèche...**
                                            (G. DUHAMEL, Le club des Lyonnais, XIV.)

SÈCHE, SÈCHES, SÈCHENT   *formes du verbe « sécher » :*
    [sɛʃ]   débarrasser de son humidité ;
                                 devenir sec ; étancher.

● *Et tout trempé, il attend qu'on le change, ou que le soleil le* **sèche.**
                                            (J. RENARD, Poil de carotte.)

● *C'est au milieu des pins et des bouleaux... près d'un étang, un petit château
1860, en bois découpé, avec un grand toit pour les neiges et une double
ceinture de balcons où* **sèchent** *des peaux de renards et de fouines...*
                                            (É. HENRIOT, La rose de Bratislava, V.)

● *Nos amis vont arriver.* **Sèche** *vite tes larmes, je t'en prie.*
                                            (H. BORDEAUX, La peur de vivre, I, 5.)

SEICHE *n. f.*   mollusque.
    [sɛʃ]

● *Et que voudrais-je pour dîner ? une friture de* **seiches ?**
                                            (J.-L. CURTIS, L'échelle de soie, I, 2.)

---

351. SEREIN *adj. m.*   pur, clair ; calme, tranquille.
    [sərɛ̃]

● *Le ciel demeurait* **serein** *comme la veille.*   (A. DHÔTEL, David, XII.)

181

● *Il a conservé un visage **serein**. Aucune parole de récrimination ne sort de sa bouche.* (Ch. PINEAU, La simple vérité, I, 8.)

SEREIN *n. m.*　　　fraîcheur du soir après une belle journée.
[sərɛ̃]

● *Cette vision romantique me retenait parfois jusqu'à la nuit tombée et je n'avais que le temps de gagner la cuisine pour échapper au **serein** qui rend notre climat si dangereux.* (J. GREEN, Le visionnaire, II.)

SERIN *n. m.*　　　1. petit oiseau à plumage jaune.
[sərɛ̃]　　　　　　　2. étourdi, nigaud.

● *Au plafond du premier palier, faisant face à l'entrée, une cage à **serin** était suspendue que l'on pouvait voir de la rue.* (A. GIDE, Les caves du Vatican, IV, 2.)

● *Nous sommes des **serins**, c'est vrai, mais ça ne vaut pas la peine de pleurer comme ça.* (COLETTE, La retraite sentimentale.)

---

352. SERMENT *n. m.*　　　engagement solennel.
[sɛrmɑ̃]

● *J'ai juré de lier ma vie à la leur, et nul ne me délivrera de ce **serment**, car ceux à qui je l'ai fait sont morts.* (A. MALRAUX, Les conquérants, II.)

SERREMENT *n. m.*　　　action de presser, fait d'être contracté.
[sɛrmɑ̃]

● *J'eus un **serrement** de cœur en songeant au désarroi, à l'angoisse qui ne tarderaient pas à s'emparer de Mme Pujol-Arnaud.* (R. V. PILHES, La bête, 11.)

---

353. SITE *n. m.*　　　emplacement exact d'une ville; endroit remar-
[sit]　　　　　　　quable ou pittoresque.

● *Si l'on définit la position de Marseille par rapport au couloir rhodanien, comme port établissant la liaison entre la France méridionale et la navigation méditerranéenne, les **sites** de Marseille, d'Arles, de Saint-Gilles, d'Aigues-Mortes, et même de Beaucaire correspondent à des essais successifs, parfois même simultanés, de valorisation de cette position.* (P. GEORGE, La Ville, I, 1.)

● *Restons ici. Le **site** me plaît, le bois est beau et je bâtirai une belle cabane.* (R. FRISON-ROCHE, La vallée sans hommes, I, 7.)

CITE, CITES, CITENT　　　*formes du verbe «citer» :*
[sit]　　　　　　　mentionner, rappeler.

● *Les mères assistent aux cours communs et l'on **cite** telle d'entre elles qui, non contente de «souffler» la bonne réponse à son rejeton, est dans l'habitude de «souffler» des réponses erronées à ceux de ses chères amies.* (J. CHASTENET, La belle époque, II.)

---

354. SOC *n. m.*　　　pièce en acier trempé fixée à l'extrémité anté-
[sɔk]　　　　　　　rieure du sep d'une charrue.

- *La terre, sèche depuis des mois, ne s'émiettait pas sous le* **soc** *; elle venait en mottes longues comme des poutres, elle se couchait en travers de la charrue.*
(René BAZIN, Le blé qui lève, XI.)

　　SOCQUE *n. m.*　　　chaussure à semelle de bois.
　　[sɔk]

- *Dans la glaise qui colle et forme de hautes et lourdes semelles sous nos* **socques** *que nous parvenons difficilement à arracher pas après pas, que nous perdons tandis que les rangs suivants poussent... nous bouclons enfin le tour du camp.* (Brigitte FRIANG, Regarde-toi qui meurs, I, 3.)

---

355. SOI *pronom personnel réfléchi de la 3ᵉ personne.*
[swa]

- *Faire souffrir, fût-ce malgré* **soi** *— mais est-ce jamais malgré* **soi** *—, ceux qui vous aiment m'a toujours gênée comme une indécence.*
(J.-L. CURTIS, L'échelle de soie, I, 2.)

　　SOIE *n. f.*　　　1. matière textile, étoffe.
　　[swa]　　　　　　2. poil dur et long du porc, du sanglier.

- *Elle portait un pantalon de velours gris et une chemise de* **soie** *jaune, qui éclairait son teint foncé.* (Françoise MALLET-JORIS, Le rempart des béguines.)

- *L'homme qu'il avait vu dans le bois était penché sur un sanglier abattu, une bête de compagnie dont les* **soies** *rousses ruisselaient de sang.*
(M. GENEVOIX, La dernière harde, I, 8.)

　　SOIS, SOIT, SOIENT *formes du verbe «être».*
　　[swa]

- *À qui voulez-vous donc que* **soit** *cette jarretière ?*
(A. CHAMSON, La Superbe, I, 2.)

- *Le tout est que ce* **soient** *d'honnêtes gens.*
(MONTHERLANT, La relève du matin, Le dialogue avec Gérard.)

　　SOIT *conj.*　　　marque l'alternative.
　　[swa]

- *D'après la police l'objectif de ce terroriste pouvait être* **soit** *de prendre en otages un ou plusieurs délégués* **soit** *de tirer sur le ministre lorsque celui-ci viendrait clore le séminaire.* (R. V. PILHES, La bête, 17.)

---

356. SOL *n. m.*   1. terre, terrain ; plancher.

[sɔl]   2. note de musique.

● *Ils s'aplatirent tous les deux sur le* **sol** *glaiseux du fossé.*
             (A. LANOUX, Le commandant Watrin, II, 3.)

● *À côté du lit, un cendrier plein était posé à même le* **sol,** *près d'un livre ouvert.*
         (Françoise MALLET-JORIS, Le rempart des béguines.)

● *La plus petite donnait, à l'octave en dessous, un* **sol** *discutable et la plus grande, fêlée, ne tintait pas.*   (H. BAZIN, Qui j'ose aimer, XII.)

      SOLE *n. f.*   1. poisson plat.

      [sɔl]   2. dessous du sabot d'un animal.

                    3. partie horizontale d'un four qui reçoit les produits à traiter.

                    4. partie d'une terre soumise à l'assolement.

● *Les fameux filets de* **sole** *au chambertin ! J'en ai eu les oreilles rebattues toute une matinée.*   (G. BERNANOS, La joie, I, 1.)

● *Ce n'est pas que Toussaint eût jamais violé la solennité des saints jours pour armer la* **sole** *d'un cheval ou pour ferrer une roue.*
        (Ch. NODIER, La combe de l'homme mort.)

● *P'tit Bras s'était arrêté près de la gueule béante d'un four dont la* **sole** *supporte encore les tonnes du matériau qui vient d'y subir un traitement thermique.*
        (L. OURY, Les prolos, 4.)

● *Assolement forcé pour laisser une pâture d'un seul tenant... partage des terres entre les trois* **soles,** *agglomération du village... c'est le système qui s'est instauré, sculptant avec vigueur le type d'habitat groupé.*
     (J.-M. SOURDILLAT, Géographie agricole de la France, I, 2.)

---

357. SON *adj. possessif de la troisième personne*   de lui, d'elle.

[sɔ̃]

● *Mais Laurent était chez lui, c'était* **son** *avenue Foch,* **son** *immeuble choisi entre tous pour sa discrétion cossue, fin de siècle, c'était sa voûte, sa verrière, sur la gauche ce serait* **son** *appartement,* **son** *rez-de-chaussée opulent et sombre...*   (Christine de RIVOYRE, Les sultans, I.)

      SON *n. m.*   1. bruit, timbre.

      [sɔ̃]   2. résidu de la mouture du blé.

● *Kristina reconnut le* **son** *de la clochette du vieux renne castré, conducteur du troupeau.*   (R. FRISON-ROCHE, Le rapt, I, 11.)

● *Cependant, j'avais auparavant distribué un peu de* **son** *aux moutons, préparé le repas des cochons et j'étais passé voir mes bœufs au pâturage.*
      (E. GUILLAUMIN, La vie d'un simple, 28.)

      SONT *forme du verbe « être »*

      [sɔ̃]

● *Quant aux meubles, je les laisserai comme ils* **sont** *et n'y ferai rien changer.*
        (BALZAC, La vieille fille.)

● *On dit que la vie est courte. Elle est courte pour ceux qui **sont** heureux, interminable pour ceux qui ne le **sont** pas.* (MONTHERLANT, Carnets, XIX.)

---

358. SORE *n. m.*
[sɔr]
amas de sporanges sous la feuille d'une fougère.

● *Les **sores** (amas de sporanges) sont insérés sur la face des frondes d'individus adultes ; ils sont petits, arrondis et dépourvus d'indusie.*
(E. KAPP, Fleurs des bois, p. 247.)

SAUR *adj. m.*
[sɔr]
salé et fumé.

● *Deux femmes... étalaient sur une table boiteuse de la morue, des harengs salés, des harengs **saurs**...* (ZOLA, La terre, II, 6.)

SORS, SORT *formes du verbe « sortir » :* aller hors d'un lieu ;
[sɔr] mettre dehors ; être en dehors de.

● *Quand je **sors** de mon jardin pour monter sur le plateau, je dois d'abord traverser le bois.* (G. DUHAMEL, Fables de mon jardin, La cité au péril de l'abîme.)

● *Jean-Loup **sort** de sa poche un foulard mauve à dessins violets.*
(Christine de RIVOYRE, Le voyage à l'envers, I.)

● *Le travail qui m'est demandé **sort** quelque peu de mes préoccupations habituelles.* (C. PINEAU, La simple vérité, I, 6.)

SORT *n. m.*
[sɔr]
1. destinée, hasard.
2. sortilège, maléfice.

● *Le **sort** du combattant est sans atténuation : tuer ou être tué.*
(LA VARENDE, Le bouffon blanc.)

● *La procédure du tirage au **sort** est la seule qui soit démocratique.*
(R. MERLE, Madrapour, VI.)

● *Passe ton chemin, Johny, sans jeter de **sort** sur ceux qui travaillent.*
(MUSSET, La quittance du diable, I.)

---

359. SOU *n. m.*
[su]
pièce de cinq centimes.

● *Malheureusement il n'avait pas un **sou** dans sa poche.* (A. DAUDET, Jack, I, 7.)

● *Ils passaient leur journée à consulter le destin devant les appareils à **sous**.*
(R. DORGELÈS, Le château des brouillards, II.)

SOUE *n. f.* étable à porcs.
[su]

- *Quand Casimir a été parti, Jérôme s'est arrangé pour rencontrer Julia toute seule, près des **soues**.* (J. GIONO, Le grand troupeau, III.)

SOÛL *adj. m.* ivre.
[su]

- *Viens, il dort. Il est encore plus **soûl** que toi.* (M. DRUON, Les grandes familles, IV, 10.)

SOUS *prép.* au-dessous de.
[su]

- *On n'est pas mal, **sous** les saules des petites rivières.* (M. GENEVOIX, La boîte à pêche, XI.)

- *Le concierge entra, sa casquette **sous** le bras.* (G. CESBRON, Notre prison est un royaume, XI.)

---

360. SOURIS *n. f.* mammifère rongeur.
[suri]

- *Il prétend avoir trouvé des crottes de **souris** dans le cellier.* (F. NOURISSIER, Le maître de maison.)

SOURIS, SOURIT, SOURI *formes du verbe « sourire » :* rire
[suri] sans éclat.

- *Indifférent, l'Indien jeta au loin la peau inutile, **sourit** bizarrement.* (R. FRISON-ROCHE, La vallée sans hommes, I, 4.)

- *Le garçon qui m'avait **souri**, ... voici qu'il se révélait un peu gauche, presque timide.* (A. de SAINT-EXUPÉRY, Lettre à un otage, IV.)

---

361. SPORE *n. f.* corpuscule reproducteur de certains végétaux.
[spɔr]

- *Chez les champignons à lamelles, les **spores** adhèrent à ces organes.* (A. DEVIGNES, Champignons comestibles.)

SPORT *n. m.* exercice physique.
[spɔr]

- *Il écouta des sportifs qui ne pratiquaient aucun **sport**, mais qui suivaient tous les matches de rugby à la télévision.* (P. GAXOTTE, Le nouvel ingénu, V.)

- *Quel est votre **sport** ? Pêche, chasse, golf, polo ?* (A. MAUROIS, Les silences du colonel Bramble, 6.)

---

362. STATUE *n. f.*   sculpture représentant une personne, un
[staty]   animal.

● *Au centre de la place est une **statue** équestre de Marc-Aurèle en bronze.*
(H. TAINE, Voyage en Italie, IV.)

STATUE, STATUES, STATUENT   *formes du verbe « sta-*
[staty]   ***tuer »* :** décider, ordonner.

● *La justice militaire ne **statue** que sur l'action publique.*
(Article 55 du Code de justice militaire.)

STATUT *n. m.*   ensemble de lois, de règlements, de dispo-
[staty]   sitions applicables à un individu, à une
    association, à un syndicat, etc.

● *Marinet, un pauvre être étique, toussota et avec des intonations de prédicateur
et des intentions déclamatoires, il commença à énumérer les **statuts** relatifs à
la constitution d'une société anonyme, dite Société de l'Établissement thermal
du Mont-Oriol, à Enval, au capital de deux millions.*
(MAUPASSANT, Mont-Oriol, I, 8.)
N. B. Dans le n. m. invar. STATU QUO [statykwo], état actuel des choses, statu s'écrit
sans t.

---

363. SUBIS, SUBIT, SUBI,E   *formes du verbe « subir » :* se sou-
[sybi]   mettre, se résigner ; supporter,
    endurer.

● *Une telle force se dégageait de lui que j'en **subis** l'ascendant.*
(Marie-Thérèse HUMBERT, À l'autre bout de moi, 6.)

● *La société de la petite ville avait encore **subi** une forte transformation par suite
de la guerre.*   (J. de LACRETELLE, La Bonifas, III, 14.)

● *La double opération de la cataracte **subie** quelques années plus tôt n'avait pu
le sauver de devenir aveugle.*   (M. DRUON, La chute des corps, I, 1.)

SUBIT *adj. m.*   soudain, brusque.
[sybi]

● *Un malaise **subit** l'avait pris dans la salle à manger, mais cela passait ; à
présent, il allait mieux.*   (J. GREEN, Moïra, I, 4.)

● *Quel intérêt **subit** prenez-vous donc à ce Savaron ?*   (BALZAC, Albert Savarus.)

---

364. SUIE *n. f.*   matière noire déposée par la fumée.
[sɥi]

● *Il n'avait que des contusions superficielles sous l'épaisse couche de **suie**, de
poussière et de terre qui le couvrait.*
(M. TOURNIER, Vendredi ou les limbes du Pacifique, IX.)

SUIS *forme du verbe « être ».*
[sɥi]

● *Moi aussi, je **suis** autre que ce que je m'imagine être.*
(Simone WEIL, La pesanteur et la grâce.)

● *Je ne **suis** pas un saint, mais je **suis** un homme ordinaire.*
(G. BERNANOS, La joie, I, 3.)

SUIS, SUIT *formes du verbe « suivre » :* venir après, accompagner ; obéir à.
[sɥi]

● *La camionnette **suit,** chargée de tout un bric-à-brac.*
(Patrick MODIANO, Les boulevards de ceinture.)

● *Reste, reste mon enfant, ne me **suis** pas.* (VIGNY, Chatterton, III, 9.)

● *C'est donc ainsi qu'on **suit** mes ordres ?* (MUSSET, Bettine, IX.)

---

365. SUR *prép.* au-dessus de, à la surface de, au bord de ; à
[syr] cause de, d'après, à propos de, etc.

● *La lampe posée **sur** le bureau éclairait un livre de comptes ouvert.*
(F. MAURIAC, Génitrix, II.)

● ***Sur** le chapitre de la politesse, je trouverai moins d'objections que **sur** celui
de la modestie.* (RENAN, Souvenirs d'enfance et de jeunesse, VI, 4.)

SUR, SURE *adj.* acide, aigre.
[syr]

● *Tu te souviens, quand j'avais arraché dans le jardin des oignons de dahlias
que j'avais pris pour des navets ? La soupe était d'un **sur !** Eh bien, on l'a
mangée quand même...* (R. DORGELÈS, Le château des brouillards, III.)

● *Les juifs, stylés par leurs coreligionnaires de Judée, aigrissaient de leur mieux
cette pâte déjà **sure.***
(Marguerite YOURCENAR, Mémoires d'Hadrien, Saeculum aureum.)

SÛR, SÛRE *adj.* certain, assuré, vrai.
[syr]

● *Et très **sûr** de moi, je m'étais mis à faire des arpèges, pensant l'éblouir par ma
virtuosité.* (B. CENDRARS, Vol à voile.)

● *Je suis **sûre** que cela ne lui effleurait même pas l'esprit.*
(Marie-Thérèse HUMBERT, À l'autre bout de moi, 6.)

SURENT *troisième personne du pluriel du passé simple du
[syr] verbe « savoir » :* connaître ; être capable de.

● *... ils (les moines) **surent,** aux grandes époques de foi, s'acquitter avec zèle
de leur mission religieuse et charitable...* (Y. MAUFFRET, Presqu'île de Rhuys, p. 20.)

T

366. TAIE *n. f.*   1. tache opaque sur la cornée de l'œil.
[tɛ]   2. enveloppe d'oreiller ; voile léger.

- *Vous n'avez pas de* **taie** *dans l'œil, mais il y a un peu de poussière sur votre lunette.* (CHAMFORT, Produits de la civilisation perfectionnée, 3.)
- *Vous trouverez là six paires de draps, des* **taies** *d'oreillers et des couvertures.* (SARTRE, Les chemins de la liberté, II, Le sursis.)
- *La fumée de notre tabac entourait la lampe d'une* **taie** *blanche.* (P. BENOÎT, Boissière, III.)

TAIS, TAIT *formes du verbe « taire » :* ne pas dire ; « se taire » :
[tɛ]   garder le silence.

- *Je me* **tais** *donc, puisque j'ai tout dit.* (Nicole AVRIL, Monsieur de Lyon, 9.)
- *Poil de carotte se* **tait,** *et il ne bouge pas.* (J. RENARD, Poil de carotte, La révolte, II.)

---

367. TAIN *n. m.*   amalgame d'étain.
[tɛ̃]

- *À côté des grands hôtels ornant leurs angles arrondis de glaces sans* **tain,** *de rideaux de soie claire, de statuettes dorées, de jardinières rustiques, ce sont des logements d'ouvriers, des masures...* (A. DAUDET, Jack, I, 2.)

TEINS, TEINT *formes du verbe « teindre » :* imprégner d'une
[tɛ̃]   substance colorante.

- *La laine est filée avec une quenouille, puis tissée. Tantôt on la* **teint** *avant de la tisser ; on obtient ainsi les étoffes aux couleurs changeantes. Tantôt on* **teint** *l'étoffe une fois tissée.* (L. LAURAND, Études grecques et latines, IV.)

189

TEINT *n. m.* couleur du visage.
[tɛ̃]

● *Je le trouvai rajeuni et joyeux, le **teint** hâlé par ses six jours de mer.*
(A. MAUROIS, Climats, II, 18.)

● *Ma tante, qui avait le **teint** très rose, commençait à s'empâter.*
(G. SIMENON, Les mémoires de Maigret, 3.)

THYM *n. m.* plante aromatique.
[tɛ̃]

● *Toute la campagne embaumait le **thym**, la lavande mouillée, la pierre tendre.*
(H. BOSCO, Malicroix.)

TIN *n. m.* pièce de bois qui soutient un navire en cons-
[tɛ̃] truction.

● *... on commence par construire la quille sur une ligne de madriers, dits **tins**, qui suit la ligne de plus grande pente de la cale.*
(H. de SERRE-TELMON, Notre flotte, V, p. 113.)

TINS, TINT, TÎNT *formes du verbe «tenir» :* avoir en main ;
[tɛ̃] être attaché ; «tenir compte de» : prendre en considération.

● *Il parut extrêmement touché de cette punition, jura de changer de conduite et **tint** parole.* (MÉRIMÉE, Histoire de Rondino.)

● *Il ne **tint** aucun compte de ma protestation.*
(Marie-Thérèse HUMBERT, À l'autre bout de moi, 6.)

---

368. TAIRE *v. tr.* ne pas dire ; «se taire» : garder le silence.
[tɛr]

● *François, d'habitude, goûtait assez les bavards, non pour ce qu'ils disent, mais parce qu'ils permettent de se **taire**.* (R. RADIGUET, Le bal du comte d'Orgel.)

● *Il est dur de se **taire** quand on se tait depuis des mois.*
(GIRAUDOUX, Siegfried, I, 3.)

TERRE *n. f.* couche superficielle du globe ; sol.
[tɛr]

● *J'ai souvent vu des paysans se baisser, prendre une poignée de **terre**, l'égrener et la laisser filer entre leurs doigts. Par ce geste, ils apprécient la consistance, la qualité.* (Régine DEFORGES, Blanche et Lucie.)

● *Et quand l'avion prend contact avec le sol, avec une extrême brutalité comme la veille, ce n'est pas le soulagement de retrouver la **terre** ferme que je ressens.*
(R. MERLE, Madrapour, XIII.)

190

TERRE, TERRES, TERRENT
[tɛr]

formes du verbe «terrer» : mettre de la nouvelle terre au pied d'une plante; «se terrer» : se cacher.

- *Il y a huit mois que je me **terre**, comme un rat.*
  (J.-L. CURTIS, Les forêts de la nuit, III.)

---

369. TAN *n. m.*
[tɑ̃]

écorce de chêne pulvérisée pour le tannage des peaux.

- *Vianden est un pays de tanneurs. En nous promenant le long de la rivière, nous avons rencontré le séchoir d'un aveugle qui fait des mottes à brûler en pétrissant le **tan** dans son moule avec ses pieds.*
  (V. HUGO, Choses vues, 1871.)

TANT *adv.*
[tɑ̃]

marque la quantité; tellement.

- *Ça, c'est impressionnant, l'âge d'un homme ! Ça résume toute sa vie. Elle s'est faite lentement, la maturité qui est sienne. Elle s'est faite contre **tant** d'obstacles vaincus, contre **tant** de maladies graves guéries, contre **tant** de peines calmées, contre **tant** de désespoirs surmontés, contre **tant** de risques dont la plupart ont échappé à la conscience. Elle s'est faite à travers **tant** de désirs, **tant** d'espérances, **tant** de regrets, **tant** d'oublis, **tant** d'amour. Ça représente une belle cargaison d'expériences et de souvenirs, l'âge d'un homme !*
  (A. de SAINT-EXUPÉRY, Lettre à un otage, IV.)

TAON *n. m.*
[tɑ̃]

grosse mouche qui pique la peau et suce le sang.

- *Une fois, par un jour orageux, les **taons** affolèrent le cheval qui cassa un brancard.*
  (F. MAURIAC, Genitrix, XV.)

TEMPS *n. m.*
[tɑ̃]

1. suite des heures.
2. époque.
3. état de l'atmosphère.
4. en grammaire, forme du verbe.

- *C'est toujours comme ça ; on parle, on parle, et on ne se rend pas compte que le **temps** passe.*
  (A. ADAMOV, Les retrouvailles.)

- *J'avais douze ans et je me souviens encore de ce **temps** comme si j'y étais.*
  (VIGNY, La canne de jonc, III.)

- *Les estivants s'enquéraient du beau **temps** qui se confondait dans leur esprit avec la santé de la planète.*
  (A. BLONDIN, Un singe en hiver, I.)

- *Chaque fois que j'entends mes enfants réciter le verbe être à tous les **temps** de l'indicatif, je pense à cette démarcation définitive que l'imparfait a, pour moi, un certain matin signifiée. Il était, sous-entendu, il ne sera plus jamais.*
  (Anne PHILIPE, Le temps d'un soupir, XI.)

TEND, TENDS *formes du verbe «tendre» :* déployer; présenter
[tɑ̃]   en avançant.

- *Sur la carte murale, grimpé sur une échelle, le sergent **tend** les rubans bleus et blancs qui dessinent l'itinéraire de la mission.*
(P. CLOSTERMANN, Feux du ciel, VII.)

- *Elle me **tend** un étui à cigarettes.*   (Patrick MODIANO, Les boulevards de ceinture.)

---

370. TANTE *n. f.*   sœur du père ou de la mère.
[tɑ̃t]

- *Elle était, dit Mme de Séryeuse, la **tante** à la mode de Bretagne de mon arrière-grand-mère.*   (R. RADIGUET, Le bal du comte d'Orgel.)

TENTE *n. f.*   abri portatif en toile ou en matière souple.
[tɑ̃t]

- *Pier et Andis avaient bondi hors de la **tente** juste à temps pour se saisir de la lanière du renne.*   (R. FRISON-ROCHE, Le rapt, I, 11.)

TENTE, TENTES, TENTENT   *formes du verbe «tenter» :*
[tɑ̃t]   induire en tentation, séduire;
                               essayer.

- *Il y a plusieurs démons, Philippe; celui qui te **tente** en ce moment n'est pas le moins à craindre de tous.*   (MUSSET, Lorenzaccio, III, 3.)

- *Je **tente,** par mon seul effort, d'équilibrer le gigantesque laisser-aller de tous.*
(F. NOURISSIER, Le maître de maison.)

---

371. TARD *adv.*   à une heure avancée; après un long temps.
[tar]

- *Gaston et Michel se levaient **tard,** puisqu'ils se couchaient **tard.***
(Elsa TRIOLET, Le cheval blanc, I, 9.)

- *Nous reparlerons de tout cela plus **tard.***   (A. ROUSSIN, La petite hutte, II.)

TARE *n. f.*   défaut.
[tar]

- *Elles se considèrent de haut en bas, scrupuleusement, afin de découvrir le défaut, la **tare,** l'une enviant peut-être la jeunesse de l'autre.*
(FLAUBERT, L'éducation sentimentale, III, 5.)

- *Il suffit, je pense, d'affirmer ici que je ne souffre d'aucune **tare** physique.*
(H. BAZIN, Le bureau des mariages.)

---

372. TAUD *n. m.*   tente de toile goudronnée que l'on met au-
   [to]   dessus du pont d'un bateau pour protéger de
                           la pluie ou du soleil.

● *Déjà Rolland et Morbecque avaient largué les saisines du youyou, enlevé le*
 taud, *dessaisi les avirons, enfoncé les tolets.*
                           (R. VERCEL, Ceux de la Galatée, VIII.)

● *Sous le **taud,** la chaleur devenait suffocante.*   (E. ROBLÈS, La croisière, VII.)

   TAUX *n. m.*   prix fixé, pourcentage, proportion.
   [to]

● *Le **taux** de souscription de cette nouvelle action était fixé à cinq cents francs.*
                          (M. DRUON, Les grandes familles, IV, 7.)

● *Elle vendit tout ce qu'elle tenait de la munificence du père de son enfant, fit*
 une somme de cent et quelques mille francs, la plaça sur sa propre tête en
 *viager, à un **taux** considérable, et se composa de cette manière un revenu*
 d'environ quinze mille francs.   (BALZAC, Albert Savarus.)

   TÔT *adv.*   de bonne heure.
   [to]

● *Je m'étais levé un peu plus **tôt** que d'habitude.*
               (J. E. HALLIER, Les aventures d'une jeune fille, III, 9.)

● *Il faut bien que **tôt** ou tard je m'explique avec toi.*
             (MÉRIMÉE, Chronique du règne de Charles IX, IV.)

---

373. TAURE *n. f.*   génisse.
   [tɔr]

● *Il lâcha la corde, à laquelle était attachée une jeune **taure** qu'il venait*
 d'acheter.   (René BAZIN, Magnificat, I.)

   TORD, TORDS *formes du verbe « tordre » :*
   [tɔr]   tourner, soumettre à une torsion.

● *Lorsque le visage de mon père se rapproche un peu trop près du sien,*
 *Marcheret lui saisit la joue entre le pouce et l'index, et la lui **tord** d'un geste*
 lent.   (Patrick MODIANO, Les boulevards de ceinture.)

   TORE *n. m.*   moulure ; anneau de ferrite.
   [tɔr]

● *... un monsieur qui venait quelquefois de Marseille dans un tilbury verni, aux*
 *roues luxueusement cerclées d'un **tore** de caoutchouc.*
                      (M. PAGNOL, Jean de Florette.)

● *Un autre type de mémoire très utilisé est formé d'une matrice de **tores** de*
 ferrite, c'est-à-dire de petits anneaux magnétisables.
                    (C. PICARD, Les ordinateurs.)

TORS *adj. m.*   tordu en spirale, difforme.
[tɔr]

- *Auprès d'elle, une petite table à pieds **tors** supportait des vases et des flacons.*
(H. de RÉGNIER, La double maîtresse, I, 12.)

- *Le figuier **tors**, la treille étaient aussi décharnés.*
(J. PEYRÉ, Sang et lumière, XXIII.)

TORT *n. m.*   dommage, préjudice ; action contraire au droit,
[tɔr]   à la justice, à la vérité.

- *Cette histoire causera certainement du **tort** à notre commerce.*
(A. DHÔTEL, Le plateau de Mazagran.)

- *Je serais heureux que vous me disiez quels **torts** je puis avoir envers vous.*
(MONTHERLANT, Brocéliande, II, 3.)

---

374. TÉ *n. m.*   règle de dessinateur en forme de T.
[te]

- *Armé d'un tire-ligne, d'un **té**, d'une équerre, je dessinais des machines, des maisons, je ne sais quoi.*   (J. GUÉHENNO, Changer la vie.)

TES *adj. poss.*   pluriel de « ton, ta »
[te] ou [tɛ]

- *Va ! ma pauvre fille, je garderai tous **tes** secrets avec une probité de voleur, c'est la plus loyale qui existe.*   (BALZAC, Autre étude de femme.)

THÉ *n. m.*   feuilles de théier, boisson.
[te]

- *Cette division du travail permet, en temps de paix, à nos hommes politiques, aussi bien qu'à nos commerçants de prendre leur **thé** tous les soirs à cinq heures et d'aller ensuite jouer au golf ou au cricket.*
(P. BOULLE, William Conrad, II, 12.)

---

375. TEINTER *v. tr.*   donner une légère couleur.
[tɛ̃te]

- *Pécuchet composa un lavis à l'encre de Chine, n'oubliant pas de **teinter** les bois en jaune, les bâtiments en rouge et les prés en vert.*
(FLAUBERT, Bouvard et Pécuchet, X.)

194

TINTER *v. intr.*   résonner ; sonner lentement.
[tɛ̃te]

- *J'entends dès le matin bruire les aubes des moulins, grincer le soufflet de la forge, **tinter** la danse sur l'enclume des marteaux des maréchaux.*
(R. ROLLAND, Colas Breugnon, IV.)

- *Waldmetz fit enfin **tinter** sa clochette et les élèves se mirent en marche sur deux lignes.* (A. BILLY, L'approbaniste, I.)

---

376. TERME *n. m.*   1. fin, limite.
[tɛrm]

                2. époque fixée pour le paiement des loyers ; somme due.

                3. date limite dans les opérations de Bourse.

                4. mot, expression.

- *Voici le **terme** de notre promenade.* (MUSSET, Il ne faut jurer de rien, III, 3.)

- *Le locataire d'avant est parti sans payer, fit-elle, alors maintenant on demande un **terme** d'avance.* (R. DORGELÈS, Le marquis de la Dèche, 1.)

- *Notre fonction n'est pas de participer à des affaires, mais de prêter de l'argent sur des garanties et à court **terme**.* (A. MALRAUX, La condition humaine, VII.)

- *Efforçons-nous d'être des stylistes excellents plutôt que des collectionneurs de **termes** rares.* (MAUPASSANT, Pierre et Jean, Préface.)

THERMES *n. m. pl.*   établissement de bains.
[tɛrm]

- *Dans les **thermes** de Dioclétien, il y avait place pour trois mille deux cents baigneurs.* (H. TAINE, Voyage en Italie, IV.)

---

377. TÊTE *n. f.*   partie supérieure du corps de l'homme ; extré-
[tɛt]   mité arrondie de quelque chose ; commen-
                     cement, etc.

- *On l'a vu de loin hocher la **tête** : et tout le monde dans le poste a aussitôt compris...* (C. F. RAMUZ, La grande peur dans la montagne, VIII.)

TÈTE, TÈTES, TÈTENT *formes du verbe « téter » :*
[tɛt]   sucer le lait de la mamelle.

- *Comment l'aurais-je fait si je n'étais pas né ?*
*Reprit l'agneau ; je **tète** encor ma mère.*
(LA FONTAINE, Le loup et l'agneau, vers 20-21.)

---

378. THON *n. m.*   poisson de mer.
[tɔ̃]

- *La troupe de bélugas tourne indéfiniment devant les falaises du cap, à la suite d'un banc de **thons** qui les fuient et qui poursuivent un banc de maquereaux.*
(H. QUEFFÉLEC, Tempête sur Douarnenez, III, 5.)

- *Il ouvrit une boîte de **thon** à l'huile.*   (G. BONHEUR, La croix de ma mère, III, 2.)

TON *n. m.*   hauteur de la voix, manière de parler ; couleur.
[tɔ̃]

- *Il avait graduellement baissé le **ton** au cours de ses confidences si bien que cette dernière phrase sembla se fondre dans le silence.*
(Marie-Thérèse HUMBERT, À l'autre bout de moi, 6.)

- *Malgré lui, il se laissait influencer par le **ton** sérieux de M. Perle.*
(Boris VIAN, L'herbe rouge, XVI.)

- *J'exagère le blond de la chevelure, j'arrive aux **tons** orangés, aux chromes, au citron pâle.*   (V. VAN GOGH, Lettre à Théo.)

TON *adj. possessif de la deuxième personne.*
[tɔ̃]

- *Remonte la fourrure de **ton** parka ! ordonne Max. Baisse les oreillettes de **ton** bonnet et rentrons. Ce vent ne promet rien de bon.*
(R. FRISON-ROCHE, La vallée sans hommes, III, 5.)

TOND, TONDS *formes du verbe « tondre » :*   couper à ras.
[tɔ̃]

- *Grâce à la tondeuse de Bordes, nous nous coupons les cheveux mutuellement. Farge ne ferait pas mauvaise figure dans un salon de coiffure, il me **tond** avec dextérité et même avec art.*   (J.-Y. LE TOUMELIN, Kurun autour du monde, VI.)

---

379. TIC *n. m.*   contraction convulsive d'un muscle ; habitude,
[tik]   manie.

- *Les muscles de son visage étaient agités de **tics,** et ses yeux s'embuaient de larmes.*   (M. DRUON, La chute des corps, IV, 2.)

- *Ce geste était devenu un **tic,** et il le faisait même quand il n'y avait rien à craindre.*   (R. RADIGUET, Le bal du comte d'Orgel.)

TIQUE *n. f.*   parasite.
[tik]

- *D'épaisses boules de cuscute s'engraissaient, comme des **tiques,** dans les luzernières.*   (J. GIONO, Le grand troupeau, II.)

196

TIQUE, TIQUES, TIQUENT *formes du verbe « tiquer » :*
[tik] manifester son mécontentement
(en langue familière).

● *Alors, tu **tiques** ? tu n'es pas content ?*

---

380. TIR *n. m.* action de lancer un projectile.
[tir]

● *Il entendait le **tir** de la batterie française tout près, mais ne pouvait la trouver.*
(A. MAUROIS, Les silences du colonel Bramble, 15.)

● *Toutes les positions de quelque valeur pour le combat de rues étaient reconnues ; les meilleures positions de **tir**, notées sur les plans.*
(A. MALRAUX, La condition humaine, I.)

TIRE *n. f.* 1. « à la tire » : en enlevant avec adresse d'un
[tir] sac, d'une poche.
2. en argot : automobile.

● *J'étais sur le point d'arrêter un voleur à la **tire**, à la sortie du métro.*
(G. SIMENON, Les mémoires de Maigret, 1.)

● *D'ailleurs je vais t'apprendre à conduire aussi pour que tu puisses me relayer ou ramener la **tire**.* (Albertine SARRAZIN, L'astragale, 15.)

TIRE, TIRES, TIRENT *formes du verbe « tirer » :* amener vers
[tir] soi, sortir ; se servir d'une arme, etc.

● *Ma mère me **tire** d'une main ferme.* (P. J. HÉLIAS, Le cheval d'orgueil, III.)

● *Je ne **tire** qu'à l'arc, répondit Placide, modeste.*
(P. MORAND, L'homme pressé, I, 3.)

---

381. TOC *interj.* imite un bruit, un choc, un heurt.
[tɔk]

● *Il y a un long silence pendant lequel on entend seulement le **toc-toc** du maillet sur le ciseau.* (H. VINCENOT, Le pape des escargots, I, 5.)

● *Une voiture ! Qu'est-ce que c'est que ça pour dix hommes ! Allez ! On l'empoigne par l'arrière, qui est plus léger, et **toc** ! sur la route.*
(G. DUHAMEL, Fables de mon jardin, Le spécialiste, le philosophe et le prophète.)

TOC *n. m.*   imitation de métal précieux.
[tɔk]

● *S'il ne dit rien de mon bracelet-montre, il traite par contre de **toc** le clip en diamant de Mrs. Banister.* (R. MERLE, Madrapour, VI.)

TOQUE *n. f.*   coiffure de forme cylindrique.
[tɔk]

● *A ce moment, Hécart, revêtu d'un tablier blanc de cuisinier et coiffé d'une **toque**, apparut, sortant tout droit de sa cuisine.* (R. V. PILHES, La bête, 15.)

● *Derrière Romachkine, était assise sa femme, plus âgée que lui, renfrognée, avec une grosse **toque** de fourrure sur la tête, malgré la chaleur.* (H. TROYAT, Grimbosq, 3.)

---

382. TOI *pronom personnel de la deuxième personne du singulier.*
[twa]

● *Je te gronde parce qu'une femme telle que **toi** devrait être au-dessus de ces bêtises.* (J. COCTEAU, La machine infernale, III.)

● *On dirait, ma parole, que tu veux mettre toutes les chances contre **toi**.* (Ph. HÉRIAT, Famille Boussardel, XII.)

TOIT *n. m.*   couverture d'une habitation, d'un bâtiment;
[twa]   maison, domicile; plafond, paroi supérieure.

● *Sous la poussée du vent, la pluie avait repris et on entendait les averses qui fouettaient le **toit**.* (H. BOSCO, Malicroix, Mégremut.)

● *Considérez notre **toit** comme le vôtre, déclara le vieil homme avec effusion.* (J.-L. CURTIS, Les forêts de la nuit, I, 1.)

● *Une voiture à **toit** découvert vint frôler les épineux et s'immobilisa.* (J. CAYROL, Histoire d'une prairie.)

---

383. TOUE *n. f.*   barque à fond plat.
[tu]

● *Avant de regagner Frapesle, je regardai Clochegourde et vis au bas une barque, nommée en Touraine une **toue**, attachée à un frêne, et que l'eau balançait.* (BALZAC, Le lys dans la vallée, I.)

TOUT, TOUS *adj. m.*   entier, complet.
[tu]

● *Ce n'était pas du goût de **tout** le monde.* (G. CESBRON, Ce siècle appelle au secours.)

- « *Veux-tu que je te dise, mon ami : **tout** cela, c'est de la comédie.* »
  (A. GIDE, La porte étroite, I.)

- *On prenait son avis sur **tous** les sujets importants, la politique, la littérature.*
  (J. de LACRETELLE, La Bonifas, III, 14.)

- *Je m'arrête sur **tous** ces détails.*
  (RESTIF DE LA BRETONNE, Les nuits révolutionnaires, I, 6.)

- *Ils étaient là, **tous** ceux qui vécurent dans cette maison...*
  (MONTHERLANT, La relève du matin, I, 5.)

- *Ils se sont pris **tous** deux par le bras.*   (M. GENEVOIX, Le jardin dans l'île, I, 6.)

- N.B. TOUT se prononce [tut] devant une voyelle ou un h muet.
  TOUS se prononce [tuz] devant une voyelle ou un h muet.

TOUT *pron. indéf.*   toutes choses, l'ensemble des choses.
[tu]

- *Adressez-vous aux jeunes gens : ils savent **tout**.*   (JOUBERT, Pensées.)

- *On ne devrait jamais écrire d'un auteur sans avoir **tout** lu de lui, et **tout** se rappeler.*   (MONTHERLANT, Carnets, XXI.)

  N.B. Lorsqu'il est pronom indéfini TOUS se prononce [tus], ex. :
- *1. Ils sont presque **tous** [tus] attachés à leur banc par une chaîne.*
  (A. CHAMSON, La Superbe, I, 1.)

- *2. **Tous** [tus] se précipitèrent pour lui serrer les mains.*
  (R. FRISON-ROCHE, Le rapt, I, 6.)

TOUT *n. m. (pluriel : TOUTS)*   totalité, ensemble, collection.
[tu]

- *L'homme est un **tout** indivisible d'une extrême complexité.*
  (A. CARREL, L'homme, cet inconnu, I, 1.)

- *Si à choses égales on ajoute choses égales, les **touts** seront égaux.*
  (B. PASCAL, Lettre au Père Noël.)

TOUT *adv.*   entièrement, absolument.
[tu]

- *Il était en tenue d'été, c'est-à-dire **tout** nu, ou presque.*
  (A. COSSERY, Les fainéants dans la vallée fertile, 16.)

- *On dit que c'est **tout** montagnes en Espagne !*
  (BALZAC, Autre étude de femme.)

  N. B. TOUT, adverbe, se prononce [tut] devant une voyelle ou un h muet. Ex. :
- *Nous passâmes ensemble la plus gaie, la plus reposante des journées, **tout** entiers à des projets que rien ne semblait plus pouvoir contrarier.*
  (P. BENOÎT, La châtelaine du Liban, III.)

TOUX *n. f.*   expiration bruyante de l'air des poumons.
[tu]

- *Pris par une quinte de **toux**, le père s'arrêta de parler.*
  (B. CLAVEL, Celui qui voulait voir la mer, 2.)

● *L'été, il était affligé du rhume des foins, et, dès les premiers froids, sa bronchite chronique lui donnait une **toux** caverneuse.*
(G. SIMENON, Les mémoires de Maigret, 5.)

---

384. TRAC *n. m.* peur, angoisse.
[trak]

● *Vous comprenez, Martha, elle me fiche le **trac**. Je ne saurais pas lui parler.*
(ARAGON, Les cloches de Bâle, II, 14.)

TRAQUE *n. f.* poursuite du gibier en le resserrant de plus
[trak] en plus et en le poussant vers la ligne des
chasseurs.

● *Puis l'âge est venu et j'ai dû préférer peu à peu le siège de battue, la **traque** de plaine ou de bois où l'on attend le vol du faisan ou du perdreau qui vous surprend... à la quête devant soi où à la marche dans les roseaux ou les mottes avec de grosses bottes de caoutchouc.*
(P. VIALAR, Les invités de la chasse, Goubieux.)

TRAQUE, TRAQUES, TRAQUENT *formes du verbe «tra-*
[trak] *quer»* :
poursuivre en cernant.

● *... ces assassins... que l'on cerne au petit jour dans ces labyrinthes voluptueux où ils se cachent, que l'on y **traque**...*
(ARAGON, Le paysan de Paris, Le passage de l'opéra.)

● *Les idéologues que les polices d'Europe **traquent**.* (B. CENDRARS, L'or, II, 5.)

---

385. TRAIS, TRAIT *formes du verbe «traire»* : tirer le lait.
[trɛ]

● *Ils ont **trait**, ils ont eu fini de traire.*
(C. F. RAMUZ, La grande peur dans la montagne, V.)

● *Vendredi **trait** les chèvres, fait cailler le lait.*
(M. TOURNIER, Vendredi ou les limbes du Pacifique, VII.)

TRAIT *n. m.* 1. ligne.
[trɛ] 2. aspect général du visage, caractéristique.
3. guide, lanière servant à conduire un cheval.
4. «d'un trait» : d'affilée.

● *Enfin le capitaine signa, écrasa le bec de la plume en soulignant son nom d'un large **trait**.* (E. PEISSON, Le pilote, I.)

● *Claude avait à sa droite un Américain d'âge mûr, large d'épaules, aux **traits** énergiques.* (R. VERCEL, Été indien, II.)

200

- *Un des **traits** les plus constants de son caractère était son amour du danger.*
(A. MAUROIS, Climats, I, 9.)

- *On descendit le boulevard au grand trot, les palonniers battants, les **traits** flottants.*
(FLAUBERT, L'éducation sentimentale, II, 1.)

- *Il se servit un plein verre de vin qu'il but d'un **trait**.*
(F. MAURIAC, Génitrix, XVII.)

TRÈS *adv.*   à un haut degré, fort.
[trɛ]

- *Elle n'était pas **très** grande, mais longue et **très** fine.*
(LA VARENDE, Gaby Saphir.)

- *La presse fut **très** discrète sur cet incident.*
(ARAGON, Les cloches de Bâle, III, 13.)

---

386. TRIBU *n. f.*   groupe social, famille.
[triby]

- *Les hommes les plus forts de la **tribu** avaient halé la canonnière dans une anse du fleuve.*
(P. BENOÎT, L'Atlantide, 15.)

- *L'Ingénu aimait d'instinct le ballet, bien qu'il n'eût jamais vu que les danses sacrées de sa **tribu**.*
(P. GAXOTTE, Le nouvel Ingénu, V.)

TRIBUT *n. m.*   contribution, impôt ; hommage.
[triby]

- *Tu crois que les Hondedieu n'ont pas assez largement payé leur **tribut** aux causes perdues ?*
(G. BONHEUR, La croix de ma mère, II, 5.)

- *Après avoir payé à Rousseau **tribut** de reconnaissance, Simon en usa de même à l'égard de Noël Schoudler.*
(M. DRUON, La chute des corps, III, 15.)

---

387. TROP *adv.*   à l'excès, très.
[tro]

- *Pour moi, je suis **trop** vieux et **trop** malade pour me mêler d'écrire.*
(VOLTAIRE, Lettre à M. le comte d'Argental.)

- *Elle me semblait toujours un peu pâle, avec des yeux **trop** brillants et des lèvres **trop** rouges.*
(P. LÉAUTAUD, Le petit ami, III.)

TROT *n. m.*   allure du cheval se situant entre le pas et le galop.
[tro]

- *Je parvins enfin à maîtriser mon cheval et je continuai mon chemin au petit **trot** en réfléchissant à la gravité de ma situation.*
(CAMI, Le baron de Crac.)

---

388. TU *pron. pers. de la deuxième personne du singulier.*
[ty]

● *Je ne sais pas où* **tu** *as la tête.* **Tu** *mets de l'eau sur le feu, et* **tu** *t'en vas.*
(B. CLAVEL, Celui qui voulait voir la mer, 2.)

● *Mme John Martineau, qui avait été élevée au Sacré-Cœur avec ma tante, lui disait* **tu** *quand elle la rencontrait le matin, passait au « vous » en présence d'une tierce personne...* (F. MAURIAC, Préséance.)

TUE, TUES, TUENT *formes du verbe « tuer » :*
[ty] donner la mort.

● *Je ne comprends pas sa peur des araignées... Ce sont des bêtes qui ne nous font que du bien : elles* **tuent** *les mouches dont j'ai horreur.*
(D. BOULANGER, Le chemin des Caracoles.)

● *Nanon, va voir là-haut s'il ne se* **tue** *pas, dit Grandet.*
(BALZAC, Eugénie Grandet, I.)

TUS, TUT, TÛT, TU, E *formes du verbe « taire » :*
[ty] ne pas dire; « se taire » : garder le silence.

● *Il se* **tut,** *physiquement suffoqué, et n'osant imaginer une réponse.*
(MONTHERLANT, La relève du matin, I, 7.)

● *Ce que j'ai* **tu,** *vous pouvez maintenant le deviner.*
(J.-L. CURTIS, L'échelle de soie, II.)

● *Elles s'étaient* **tues,** *elles restaient silencieuses.*
(C. F. RAMUZ, La grande peur dans la montagne, XII.)

---

389. VAIN *adj. m.*   sans valeur, inutile.
[vɛ̃]

- *Tout ce qu'il se disposait, l'instant d'avant, à exprimer brillamment, lui parut soudain ridicule, **vain** et sans intérêt.*   (Valéry LARBAUD, Fermina Marquez, XIV.)

- *Ne perdons pas notre temps en **vains** discours.*
(Samuel BECKETT, En attendant Godot, II.)

VAINC, VAINCS *formes du verbe «vaincre» :*   battre, sur-
[vɛ̃]   monter.

- *Je **vaincs** ma paresse.*   (Françoise MALLET-JORIS, La maison de papier.)

VIN *n. m.*   boisson alcoolisée.
[vɛ̃]

- *On vidait le dernier tonneau du père de Joé, un **vin** un peu trouble, lourd, d'un rouge brun.*   (J. CAYROL, Histoire d'une prairie.)

- *Il ne buvait jamais de **vin** ni d'eau-de-vie.*   (V. HUGO, Choses vues, 1853.)

VINGT *adj. numéral*   deux fois dix.
[vɛ̃]

- ***Vingt** fois déjà il avait entendu cet opéra qu'il connaissait presque par cœur.*
(MAUPASSANT, Fort comme la mort, II, 6.)

- *N. B. VINGT se prononce (vɛ̃t) devant un autre nombre ou devant une voyelle ; ex. : Moi, j'ai été **vingt** ans (vɛ̃tɑ̃) garde champêtre, je n'y ai gagné que des rhumes.*   (BALZAC, Les paysans, II, 5.)

VINS, VINT, VÎNT *formes du verbe «venir» :*   se rendre ;
[vɛ̃]   arriver.

- *Un matin d'été, M. Malorey **vint** dans notre maison pour consulter des livres qui manquaient à sa bibliothèque.*   (A. FRANCE, La cravate.)

- *Il **vint** à Brest une jeune actrice fort jolie, nommée Gabrielle, qui ne tarda pas à faire des conquêtes parmi les marins et les officiers de la garnison.*
(MÉRIMÉE, La partie de trictrac.)

- *D'abord au cours des années, sa légende vieillissait sans qu'aucun scandale **vînt** la renouveler.*   (J. de LACRETELLE, La Bonifas, III, 11.)

390. VAINE *adj. f.*   inutile, futile, sans effet.

[vɛn]

- *Ta résistance était **vaine** d'avance.*   (G. BATAILLE, L'abbé C..., II, 3.)

- *Combien fragile était sa vie et **vaine** l'angoisse qui l'étreignait depuis deux jours !*   (J. KESSEL, L'équipage, II, 1.)

- *Gabriel et Maxime passèrent une semaine à chercher du travail. Ils firent de **vaines** démarches à l'usine et aux ateliers, puis dans les librairies et dans toutes sortes de maisons de commerce.*   (A. DHÔTEL, Le plateau de Mazagran.)

    VEINE *n. f.*   1. vaisseau sanguin.

    [vɛn]   2. chance.

- *Sous la peau transparente, une **veine** faisait une fine ligne bleue, estompée.*   (Boris VIAN, L'herbe rouge, XXIX.)

- *La Pérouse comprit et sentit aussitôt un grand froid, comme si le sang figeait dans ses **veines**.*   (A. GIDE, Les faux-monnayeurs, III, 18.)

- *Mais j'ai une sacrée **veine** que Maria soit tombée sur un oiseau rare de votre espèce.*   (F. MAURIAC, Le désert de l'amour, IV.)

- *Une fameuse **veine** qu'il avait eue d'échapper au massacre !*   (Ch. EXBRAYAT, Jules Matrat, II, 2.)

---

391. VAIR *n. m.*   fourrure d'écureuil.

[vɛr]

- *Les draps, blancs et brodés, sont en lin ou en soie ; les couvertures en laine, fourrées d'hermine ou de **vair**.*
    (M. PASTOUREAU, La vie quotidienne au temps des chevaliers de la Table ronde, IV.)

    VER *n. m.*   animal invertébré, lombric, larve d'insecte.

    [vɛr]

- *À cette heure, le **ver** de terre ne vaut rien, ni le poisson d'étain, ni le vif.*   (M. GENEVOIX, La boîte à pêche, V.)

    VERRE *n. m.*   1. corps transparent et fragile ; vitre, glace.

    [vɛr]   2. récipient pour boire ; son contenu.

                         3. lentille pour corriger la vue ; lunettes.

- *L'eau glauque courait sur le **verre** du hublot à quelques centimètres de leurs visages.*   (E. PEISSON, Le pilote, IX.)

- *Les vins, de grand cru et de bon millésime, sont nombreux et sept ou huit **verres** s'étagent devant chaque couvert.*   (J. CHASTENET, La belle époque, I.)

- *Le vin de champagne était si frais que j'en bus encore deux autres **verres**.*   (PROUST, Les plaisirs et les jours, La confession d'une jeune fille, IV.)

- *Et d'ailleurs j'ai la vue qui baisse... il me faudra bientôt des **verres** pour lire mes notes.*   (ARAGON, La semaine sainte, II.)

VERS *prép.*   1. en direction de.
[vɛr]   2. aux environs de.

- *Il a quitté la piste, traversé les stands et pris l'escalier qui monte **vers** le motel réservé aux coureurs.* (B. CLAVEL, Victoire au Mans, II, 14.)

- *Lorsque, **vers** quatre heures du matin, je revins chez moi, j'étais à bout de forces et de nerfs.* (R. V. PILHES, La bête, 8.)

VERS *n. m.*   unité rythmique dans une poésie.
[vɛr]

- *De là le discrédit croissant du **vers** et de la rime qui ne nous semblent plus que des jeux de plume ou d'oreille.* (A. BILLY, L'approbaniste, IX.)

- *Il y eut bien ainsi soixante-dix strophes d'un **vers** suivi du même refrain.* (M. JOUHANDEAU, Galande, III.)

VERT *adj. m.*   1. de la couleur de la chlorophylle.
[vɛr]   2. qui n'est pas mûr ; frais, nouveau.

- *Le peuple **vert** des grenouilles avait presque suspendu dès l'aurore son concert.* (L. PERGAUD, De Goupil à Margot, L'évasion de la mort.)

- *Elle avait de jolis yeux **verts**, allongés vers les tempes, et dont elle commençait à savoir jouer.* (M. DRUON, Les grandes familles, II, 6.)

- *Je suis sûr que Parnal, tout comme moi, goûtait plus les repas assez rares qu'il lui arrivait de prendre dans son appartement, assis devant une simple côtelette et des haricots **verts**.* (P. VIALAR, Les invités de la chasse, Goubieux.)

VERT *n. m.*   couleur verte.
[vɛr]

- *L'immense vallée remontait doucement vers l'ouest. Elle était presque entièrement peuplée de saules et de bouleaux, dont les bourgeons venaient d'éclore, et cela formait un merveilleux tapis d'un **vert** très doux...* (R. FRISON-ROCHE, La vallée sans hommes, I, 10.)

- *Elle est habillée de **vert** de la tête aux pieds, et ressemble à un perroquet.* (ZOLA, La semaine d'une parisienne, II.)

---

392. VAN *n. m.*   voiture pour le transport des chevaux.
[vɑ̃]

- *Je suis comme un cheval qui a été blessé en montant une première fois dans un **van** et qui a une peur instinctive d'y rentrer.* (M. DRUON, La chute des corps, I, 11.)

VEND, VENDS *formes du verbe «vendre»* : céder en
[vɑ̃]   échange d'une somme d'argent.

- *Buquet travaillait depuis cinq ans dans la maison Jacob, qui **vend**, boulevard Magenta, des produits et des appareils pour la photographie.* (A. FRANCE, Adrienne Buquet.)

- *Comment connaîtrai-je les choses que je **vends,** si les clients ne me renseignent point?* (ALAIN, Propos d'un Normand, III, 33.)

VENT *n. m.* déplacement de l'air.
[vɑ̃]

- *Il s'arrêta un instant sur le seuil, rafraîchi par le **vent** de mer qui sentait bon le goémon.* (A. LANOUX, Quand la mer se retire, I, 1.)

- *Dès le début de la tempête, des **vents** hargneux avaient pris le toit à partie.* (H. BOSCO, Malicroix, La Redousse.)

---

393. VANTE, VANTES, VANTENT *formes du verbe « vanter » :*
[vɑ̃t] louer avec excès ; « se vanter » : se glorifier.

- *Un mari a toujours l'air un peu nigaud quand il **vante** sa femme.* (J.-L. CURTIS, La quarantaine.)

- *Je ne me **vante** pas certes, monsieur, de vous connaître déjà.* (J. ROMAINS, Les travaux et les joies, I.)

VENTE *n. f.* cession d'une marchandise contre de l'argent.
[vɑ̃t]

- *À présent, il ne s'agissait plus de refuser des **ventes,** mais bien de vendre ce qui sortait des ateliers.* (P. VIALAR, Les invités de la chasse, Borneuil.)

- *Elle courait les **ventes** aux enchères dans les châteaux de la région.* (M. MOHRT, La maison du père, p. 60.)

VENTE *forme du verbe impersonnel « venter » :*
[vɑ̃t] faire du vent.

- *Qu'il pleuve ou qu'il **vente,** elle allait se poster au bas du sentier.* (J. CARRIÈRE, L'épervier de Maheux, I.)

---

394. VARAN *n. m.* reptile saurien carnivore.
[varɑ̃]

- *Plusieurs Sud-Africains prétendent avoir rencontré chez eux des **varans** de 4,50 m, voire 6 m.* (B. HEUVELMANS, Les derniers dragons d'Afrique.)

WARRANT *n. m.* effet de commerce.
[varɑ̃]

- *À chaque récépissé de marchandise est annexé, sous la dénomination de **warrant,** un bulletin de gage contenant les mêmes mentions que le récépissé.* (Article 21 de l'ordonnance du 6 août 1945.)
N. B. WARRANT peut aussi se prononcer [warɑ̃].

---

395. VAUX *n. m. pluriel de « val » :*   vallée.
[vo]

● *Ce réseau (hydrographique) est constitué par des tracés longitudinaux paral-lèles aux plis (**vaux** ou vallées synclinales) et des tracés obliques ou transversaux...*   (E. de MARTONNE, Traité de Géographie physique, IV, 7.)

● *Je prenais les coursières, cheminant par monts et par **vaux**, au travers des cultures et des prés.*   (E. GUILLAUMIN, La vie d'un simple, 13.)

    VAUX, VAUT *formes du verbe « valoir » :*
    [vo]   avoir de la valeur, du prix.

● *Au fond, j'en **vaux** un autre. Il suffit de savoir me prendre.*
    (J. RENARD, Poil de carotte.)

● *Juger que la vie **vaut** ou ne **vaut** pas la peine d'être vécue, c'est répondre à la question fondamentale de la philosophie.*   (A. CAMUS, Le mythe de Sisyphe.)

● *Qu'on rende les gens heureux, une partie considérable de leurs maladies disparaîtra. Un petit bonheur par jour **vaut** mieux que tous les cachets.*
    (MONTHERLANT, Carnets, XXI.)

    VEAU *n. m.*   petit de la vache.
    [vo]

● *Le **veau**, comme tous les **veaux** du monde, avançait en trébuchant.*
    (P. GASCAR, Les bêtes, La vie écarlate.)

    VOS *adj. possessif de la deuxième personne du pluriel.*
    [vo]

● *Avez-vous de l'or dans **vos** poches ?*   (MUSSET, Un caprice, 2.)

● *Je vois que **vos** souvenirs sont fidèles.*   (P. BENOÎT, La châtelaine du Liban, IX.)

───────────────

396. VERNI, E *adj.*   1. enduit de laque.
    [vɛrni]   2. chanceux, veinard.

● *À la longue, les bancs étaient devenus polis comme de l'acajou **verni**.*
    (BALZAC, L'interdiction.)

● *La coursive étroite, aux portes **vernies**, s'allongeait sous la lueur voilée des lampes.*   (R. VERCEL, Été indien, I.)

● *Je n'ai pas été blessé parce que je suis un **verni**.*
    (Ch. EXBRAYAT, Jules Matrat, II, 2.)

    VERNIS *n. m.*   solution résineuse, enduit, laque.
    [vɛrni]

● *Je ne sais ce que fait l'ébéniste dans ce cas, s'il jette sa varlope, son **vernis**, ou s'il continue.*   (GIRAUDOUX, La guerre de Troie n'aura pas lieu, I, 3.)

● *La peinture de Gosselin s'est assombrie ; les chairs ont pris sous le **vernis** ancien un ton d'ambre ; des ombres olivâtres en noient les contours.*
(A. FRANCE, La cravate.)

● *J'ai aussi apporté le **vernis** blanc pour les ongles.*
(P. MORAND, L'homme pressé, I, 7.)

---

397. VERSEAU *n. m.*   nom d'une constellation zodiacale.
[vɛrso]

● *En automne, le Carré de Pégase est en plein Sud ; son bord droit prolongé vers le bas traverse le **Verseau**...* (P. BAIZE, Éléments de cosmographie, VII, 1.)

VERSO *n. m.*   envers d'une feuille de papier.
[vɛrso]

● *Ce sera, dans votre vie, une page sans **verso**.*
(P. LOTI, Les désenchantées, III, 12.)

---

398. VICE *n. m.*   1. disposition au mal.
[vis]   2. défaut, grave imperfection.

● *Je pars toujours des personnages. Je définis leur état civil, leur caractère, leurs vertus, leurs **vices** et leurs passions qui déterminent leur comportement.*
(P. VIALAR, Les invités de la chasse, Daniel Severac.)

● *À l'orgueil, ce principe de tous **vices**, on ne peut opposer aucuns raisonnements, puisque, par sa nature même, l'orgueilleux se refuse à les entendre.*
(J. VERNE, Maître Zacharius, V.)

● *Il s'était donné pour tâche de lutter contre les **vices** d'une organisation qui lui était apparue scandaleusement défectueuse.*
(R. MARTIN DU GARD, Les Thibault, Épilogue, XIII.)

● *Quand son vin ou ses provisions voyageaient, il prévenait qu'au plus léger **vice** des choses, il refuserait d'en prendre livraison.*
(BALZAC, Les paysans, I, 13.)

VIS *n. f.*   1. clou fileté en hélice.
[vis]   2. machine.

● *Malgré toutes les recherches dans la « Virginie », il n'avait pu trouver ni une **vis** ni un clou.* (M. TOURNIER, Vendredi ou les limbes du Pacifique, II.)

● *Il fallait, à coup de pelle, nourrir sans fin une énorme **vis** qui entraînait le sable dans le mélangeur en même temps que le ciment.*
(R. MERLE, La mort est mon métier, 1922.)

VISSE, VISSES, VISSENT *formes du verbe « visser » :*
[vis]   fixer au moyen de vis ; serrer en tournant.

● *Sur la plaque de platine du détonateur électrique et les contacts de mise à feu, ils **vissent** ensuite soigneusement les ailettes qui en stabiliseront la trajectoire.* (P. CLOSTERMANN, Feux du ciel, VII.)

---

399. VIE *n. f.*   existence, temps compris entre la naissance et la
[vi]   mort d'un être.

● *Et l'on arrive à la grande question : notre **vie** a-t-elle un sens ?*
(A. ROBBE-GRILLET, Pour un nouveau roman.)

● *Nous habitions une petite maison, dans un faubourg de Saint-Omer. Nos parents y menaient une **vie** tranquille et retirée.* (A. FRANCE, Putois, I.)

    VIS, VIT *formes du verbe « vivre » :*   exister, être en vie ;
    [vi]   subsister.

● *Si tu **vis** de longues années, tu sentiras, peut-être, à l'heure de la mort, ce poids...* (G. BERNANOS, La joie, III.)

● *Elle fut riche : elle est pauvre, et ne **vit** que de pensions.*
(RESTIF DE LA BRETONNE, Les nuits révolutionnaires, I, 1.)

    VIS, VIT, VÎT *formes du verbe « voir » :*   percevoir par les
    [vi]   yeux.

● *À deux reprises, je **vis** ses paupières se fermer et je crus qu'il allait s'endormir.*
(ALAIN-FOURNIER, Le grand Meaulnes, I, 6.)

● *Enfin l'habitant de Saturne **vit** quelque chose d'imperceptible qui remuait entre deux eaux dans la mer Baltique : c'était une baleine.*
(VOLTAIRE, Micromégas, IV.)

---

400. VIL, E *adj.*   de peu de valeur ; méprisable, indigne.
[vil]

● *Je l'ai acquis à **vil** prix, je suis prêt à te le céder de même.*
(A. BLONDIN, Un singe en hiver, VI.)

● *Et toi, si tu manques à ta parole, je te maudis et je te tiens pour le plus lâche et le plus **vil** de tous les hommes.* (MÉRIMÉE, La partie de tristrac.)

● *Il sentait que, s'il lui eût fallu commettre une action **vile,** pour garder ses droits au prix d'excellence, il l'eût commise sans remords.*
(Valéry LARBAUD, Fermina Marquez, IX.)

    VILLE *n. f.*   agglomération humaine.
    [vil]

● *La **ville** s'affirme à l'observation visuelle par son caractère monumental et l'importance des bâtiments réservés aux services publics.*
(P. GEORGE, La ville, I, 2.)

- *Ah, la vie que nous menons tous, dans les **villes**, quelle sottise !*
  (A. ADAMOV, Le ping-pong, 6ᵉ tableau.)

---

401. VIOL *n. m.*
[vjɔl]
acte de violence par lequel un homme abuse d'une femme.

- *D'ailleurs tous les sentiments, bons ou mauvais, dont un homme est capable, tu les nourris dans ton sein. Oui, tes instincts te portent vers le vol, le meurtre, le **viol**, l'assassinat, l'inceste.* (M. PAGNOL, Les marchands de gloire, Préface.)

VIOLE *n. f.*
[vjɔl]
instrument de musique.

- *Dieu, émerveillé, commande aux anges de jouer, en l'honneur de Malicorne, du luth, de la **viole**, du hautbois et du flageolet.* (M. AYMÉ, L'huissier.)

VIOLE, VIOLES, VIOLENT *formes du verbe « violer » :*
[vjɔl]
ne pas respecter, enfreindre, profaner ; abuser d'une femme.

- *Est-il vrai que le projet de loi **viole** la Constitution ?*
  (V. HUGO, Choses vues, 1850.)

- *Je veux aimer d'un amour éternel, et faire des serments qui ne se **violent** pas.*
  (MUSSET, On ne badine pas avec l'amour, II, 5.)

---

402. VŒU *n. m.*
[vø]
promesse, désir, souhait.

- *Jérôme-Napoléon, pendant la première partie de sa vie, n'a eu qu'un désir, mourir pour la France. Pendant la dernière, il n'a eu qu'une pensée, mourir en France. Vous ne repousserez pas un pareil **vœu**.*
  (V. HUGO, Discours à la chambre des Pairs, 14 juin 1847.)

- *Madame la Duchesse, M. Humulus sollicite l'honneur de venir vous présenter ses **vœux**.* (ANOUILH, Humulus le muet, II.)

VEUT, VEUX *formes du verbe « vouloir » :*
[vø]
demander, désirer, ordonner.

- *L'honneur **veut** que je parle ; la reconnaissance **veut** que je me taise.*
  (BALZAC, Vautrin, IV, 7.)

- *Fais, sans raisonner, ce que je t'ai dit ; je le **veux**, je te l'ordonne.*
  (VOLTAIRE, Traité sur la tolérance, XVI.)

---

403. VOIE *n. f.*   route, chemin ; carrière, etc.

[vwa]

- *Il tourna dans la longue* **voie** *droite et carrossable qui prolongeait les* **voies** *ferrées de la compagnie de l'Ouest.*
(SARTRE, Les chemins de la Liberté, II, Le Sursis.)

- *Il fallait que je me rende à l'évidence : quelqu'un m'avait poussé pour que je tombe sur la* **voie** *et que le métro me réduise en charpie.*
(Patrick MODIANO, Les boulevards de ceinture.)

- *Par des* **voies** *connues d'eux seuls, les guides les avait amenés en un point de la rivière situé bien en amont du pont.*
(P. BOULLE, Le pont de la rivière Kwaï, IV, 2.)

- *De là, il fit signe que la* **voie** *était libre.*   (R. VERCEL, Ceux de la Galatée, IV.)

- *Parvenu aux postes élevés de l'administration des douanes, Boussardel le père avait voulu attirer son fils unique dans cette* **voie.**
(Ph. HÉRIAT, Famille Boussardel, III.)

- *Lequel de vous deux a osé faire parvenir en haut lieu un rapport touchant le service, sans passer par la* **voie** *hiérarchique ?*
(J. COCTEAU, La machine infernale, I.)

VOIE, VOIES, VOIS, VOIT, VOIENT *formes du verbe « voir » :*
      [vwa]   percevoir par les yeux.

- *... ou mieux encore, j'ouvrirais la fenêtre du premier, afin qu'il ne* **voie** *que ma tête.*
(H. BAZIN, Qui j'ose aimer, XXVII.)

- *Il* **voit** *tout le glacier qui a commencé à faire un mouvement.*
(C. F. RAMUZ, La grande peur dans la montagne, XV.)

- *Je vous* **vois** *enfant, jouant à la corde. Je vous* **vois** *jeune fille, lisant auprès de votre lampe. Je vous* **vois** *au bord d'un étang...*
(J. GIRAUDOUX, Siegfried, II, 2.)

VOIX *n. f.*   ensemble de sons, parole ; avis, opinion.

[vwa]

- *En approchant de son usine, le père Sorel appela Julien de sa* **voix** *de stentor.*
(STENDHAL, Le rouge et le noir, I, 4.)

- *Ma mère n'avait qu'un filet de* **voix,** *une* **voix** *toute fine et toute mince.*
(J. GUÉHENNO, Changer la vie.)

- *Tout à coup, au milieu de ce silence, une* **voix** *s'éleva, une* **voix** *inattendue, une* **voix** *inconnue, parlant à toutes les âmes avec un accent sympathique.*
(V. HUGO, Réponse au discours de Sainte-Beuve, Académie Française, 27 février 1845.)

- *Ils sont tous obstinés et sourds à la* **voix** *de la raison.*
(MÉRIMÉE, Chronique du règne de Charles IX, X.)

404. VOIR *v. tr. et intr.* percevoir par les yeux ; rendre visite.
[vwar]

- *Des cris furieux s'élevaient de toutes parts. Je vois la rue des Petits-Champs remplie de brigands armés. Au péril de ma vie, je veux les **voir** de près. Je passe entre les épées et les bâtons...*
  (RESTIF DE LA BRETONNE, Les nuits révolutionnaires, I, 2.)

- *Il s'était rendu à Bruxelles où il était venu me **voir**.*
  (V. HUGO, Choses vues, 1853.)

VOIRE *adv.* et même.
[vwar]

- *Mais les gestes, le regard, le sourire, gardaient une vivacité, une jeunesse, **voire** une espièglerie déconcertantes, presque déplacées dans ce visage de vieil homme.* (R. MARTIN DU GARD, Les Thibault, Épilogue, XIII.)

---

405. VOL *n. m.* escroquerie, cambriolage.
[vɔl]

- *On avait de bonnes raisons, affirmait le journal, de lui attribuer une longue suite de **vols** accomplis avec une habileté surprenante.*
  (A. FRANCE, Putois, II.)

VOL *n. m.* déplacement dans l'air des oiseaux ; groupe
[vɔl] d'oiseaux qui se déplacent ensemble.

- *Elle aperçut au loin deux autres agaces qui convergeaient à tire d'aile vers le rendez-vous signalé, et y porta son **vol** elle aussi.*
  (L. PERGAUD, De Goupil à Margot, La captivité de Margot.)

- *Soudain, du fond de l'horizon, s'éleva un **vol** de corneilles.*
  (A. COSSERY, Les fainéants dans la vallée fertile, I.)

VOLE, VOLES, VOLENT *formes du verbe « voler » :*
[vɔl] dérober, cambrioler.

- *Je mets une cravate verte et je **vole** à ma mère de la pommade pour sentir bon.*
  (J. VALLÈS, L'enfant.)

VOLE, VOLES, VOLENT *formes du verbe « voler » :*
[vɔl] se déplacer en l'air.

- *Il ne s'arrête pas de tirer quand les oiseaux **volent** comme des assiettes.*
  (P. VIALAR, Les invités de la chasse, Talagnac.)

- *Justement un avion **vole** en ce moment au-dessus de nous.*
  (J.-L. BORY, Mon village à l'heure allemande, 3.)

---

406. VOLATIL, E *adj.* qui se transforme facilement en vapeur.
[vɔlatil]

● *Un liquide est dit plus **volatil** qu'un autre si, à une température donnée, il a une plus grande pression maximum.* (G. LAZERGES, Cours de physique, II, 3.)

● *De façon générale, la proportion d'éléments **volatils** est plus faible que sur la Terre.* (Le Monde, Il y a dix ans la Lune, 18 juillet 1979, p. 12.)

VOLATILE *n. m.* oiseau domestique.
[vɔlatil]

● *Des sacs de graines s'empilèrent dans la cuisine... et les **volatiles** s'en gorgeaient goulûment.* (H. de RÉGNIER, La double maîtresse, III, 1.)

---

407. VOLÉE *n. f.* 1. groupe d'oiseaux qui volent ensemble.
[vɔle] 2. mouvement rapide.
3. décharge, suite de coups.

● *Des **volées** d'étourneaux, lancées comme des charges de plomb, fonçaient vers le bas du ciel.* (A. DHÔTEL, David, VIII.)

● *Hedwige prit le bracelet d'or à cadran carré, le regarda avec haine... D'un geste violent, elle le lança à toute **volée** par la fenêtre.*
(P. MORAND, L'homme pressé, II, 21.)

● *Goupil se remémorait les dangers anciens auxquels il avait échappé : les fuites sous les **volées** de plomb, les crochets pour dépister les chiens...*
(L. PERGAUD, De Goupil à Margot, La tragique aventure de Goupil, III.)

● *La première médecine de nos malades consiste à recevoir une bonne **volée** de coups par les argousins.* (A. CHAMSON, La superbe, I, 2.)

VOLER *v. intr.* se déplacer dans l'air.
[vɔle]

● *L'oiseau vole. Il a ce qu'il faut pour **voler** : des forces, des leviers, des surfaces portantes.* (P. VALÉRY, Carnets de Léonard de Vinci, Préface.)

● *Maintenant s'ouvre vraiment l'ère de la conquête de l'air. L'homme s'est aperçu qu'il pouvait **voler** : il veut reconnaître et posséder cet empire qui s'ouvre à lui.* (J. CHASTENET, La belle époque, VI.)

VOLER *v. tr.* dérober, cambrioler.
[vɔle]

● *Ce pauvre William a encore dû se faire **voler.***
(Françoise SAGAN, La chamade, VIII.)

---

408. VOLETER *v. intr.* voler à de petites distances et en chan-
[vɔlte] geant souvent de direction.

213

- *Presque tout le jour il dormait. Les pouillots, les mésanges charbonnières en train de bâtir leur nid venaient **voleter** jusqu'à sa tête sans qu'il bougeât plus que les arbres.* (M. GENEVOIX, La dernière harde, I, 6.)

VOLTER *v. intr.*   tourner sur soi-même.
[vɔlte]

- *Mais non, quelque chose parlait encore chez ce combattant fauve qui, brusquement faisant **volter** sa monture, s'en alla enfin dans la direction opposée, au galop, toujours.* (LA VARENDE, Le dîner de la fosse.)

---

409. VOLT *n. m.*   unité de force électromotrice et de différence
[vɔlt]   de potentiel.

- *Un modèle réduit de train électrique marche avec quelques **volts**.* (Les Sciences, p. 196.)

VOLTE *n. f.*   tour complet, changement de cap.
[vɔlt]

- *Ce n'était pas une chauve-souris, mais deux ou trois qui voletaient au plafond et qu'il s'agissait de déloger. Elles tourbillonnaient en **voltes** rapides.* (H. de RÉGNIER, La double maîtresse, I, 12.)

VOLTE, VOLTES, VOLTENT *formes du verbe « volter »* :
[vɔlt]   tourner sur soi-même.

- *Vous dansez? m'a demandé Sylviane Quimphe. Elle n'a pas attendu ma réponse et déjà nous dansons. La tête me tourne. Mon père m'apparaît à chaque fois que je vire et **volte**.* (Patrick MODIANO, Les boulevards de ceinture.)

---

410. VOUE, VOUES, VOUENT *formes du verbe « vouer »* :
[vu]   promettre, consacrer.

- *On parle aussi de Maurras, à qui les deux hommes **vouent** une admiration extrême.* (G. PERRAULT, La grande traque, p. 367.)

VOUS *pron. personnel de la deuxième personne du pluriel ;*
[vu]   *employé à la place de « tu » dans le vouvoiement.*

- ***Vous** qui **vous** intéressiez à lui, autrefois, et qui vouliez l'aider, **vous** serez contente d'apprendre que son sort s'est beaucoup amélioré.* (J.-L. CURTIS, La quarantaine.)

- ***Vous** des poètes! et **vous** ne savez pas même pincer une note sur la guitare. Avec quoi donc accompagnerez-**vous** les chansons que **vous** ferez ?* (LAMARTINE, Graziella, II, 9.)

INDEX ALPHABÉTIQUE

(Les nombres qui suivent les mots renvoient aux numéros des groupes d'homonymes.)

SIGNES PHONÉTIQUES

I) Sons vocaliques

[a]	art, chat
[α]	bas, pâté
[e]	cité, aller
[ε]	ère, fête, mais
[ə]	ce, genêt
[ø]	peu, vœu
[œ]	auteur, heure
[i]	il, lyre
[o]	mot, rôti, eau
[ɔ]	col, forêt
[u]	bout, cou
[y]	buter, dur
[ᾶ]	an, cendre, temps
[ɛ̃]	faim, pin, sein
[ɔ̃]	bon, comte

II) Semi-consonnes

[j]	lieu, cession
[ɥ]	cuir, lui
[w]	oui, point

III) Sons consonantiques

[b]	bal, robe
[k]	camp, plastic, queue
[d]	date, occident
[f]	fort, phare
[g]	galon, dégoûter
[l]	lard, sol
[m]	main, ami
[n]	nid, bonasse
[p]	père, apprêt
[r]	reine, mari, or
[s]	ça, sale, assaut, vice
[t]	taux, étang
[v]	vin, avant
[z]	pose, gaz
[ʃ]	chêne, hache
[ʒ]	jarre, geai
[ɲ]	cygne, signe

['] *marque pour h aspiré.*

LISTE DES ABRÉVIATIONS

adj. :	adjectif	n. m. :	nom masculin
adj. dém. :	adjectif démonstratif	n. m. pl. :	nom masculin pluriel
adj. num. :	adjectif numéral	p. (ou	
adj. poss. :	adjectif possessif	part.) prés. :	participe présent
adv. :	adverbe	pl. ou plur. :	pluriel
art. déf. :	article défini	prép. :	préposition
conj. :	conjonction	pron. :	pronom
f. ou fém. :	féminin	pron. dém. :	pronom démonstratif
interj. :	interjection	pron.	
inv.		interr. :	pronom interrogatif
ou invar. :	invariable	pron. pers. :	pronom personnel
loc. prép. :	locution prépositive	pron. rel. :	pronom relatif
m. :	masculin	sing. :	singulier
n. :	nom	v. aux. :	verbe auxiliaire
n. f. :	nom féminin	v. tr. :	verbe transitif
n. f. pl. :	nom féminin pluriel	v. intr. :	verbe intransitif

IMPRIMERIE HÉRISSEY — N° 51218 — Dépot légal : Avril 1990.
N° d'éditeur : P. 46904 I (OSB) 80 — Imprimé en France.